YO-CCO-028

家庭主妇烹调指南

张晓丽　编著

珠海出版社

目 录

序

上 篇

第一章 烹调材料及初步加工

1

第二章　切配技术

第三章　烹调技术的基本认识

第四章　烹调方法及其应用

第五章　宴席知识与食物雕饰

下　篇

第一章　八大菜系简介

第二章　八大菜系精选

目 录

序

一、烹饪技术的起源

人类由猿进化为原始人，其间过着数万年"茹毛饮血、生吞活嚼"的饮食生活。据考古学家的推测，古代人居住在森林时曾屡次遭遇到雷击而使森林发生火灾，等火熄后回到原处，便闻到灰烬中发出使人垂涎的兽肉焦味，在极端饥饿的状态下，他们尝食之后却发现经过火烤的兽肉远比生肉美味。而后，人们才发明了钻木起火及敲石生火的方法。于是学会了用火烧烤食物的技术。就这样他们开始了"熟食"的生活，可见"烹"字之出现始于"火的运用"。

人们开始熟食之初，尚未知道运用调味方法。经过若干年代，居住于海边的原始人，将他们捕获的食物放在海岸，等退潮后，在海岸上发现浸在海水中的沙经日晒蒸发后形成白色结晶体，这就是"盐"。当他们放置食物于海岸时，因食物表面黏湿而沾上许多的盐粒，人们便发现沾盐经烤煮过的食物远比未沾盐分的食物来得美味，于是人们开始研究结晶盐与食物的关系，经过长期的研究，证实盐能增加食物的滋味。他们便开始搜集食盐，终于发明了煮熟海水练取食盐的方法，并开始用于调味之上，此为"调"意义之始，可见，调味始于"盐的运用"。

英格尔（friedrich　Engels　1820～1895 年，德国人）说："熟食是人类开化的序幕"。人类自从知道煮炊之后，便停止人"茹毛饮血、生吞活嚼"的蛮荒生活，在生活方式上，从此与其他动物产生了明确的区分；同时食物经烹调后，有消毒杀菌的作用，可帮助消化，增进营养，于是逐渐形成定时饮食的习惯，人类因此获得活动的能力，得以脱离无知的原始时代，进入文明时代。由此可见"烹调"的发明，对于人类的进化具有极大的意义。

人类在其发展过程中，对于食物的烹调方法仍不遗余力的努力研究。最原始的烹调方法，极为简单，只是将食物直接放在火上烘烤，或将食物放在烧得滚热的石头上烤熟，这就是"石烹"，也是人类最早发现而运用的"直接烘烤法"。

接着他们运用智慧，发明陶器，于是做成鼎、鬲、瓶、甑等烹调用具。这些都是锅与炉合并起来的加热器具，利用水与蒸气煮炊食物，此即是"加水烹调法"的开始。

自人类进入青铜器时代，便开始制造铜锅、铜刀，并获知使用动物脂肪的方法，懂得将食物材料切成小块或薄片，放入油锅中烹调，这便是"用油烹调法"的开始。

近代从殷墟出土的文物中，发现类似现代刀片形式的薄铜刀，亦有形如现代炒菜锅形式的铜锅。中国远在 3000 年以前的殷代，烹调技术即已非常发达，因当时已属于"用油烹调法"的时代。

中国古代的百姓，经过不屈不挠的努力与创造，使烹调技术不断的发展。远在 3000 余年前的殷、周时代，即发明了酱油、醋、果酱、香料等调味品，制造多种酱类并创出许多烹调方法。

当时的烹调方法极为精致复杂，如"礼记"中所记载，周代的"八珍"之馔是使用 8 种珍贵材料的烹调方法，其中之一"炮"是将枣、酱、醋、香料等调味品经烤、炸、炖三个步骤才告完成，可周代的烹调技术已达到极高的水准。

到战国时代（公元前 403～公元前 221 年），烹调理论已达全面性的综合阶段。例如在《吕氏春秋》一书中已述及必

4

须严格分开使用"旺火、温火、小火"之意，并强调酸、辣、咸、苦、甜五味，调和得当方能发挥烹调的精华。

到汉代（公元前 206～220 年）开始使用植物油，使烹调技术又更进步了。

到唐宋（公元 618～1279 年）时代，随着文化的发展，与亚洲各国建立了贸易关系，烹调技术亦见长足的进步。不仅用于烹调的种类增加，而材料的配合、调味以及烹调知识亦告进展，甚至出现花色菜（精艺菜肴），这些特点可从唐代韦巨源所著的《食谱》、宋司膳内人所著的《玉公批》及浦江吴氏的《中馈录》中窥知一斑。现今流行的各种名菜中，不乏来自古代烹调方法的菜肴，例如北京菜"全爆"与《食谱》中的"过门香"一菜非常相似。

到了清代（公元 1616～1912 年）烹调技术更臻完美。所谓"满汉全席"乃当时的代表作。

中国历代的先祖，经过不断的努力与创造，为中国带来了辉煌的烹调技术，也为后代留下多采而丰富的文化遗产。

二、中国菜的特色

中国菜以色、香、味、形俱美而闻名，其烹调技术冠于全世界，其特色如下：

1．刀工精致

刀工的运用决定烹调材料的各种形状，中国菜刀工的精致，因应主材料、副材料各别不同的性质及烹调上的必要，而切成片、丁、丝、块、粒、茸、末及花等形状。这些形状，不仅方便调味，亦使菜肴看起来美丽而生动，尤其花色菜或花色冷盘，更注意刀工，务使艺术的精品达到赏心悦目的效果。

2．重视调味

中国菜最重视味道，各种调味料的功用在于除去材料本身的腥臭，增进香味，并藉调味品的颜色来增加菜肴的色泽之美。

清代袁枚所编的"随园食单"中亦强调味的重要性，认为"厨师的调味品有如妇女的衣着，尽管美如西施，若无美的服饰衬托，亦不能成为美女。"由此可见中国菜重视调味之一斑。

3．火候的掌握与烹调方法的繁多

中国菜的厨师，善于掌握火候，他们依照菜肴的形状与颜色做出脆、嫩、香等各种不同风味的菜肴。视水份或油量而改变浓度、稠度及操作的快慢等，使中国菜如绚丽豪华的锦缎一般，且具有独特的风格。

4．具有丰富的地方色彩

中国菜特色之一，在于它具有丰富的地方色彩。中国的幅员广大，各地有不同的气候、地理环境、特产，而人民的生活习惯亦各不相同。经过悠久的年岁，人们利用丰富的物产，创出富于地方特色的菜肴和相应的烹调方法，形成所谓的家乡菜。

家乡菜中较有名的有京菜（北京菜）、川菜（四川菜）、苏菜（苏州菜）、粤菜（广东菜）、闽菜（福建菜）、徽菜（安徽菜）、湘菜（湖南菜）、鲁菜（山东菜）以及浙菜（浙江菜）等，均各具浓厚的地方色彩。

北京菜以炸、溜、爆、烤见长，菜肴脆、嫩、味香而浓。

苏州菜长于炖、焖、煨、烧，着重精艺菜肴的制作，味道浓厚，黏融可化，略带甘甜。

四川菜以干烧、干炒、鱼香、宫爆著称，味道厚重。其特色为酸、辣、麻、香。

广东菜的组成材料繁多，富于变化，形状美而着重于鲜、嫩、爽、滑。

福建菜以清汤、干炸、爆炸见长，常使用红糟，味浓，略带酸甜。

安徽菜以山珍野味著称，长于烧、炖，着重火候，可发挥材料的原味。

浙江菜工细，以爆、炒、烩、炸为主，味清爽可口。

湖南菜以熏与腌为主，烹饪方法亦以熏、蒸、干炒为重。味道浓而多酸、辣。

山东菜重清汤与奶汤。

各省家乡菜均发挥独特的色彩，构成整个丰富而多彩的中国烹调技术。

三、中国传统烹调技术的继承与发展

　　饮食业是社会中不可或缺的行业，随着经济发展与国民生活的提高，培育专业的烹饪人才，并对此技术做不断的研究改进是当前之务。

　　中国菜的烹调术，具有优异的作工表现及艺术欣赏的价值，烹饪人才不仅必须承袭传统，更应做不断的突破，充实自己物理、化学、营养、卫生、美术等各方面的知识。

　　学习烹饪，其目的在于提高食物品质，以满足人民日增的生活需要。因此，必须学习理论与技术，因为仅知"做法"或"秘诀"已不敷当前所需。必须从"会"再成为"好"然后变成"快"。

　　为了继承先人文化遗产，也为国家当前所需，必须将烹饪技术列入科学、艺术之林，以发扬中国历史文化，期望能与世界各国人士共享共赏为盼。

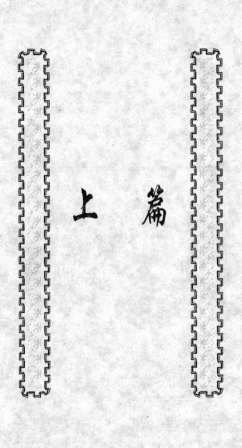

上 篇

第一章 烹调材料及初步加工

第一节 烹调材料

一、烹调材料的种类

中国领土广大，跨于温热两带之上，有丰富的物产。

烹调材料分为动物性、植物性及矿物性三种。而动物性与植物性材料之分，端视其是否经过加工而定，再分为生鲜材料与干物材料。生鲜材料亦即新鲜的水果、蔬菜、肉类、内脏、蛋类、乳类以及水产物等，干物材料指经过脱水干燥的处理后成为可以贮藏的水果、蔬菜及经干燥加工后的动物性材料而言。

现将日常使用的主要烹调材料的特征与性质分析如下：

1. 植物性材料

⑴谷 类

谷类通称"粮食"，是中国人的主粮，中国的谷物生产极丰。脱壳后谷类的主要营养成分为糖分，并含有若干蛋白质，但所含的维生素及矿物质却不多，谷皮中含有少量的A、B、E三种维生素。因为谷类是中国人的主食，为日常生活中营养的主要来源。因此不断研究与改善谷物类材料的加工与调理方法，以确保人民的营养来源，是专家们的当务之急。

(2)豆 类

中国大陆各地普遍种植豆类。主要种类有：大豆、小豆、蚕豆、豌豆、四季豆等。一般以生豆及豆鞘为副食品，而以干豆加工制成豆腐、豆芽等做为主、副食品。

豆类及豆制品占烹调材料中重要的地位，不仅是主材料，亦成为副材料及调味料。

新鲜豆类经炒、煮后即成为主材料，而与肉类及其它主材料配合调理则成为副材料。

干燥的豆类，经煮或炸而成为主材料，豆制品中的豆腐、豆腐干、豆腐衣等均可成为主、副材料；其他可制成豆酱、豆豉、大豆油、酱油等调味料。

豆类及豆制品的营养成分与谷类略同，而蛋白质及脂肪的含量却高于谷类。豆类所含有的维生素 B、铁份及其他矿物质亦丰富；而豆类经发芽后（如黄豆芽、绿豆芽、蚕豆芽）可增加维生素 B 的成分；豆浆营养成分极高，可媲美牛乳；豆腐又含有多量的钙。可见豆类是植物性蛋白质重要的供给来源，与谷类配合而食可弥补蛋白质的不足。

(3)叶菜类

叶菜指蔬菜嫩叶的烹调材料，叶菜种类繁多，最普遍的有：白菜、小白菜、菠菜、油菜、芹菜、韭菜、卷心菜、雪里红、塌棵菜、菲菜、苋菜、香椿、豆苗等。

叶菜含有大量叶绿素、维生素及矿物质，然而所含蛋白质及脂肪不多，而纤维质比率甚高。叶菜及谷类混合动物性材料食用，可以互相补充营养成分促进消化。

(4)根茎类

根茎类中的茎菜是指蔬菜的细茎及变态茎的烹饪材料。茎菜种类颇多，长于地上的有：菲兰、莴苣、蒜苗、紫薹菜等。生于土壤中的有：马铃薯、甘薯、青芋、荸荠、慈姑、竹笋、莲、百合根、茭白、玉葱、蒜、姜等。

根茎类之根菜是指蔬菜肥大的直根部分而可作为烹调材料的，如：萝卜、红萝卜、山芋等。

根茎类蔬菜几乎都含有淀粉，且含有挥发性芳香油者亦多，亦有根茎类含有良佳的香辣味者，如葱、蒜、姜等均是，皆可成为调味品。

(5)花菜类

花菜类，名副其实，以其花部用为烹调材料。花菜品种不多，常见的有贵花菜、韭菜花以及花菜等。

(6)果菜类

果菜类系指可作为烹调材料之用的蔬菜果实而言。茄果菜类有：蕃茄、辣椒等；瓜果类有冬瓜、南瓜、苦瓜、黄瓜、葫芦（菰）、丝瓜等。

果菜除含有丰富的水分外，其他的营养成分各异。如：蕃茄含有多量的叶红素及 B、C 两种维生素；南瓜亦含有丰富的叶红素；茄子含少量的叶红素；黄瓜则含多量的维生素C。

(7)鲜果类

鲜果类中使用为烹调材料的有：樱桃、凤梨、梨枣、橘子、柚子、苹果、红果、香蕉等。

(8)干果类

干果有：核桃、花生、西瓜子、杏仁、松子、莲子、枣子、栗、桂圆、荔枝、葡萄干等。一般干果中均含有丰富的蛋白质、脂肪、矿物质、维生素 B。然维生素 A 及 C 的含量甚少。

干果因含有多量的脂肪故质地坚硬，咀嚼困难，不容易消化。调理时多使用为副材料。一般都经碾碎制成浆糊状的花生酱、杏仁粉或核桃酪等使用。

(9)干燥、盐渍蔬菜及果类

水果及蔬菜皆有其季节性，为了延长食用的时间，必须利用脱水、干燥或盐渍的加工法来保存食物。例如：为防止食品发生变味而施以盐渍法。

常见的干物类有笋干、干燥蔬菜、干燥果实等。盐渍品有腌雪里红、酱萝卜、酱黄瓜、冬菜、榨菜等。果实类有渍糖果实、蜜饯等。盐渍蔬菜中含有少量维生素 B，而几乎都缺乏叶红素及维生素 C。榨菜、雪里红及酱萝卜等含有丰富的铁，腌雪里红还含有多量叶红素。

(10)菌类

菌类有口蓇、冬菇（香菇）、竹荪、木耳等。菇菌类除含有丰富的纤维质外，另含有钙、磷、铁等矿物质及维生素 B。

(11)海藻类

海藻类包括海带、海苔等。海藻富含碘、钙、铁等矿物质。

(12)植物性油脂类

植物性油脂中用为烹调的有花生油、黄豆油、麻油、菜籽油、茶果油等，这些油脂是人体活力的来源。油脂在烹调

14

时除成为传热导体外，亦为调味料，可增加食物的香味。

⒀调味料类

糖、醋、酱油、酱、酒等均由植物性原料制成。食用糖是调味料中重要的一项，最常用的有：冰糖、白糖、红糖、麦芽糖等。食用糖类是人体活力的主要来源。麦芽糖含有少量铁及矿物质、维生素 B 等。

醋的用途广泛，可减少或隔绝食物中的维生素在加热过程中所遭受的破坏。

酱油是调理上应用范围最广的调味料。酱油含有少量的蛋白质、维生素 B 及钙、铁等。

酱类对于某些食谱而言，是不可或缺的调味料。酱类可分为黄酱、甜面酱、豆瓣酱、芝麻酱、花生酱、蕃茄酱等，均含有蛋白质、矿物质及维生素 B。

酒不仅为饮料，亦可为调味料，系利用糖分发酵制成的，含有酒精与糖分。酒的种类繁多，一般用为调味料的有：绍兴酒、白干酒，偶尔也用白兰地酒、葡萄酒等。酒有去腥、除臭的功用，可增加食物的美味。

至于其他香辣调味料有：八角茴香、花椒、胡椒、桂皮、丁香、砂仁、陈皮、芥末及茶等。更有几种中药材，均系日常被广泛使用的植物调味品。

⒁淀粉及面粉制品类

淀粉为重要调味品之一。用于上浆、挂糊、拍粉、勾芡等。淀粉中以绿豆粉、马蹄粉的黏性较高，颜色也白。淀粉制品中，最常用的有粉丝、面粉、烤麸等。

2．动物性材料

动物性材料一般指家畜、家禽、水产物的肉及其内脏等，营养丰富，在烹调中占极重要的地位。

肉类的主要成分为蛋白质、脂肪，并含有少量的矿物质以及维生素 B，但较缺乏糖类，内脏的维生素与矿物质较肉类为丰。肉类及内脏不仅富于营养，且可配合蔬菜食用，相辅相成，得以弥补某种食物营养成分的不足。

(1)家畜肉类

一般指猪、牛、羊等肉类。其身上肌肉的组织分布各异，背部与臀部有较多的肌肉组织，腹部、四肢、头部的肌肉组织较少。家畜肉类的品质依其年龄、性别及品种而定，而各部肌肉所含结缔组织的多寡，亦影响其肉质的好坏。

家畜肉类约含 74～78% 的水分，经调理后将减少约 50%的水分，故经调理后的肉类要比原来的生肉减少了许多重量。猪肉呈淡红色，肉的纤维细腻而富于脂肪，不仅滋味甘美，适合于各种烹调条件，同时亦能配合各种蔬菜使用，故在一般菜肴中用途极广。

牛肉呈红褐色或暗红色，脂肪呈黄色，纤维粗糙，与猪肉的肉质迥异。各部位的肉质有明显的差异，因此在调理时，须依照部位而选择方法。经调理后的牛肉，具有极醇厚的香味。

羊肉呈红褐色或暗红色，脂肪呈白色，肉质纤维柔软，且有浓郁的腥味，因此在调理时必须施以适当的方法去腥。

(2)家畜内脏

家畜内脏中可供食用的有：脑、心脏、肝脏、肺脏、肠、肚（胃部）等。

内脏在动物性材料中占重要的地位，仅以形态、色泽、滋味而论，就比肉更为复杂。一般内脏所含有的维生素 A、B，较肉为多，且含有多量的肝醣。尤其肝脏是内脏中最富营养的部分，含维生素 A、磷、铁及维生素 B。肾脏的营养较肝稍低，心脏的营养更为次之。

(3)家禽肉类

一般家禽肉类有鸡肉、鸭肉、鹅肉等。家禽肉较家畜肉纤维细致柔软，纤维间的脂肪不多，味道佳美容易消化。

家禽的肉以胸部、臀部的肌肉较多，胸部肉质细软，味最鲜美。家禽肉的营养成分高于畜肉。鸡肉组织纤细柔软，含有多量麸胺酸，滋味特佳，非其它家禽所能相比。

鸭肉的肉质略粗于鸡肉，皮下脂肪多，肉味虽美，却略带腥味。鹅肉质粗，味道近似鸭肉，但不及鸭肉味美。

其他应用于食谱上的，有鸽子、鹌鹑、山鸡、野鸭、雁子等。

(4)家禽内脏

家禽内脏包括脑、心脏、心肝、砂肝、肠等，味道鲜美可口，可做成各种菜肴。

(5)水产类

水产物种类繁多，有鱼、虾、蟹、蚌、螺等。水产物的肉质及营养成分，依种类而异。鱼的种类中，淡水鱼有：鲤、鲫、鲢、鳝、鳜、青鱼、草鱼、白鱼、刀鱼、银鱼等；海水鱼有；黄鱼（石首针）、鲳鱼、鲨鱼等。鱼肉在水产物中占有重要地位。

鱼肉的纤维组织松软，含水量约 70～80％，经调理后的失水量仅占 10％～35％，较家畜类调理后的失水量少。

鱼的营养成分与家畜、家禽略同，而海水鱼为人体碘的主要供应源。

虾的种类一般常见的有：对虾（明虾）、白虾、红虾、毛虾、米虾等。

虾肉是烹调主要材料之一，虾的肉质均匀而细腻，味道鲜美，虾肉的营养成分类似鱼肉，且含有高量的钙、磷及维生素 A。

蟹的种类，一般被使用的有：河蟹、湖蟹、海蟹等。河蟹或湖蟹另名为螃蟹。螃蟹的生长有明显的季节性，一般以中秋后最为肥美，肉质最嫩，尤其雌蟹的蛋黄甘美无比。蟹粉是蟹肉与蟹黄的混合物，味道鲜美，为烹调材料之一。海蟹的肉质较粗，味道不及淡水蟹。

贝类中常用的有：田螺、蚌、蛤子、蛏子、牡蛎等。贝肉非常鲜美，广受大众喜爱。其他水产物尚有龟肉、青蛙肉等，均为水产类中之烹饪材料，亦广被使用。

(6)蛋　类

蛋类是调理的必需品，常用的蛋类有：鸡蛋、鸭蛋、鹅蛋、鸽蛋、鹌鹑蛋等。蛋类含有蛋白质、脂肪及多种重要的矿物质。

鸡蛋不仅广为烹调之用，亦为上浆、挂糊时不可或缺的材料。

(7)乳　类

乳类有牛乳、羊乳等。所含的营养丰富。其中尤以蛋白质、脂肪、糖类、矿物质、维生素等容易被吸收，特别是乳类中所含的氨基酸，种类齐全，系为完全之蛋白质，故营养价值颇高。它含有谷类中所缺乏的必需氨酸，如赖氨酸、苏氨酸等。

　　乳类多用于烹调汤汁，而乳制品当中以"羊奶豆腐"为最高级的材料。牛乳制品营养丰富，有奶油、乳酪等，美味可口。

　　(8)动物性材料制品

　　动物性材料制品，常见的有家畜食用肉制品及内脏制品如：火腿、腊肉、咸肉、熏肉、香肠、腊肠、香肚等。而家禽食用肉制品及内脏制品有：风鸡、板鸭、碱鸭肫、鸡肝、肠等。

　　水产物制品有：风鱼、腌鱼、糟鱼、虾干、干虾子、淡菜、鱼卤、虾酱等。

　　蛋类制品有：碱鸭蛋、皮蛋、糟蛋等。以上各种制品为烹调用主食品或副食品，增添菜肴许多的变化。

　　动物性脂肪有猪油、羊油、牛油、鸡油、鸭油等。

　　(9)山珍海味

　　山珍海味，产量稀少，由于不容易取得，故价格昂贵。其营养价值甚高，大都用于高级食谱中的主要材料。

　　一般的种类有：燕窝、熊掌、鱼翅、鱼唇、海参、干贝、鳖裙等，均属干物。

　　•燕窝　是金丝燕的窝巢，以羽毛、苔藓或海藻混合唾液而成，如胶状。品种有：血燕（呈淡红色）、白燕（亦称官燕，呈灰白色）、毛燕（呈灰黑色）。

　　燕窝含有蛋白质50%、糖质30%，营养价值颇高。

　　•熊掌　是熊的手掌，亦称熊蹯。

　　•鱼翅　是板腮鱼类的鳍，取自鲨鱼及少数鳍科鱼类。鱼翅种类繁多，有背翅、钩翅（臀部的鳍）、尾翅及翼翅（亦名牙笏翅，指胸部鳍）。

　　依照鱼翅的颜色，可分为白翅及黑翅两种，白翅呈淡灰色，取自黑缘鲨、骡鲨、白眼鲨之鳍。鲨鱼的背翅形态庞大多呈白色。黑翅色浓呈灰色，多取自青鲨、苍海鲨、虎鲨之鳍。鲛鱼翅含有 83.57% 的蛋白质及少量脂肪、糖、磷、钙、铁等。

• 鱼唇　指鲨鱼等鱼类嘴边的嫩肉。

• 鱼骨（明骨）　是鲟鱼骨头。

• 鱼肚　是鱼肚之干制品，产于中国大陆沿海。以广东、海南岛所产的广肚品质最佳；福建、温州一带产出的毛长肚次之；产于浙江嵊泗列岛的黄鱼肚，分单片、搭片鳖肚；以及长江下游的回鱼肚均属肉厚而质美。鱼肚含有丰富的蛋白质及磷、铁、钾等。

• 鱼皮　是鲨鱼皮。有沙婆皮、海牛皮、石岛皮、玉吉皮等品种。

• 鲍鱼　为贝类之一，属单片贝呈半圆形，产于中国大陆沿海中海藻密布的岩礁区域。有 7~8 种，分布地区广泛。产量较多的有：盘大鲍鱼、杂色鲍鱼、耳鲍等。

盘大鲍鱼以辽宁省的长山列岛及山东省庙岛列岛北部的产量最丰富。鲍鱼多制为罐头或干物。

• 海参　系棘皮动物的一种，长约 5~6 寸，形如黄瓜，圆滑，呈黑色，普遍产于中国大陆沿岸。可分为：

梅花海参及光参二大类。刺参呈黑，具有许多针，形如花瓣。产于辽东半岛沿岸的，称为辽参；而产于广东省沿岸的称为广参；产于浙东沿岸者则称为瓜皮参；光参的针已退化，参体表面光滑，呈白色，多产于闽南沿岸。海参含有蛋白质 61.4%，脂肪 20.3%，此外含有钙、磷等。

• 干贝　系一种海蚌（双片贝）贝肉制成。另有江瑶柱是栉江瑶贝肉的干物，产于烟台、大连等地。

• **鳖裙** 系海鳖裙边（鳖甲周围肉）的干制品。

3. 矿物性材料

该种调理材料为数不多，主要有：盐、碱、小苏打、明矾、石灰、发酵粉等。

盐的主要成分为氯化钠，与少量的碘、镁、钙等，是最主要的调味料。盐分为海盐、池盐、井盐、岩盐等四种。精制的白盐滋味稍差于粗盐。

烹调中常用的碱（苏打）系旨纯碱（精制苏打），常用于制作馒头食品。

小苏打的化学名称为碳酸钠，系苏打的加工品。使用方法略同于苏打，惟碱性劣于纯碱。

明矾为一种硫酸盐，常见的有钾矾、钠矾、铵矾等。其中以钾矾用途最广，水溶液呈酸性，可软化某种面粉。例如：制造油条时须加入明矾。

石灰的主要成分是碳酸钙，用于肠及鱼肚的初步处理。

发酵粉可发生碳酸气，用于面粉类的膨胀。

二、如何选择烹调材料

1. 选择材料的重要性

烹调时须具备选择材料的能力。尽管菜肴的优劣，决定于烹调技术，然而从另一角度而言亦决定于材料本身品质的优劣及选择是否适当。如何选择材料，一般都依照以下原则：

(1)熟知各种材料的生产季节

许多材料因季节的差异改变了生产的条件，使得品质上也形成差异。例如淡水鱼，一般在冬季较少活动，故肥厚而多脂肪。到了春季，活动开始旺盛，肉质便缩瘦。鲫鱼自立夏至端午的产卵期最肥美。植物性材料亦以春夏为旺季者最多。

(2)熟知出产地

中国大陆地广物博，依各地域的自然环境，所采用的品种、栽培法及管理方法各异，致所产材料品质不一。若熟知材料的出产地，不仅可购得品质最优的材料，亦能顺应各种材料而采取适宜的烹调方法。

例如北京填鸭最适于烤鸭一菜，而一般鸭子则以烹调为红烧鸭、炒鸭丁或炒鸭块为佳。

出产于上海近郊的马铃薯，颗粒虽小，但质地却细嫩结实，适为各种素菜的材料，西北所产的马铃薯粒大而质松，容易融化。

(3)熟知并精通各种材料各部分的用途

各种材料的各部分，皆有其不同的特征，例如猪、牛、羊、鸡、鸭等各部位有瘦肉、肥肉以及硬软之分。有的部分适于爆炒；有的部分合于烧煮；也有适合卤酱或煨汤的。猪的里脊肉属于嫩瘦肉，适合切成肉丁、肉丝、肉片。猪肋条肥瘦参半，最适于红烧。其他如蔬菜类的根部、茎部及叶子都有不同的质地与色泽，故应依照其特色而烹饪之。

熟识各种材料各部分的用途，才能烹调出美味的菜肴，达到活用材料的目的。

⑷识别各种材料的品质

识别各种材料的品质而加以挑选，不仅关系着食物的色、香、味，更重要的是直接影响到人体的健康。此点是每一个从事烹调者应特加注意的事项，因此，在鉴选材料时，应遵照以下营养与卫生要求：

①不得使用患有疾病或带有病菌的家畜、家禽或水产物等，必须防范将病菌传染给该食物的食用者。

②烹调材料不得使用含有生物毒素的鱼、蟹、蔬菜、水果、菇类以及含有有机、无机毒素的香料与色素，以防止食用后人体中毒。同时严加注意三废（指废水、废气、废渣之公害）对于食物所产生的污染。

③材料中不得有腐败、生霉、变味、生虫及鼠害等变异现象。

鉴别材料品质，一般有感觉检查、理化检查及微生物检查等。餐饮、鼻子、口腔、耳朵等来鉴别材料的品质。感觉方法通常从材料外观的特征来鉴别，例如：观察形状、颜色、气味、品质等。有丰富经验的烹调师，只需观察材料表面的色泽或用手稍为触摸，即可识别出材料的硬度、新鲜度及是否有变异等现象。

此种技术，系由长期的实际经验累积而成，故有志于此者应勤加训练。

2．主要材料的识别与选择

烹调材料种类繁多，在此仅说明较常用的主材料的鉴别与选择方法。

(1)植物性材料的识别与选择

• 谷物类　这类材料以保持原谷状况的品种较多，其共同的品质基准为：

[新鲜度] 未遭虫类或微生物的破坏以及未发生物理或化学强烈变化的谷物，即属于正常的谷物，它保有原来的色彩与光泽，无任何变味（发酸或霉臭）及不正常的情形出现。

[水分] 各种谷物均有其固定的标准含水量，含水量不得过多，否则将影响贮藏与烹煮的效果。不同含水量的谷物，不能放在一起贮藏。

[夹杂物] 谷物类的不纯物质有二种：一为杂有沙土、草屑，及金属屑；另一种为杂有带病谷粒、虫蚀谷粒以及其他不良谷类者。品质佳的谷物中不参杂任何不纯的物质。

• 豆类及豆制品类　豆子与豆荚类以时货最为新鲜。一般而言豆类以粒大、饱满而光泽良好者为上品，豆制品中较常用的为豆腐、豆腐干、豆腐衣，其选择标准为：质地细腻、柔软、均匀、厚度均等且含有适度水分者为佳品。

• 水果蔬菜类　青果类品种繁多。根菜类以未枯萎、表皮光滑、富于润泽而新鲜者为佳品。叶菜类以叶厚而有生气、光泽鲜美，质地细腻柔嫩者为上品。瓜果类以光泽鲜美，无斑点而散发独特香气者为佳。

(2)动物性材料的识别与选择

• 家畜肉类　猪、牛、羊等家畜肉，以肉质绷紧、富于弹性、有良好光泽与气味者为佳品。以猪肉为例：皮薄、肥肉厚、肥肉纯白而瘦肉呈淡红色者为最佳。肉质粗糙、松软而色呈灰暗，具有异味者，乃属劣品。

• 家禽类　鸡、鸭及鹅等家禽的鉴别，可分为活禽与光禽（宰后拔光羽毛者）二类。选择活的鸡、鸭、鹅时，主要观察羽毛是否丰茂而有光泽，同时注意行动是否活泼。鉴定光禽时则观看肉质是否肥嫩、新鲜，肌肉是否紧绷而富有弹性。

其他肉质的硬软可从禽只的年龄而定。因年龄越高，肉质越硬。老鸡的胸骨坚硬，足皮粗糙而缺乏光泽，羽毛卷曲干枯。老鸭的嘴粗而羽毛干枯，足皮粗糙。

应知悉各种肉类的各种部位特征，依照调理方法作分别的使用。

"炒鸡丁"或"炒鸡丝"宜使用嫩鸡，但汤汁类适用老鸡。

"卤酱牛肉"应使用牛筋，但"炒牛肉片"或"溜牛肉丝"则以里脊肉为宜。

•水产物 选择鱼类时一般应注意是否肉质绷紧、鳃部鲜红、眼珠透明凸出。

新鲜的虾，色纯白，头尾未掉落，且保持一定的弯曲度。

新鲜的活肥蟹，甲壳青蓝，腹部呈白，用手扭转它的脚部粗肥处，有肉质充实的感觉，将其背部翻下，腹部朝天，会立即翻滚回来。

选择鱼、虾及蟹的方法，除上述的鉴别方法以外，亦可由烹调方法与该地区的生产条件而决定。

大鱼如青鱼、草鱼、白鱼等切成段，宜红烧或熏制，体重在一公斤以下的如鳜鱼、鲤鱼、黄鱼等则适于整只烹饪。

油鱼、酥鱼等宜使用小鱼。例如小鲫鱼、塘鲤鱼、小黄鱼、凤尾鱼等均是。"溜虾段"或"红烧大虾"一般以对虾最适宜。

而"油爆虾"、"炒虾仁"时宜使用青虾、白虾或红虾。

蟹、虾的生产均有其季节性，为确保菜肴的美味，必须使用当令货。

• 蛋品类　蛋类包括生蛋及松花彩蛋（皮蛋）、卤蛋及糟蛋等。生蛋可分为鸡、鸭、鹅蛋。新鲜的蛋外壳洁净，表面粗糙，无特殊光泽。用手摇动，不发出声音。透过灯光观察时内部则呈完全透明状，蛋黄轮廓明显则无斑点，亦无红色的变质阴影。

松花彩蛋以型大、蛋质柔软、蛋白黑而透明、蛋黄带有绿色者为佳。

咸蛋去壳，以色白而有光泽、蛋白细嫩、蛋黄松软者最佳。

糟蛋以蛋黄幼嫩，蛋白呈稀糊状，蛋质充实而形状、气味良好者为佳品。

(3)干物材料的识别与选择

干物材料有干燥蔬菜类与山珍海味类。

干燥蔬菜的种类颇为繁多，一般以干而轻，形状整齐、色泽新鲜，无腐烂、发芽、虫蚀及杂质者最佳。

• 银耳（白木耳）　高级品呈黄白色，保持充分干燥状态，褶大而肉厚，芳香、清洁而无斑点，且无碎屑。

• 玉兰片（笋干）　玉兰片有冬片、春片、桃片、尖片、兰藻、笋衣等六种，其中以尖片最干燥、鲜嫩，且肉厚、根小，系纯白色的佳品。

• 木耳　高级品色黑、褶大、薄而轻，具有光泽。

• 菲菇、香菇　以无虫蛀，不发霉，肉厚而柔软，具有芳香者为上品。

至于山珍海味类应依调理的必要，鉴别材料的产地与品种后选择食用之。

•燕窝　以淡红色的血燕窝为最高级；灰白色的白燕窝次之；灰黑色毛燕窝再次之。

•鱼翅　以背鳍部为最高品质。在该种鱼翅中有一层脂肪般的肉层，而里背的层列则藏在肉中，含有丰富胶质。胸鳍（翼翅）仅次于北鳍，皮薄而里脊肌短细，肉质细嫩。尾鳍（尾翅）的品质较差。

鱼翅的品质鉴定法较为复杂，不能完全以外观来决定，惟有丰富经验的累积方能分辩品质的好坏。

•鱼肚　以广肚（广东产的鱼肚）为最高级，透明而无黑色血斑，有极大的膨胀性。

黄鱼肚的用途广泛。上级品整体浑厚，幅宽，色泽透明，无黑色血迹，具有强大的膨胀性。幅宽不够者属于次级品。

另一种名为搭片者，系由几张小鱼肚片贴合而成的大鱼肚片，色泽不透明且膨胀性不大，属于最低级品。鳖鱼肚色白均匀者，膨胀性强，灰色有斑者膨胀性小。

鱼肚的鉴别法非常简单。一般以膨胀性大而具有厚度、色泽透明者为上品。膨胀性小而质薄、颜色不透明者为次级品。呈黑色的鱼肚可能已变质故不适于食用。

•海参　海参品种繁多，一般以体形大、肉质深厚，无沙粒者为上品，体积小肉质薄，腹部未剖开者（因为腹中含有沙粒）为次级品。海参的产域广阔，其干燥方法亦因地而异。一般肉质厚的海参剖开背部，肉质薄者则剖开其腹，体小者保持原形未被剖开的形状。

•干贝　形状浑圆而完整，具有些微光泽者为最上品。色呈淡黄而体积小，或形状不齐者为次级品。呈浓黑色或黄黑色者为劣品。

三、烹调材料的保存

1．保存材料的目的

保存材料的目的在于延长使用期间及提高材料的品质。

(1)延长材料的使用期限及保存营养成分

生鲜食品类所含的各种成分，大都极容易变质。例如水分易起化学作用，且易促进微生物的繁殖。蛋白质与糖分容易被细菌侵蚀。脂肪、芳香物质及各种色素，因氧化而变色变质，失去了原有的香气，维生素亦容易被氧化及破坏。干物类材料，一般均经脱水与晒干的处理，但仍须注意虫害及湿气之预防。

总之，材料的各个成分一起变化，必会影响其营养价值，甚至于整个变质而无法食用。因此，在烹调前须妥为保存材料原有的营养成分，以延长其使用期间。

(2)提高材料的品质

某些材料可因科学的贮藏方法而提高它的品质。例如猪肉在刚刚屠宰后的僵硬期，肉质坚硬而干固，既未具有肉香，亦难以烹煮，味道极差，且不易消化，然而经过一定的时间，进入后熟期（但未进入自溶期），肉的组织变得柔软，经调理可生香，容易煮熟且易于消化。

又如蕃茄及苹果，在刚摘下时均带有一股涩味，经过一段时间后才逐渐变甜美。

2. 材料变质的原因

对材料采取保存措施之前，必须了解引起材料变质的原因，并采取对应的保存方法。引起材料变质的原因，可涉及物理、化学及生物学等各层面。

⑴物理原因

①高温　过高的温度容易引起材料的变质。例如碳化、分解等。

②低温　低温（一般在摄氏四度以下）固为适合贮藏食物的温度，但对于某些材料的低温贮藏，须做严格的温度调节。温度过低，例如在0℃的气温下，水果与蔬菜类将冻结而趋向腐烂。

③干燥　一般而言，把材料放置于干燥状态中，便易于保存，但有些材料因经过干燥处理，大量的水分被蒸发，以致失去鲜度而告枯萎。如蔬菜、水果及豆制品（如豆腐干或百页）等均是。

④潮湿　空气中的湿度将影响材料的保存，材料遇到湿气就会生霉变质、发酵、凝固。例如干燥蔬菜，遇湿便发霉，面粉遇湿则凝固而发酵。

⑤光线　日光中的紫外线及红外线会使材料失去营养并变味。紫外线促进材料的氧化，红外线促进材料的脱水干燥。因此，一般油脂类如火腿、腊肉等均须贮藏在阴凉的场所，如藏于温度上升的地方，则日光的照射会使某些谷类、蔬菜、水果等发芽。

⑥污染　许多材料极容易染上外界的异臭与尘埃，使其香味及表面发生变化。例如将材料放在新制的漆器中，这些

材料立即染上涂漆的气味。蔬菜与鱼放置一块，也容易染有鱼腥味（以上所述的污染不包括食物在生长、运输及贮藏过程中所发生的各种化学物质或微生物的污染）。

(2)化学原因

①自溶现象　在动物性及植物性的材料中，存有某种自溶酵素（酶），当动、植物活动时，这些酶将因氧化酶之抑制（氧化酶须有氧才能活动），而无法发挥其作用。

然而，动植物死亡后，氧的供应停止，于是氧化酶的活动亦告结束。自溶酶却从此开始活动，将动、植物的组织变成柔软多汁的形态，材料于是腐坏。

②氧化　某些材料长期与空气中的氧接触，便因氧化作用而变质。例如脂肪类因氧化而发生变味，水果、蔬菜类因天然色素的氧化而发生退色或变色的变化。

(3)生物学原因

①霉　霉菌容易在潮湿的环境中发育与繁殖。因此当材料受到潮湿而增加含水量时，容易遭受霉菌的侵蚀，使材料生霉。材料一生霉，内外部便产生斑点、变色与臭气。由于霉菌分泌酶的作用，使材料成份分解或变质。

②细菌　自然界有许多细菌使食物材料变质。例如牛乳一感染乳酸菌，其所含的糖份即被分解而产生乳酸，使牛乳开始带有酸味。肉类一感染细菌便开始腐败，发生臭气。

③酵母菌　酵母菌普遍存在于自然界，某些酵母菌使含在水果中的糖份发酵、变味；某些酵母菌使泡菜变红；有些酵母菌使啤酒变得混浊。

④虫类　材料遭受虫害的蛀蚀后即开始腐败不能食用，例如肉类生蛆，谷类生虫，鱼肉、蔬菜遭苍蝇、蟑螂等虫害后即容易腐败变质。

3．材料的保存方法

如上所述，引起材料变质与腐败的原因极多。为防止这些原因的发生，使保持原有的营养价值，须采取适当的贮藏措施。其方法如下：

(1)调节温度

在低温下（摄氏四度以下），不仅可以制止微生物的生长与繁殖，同时可以缓和或完全停止组织的变化。因此，一般材料以低温来保存。低温贮藏通常采用冷却及冷冻的方法。主要使用冰块或冰箱，使温度降至0℃左右，制止微生物繁殖的机会。如此，材料才不至于腐坏。

冷藏时的温度因不同的材料性质而分别加以规定。鱼肉类保持于0℃以下；水果、蔬菜不适于过度低温冷却；此外应保持恒定的冷藏温度。

(2)湿度调节

利用日光干燥法、空气干燥法及火气干燥法将材料中的水分予以脱除，使保持在一定的干燥状态之下，可防止微生物的繁殖。此为食物保存法之一。

各种材料必须保持于一定的湿度状态中，过度干燥易导致萎缩与干涸，甚至于硬化。

含水量较少的材料，必须相对的予以保持较低的湿度。一般而言，适当的湿度以不超过70％为宜。

含水量的材料，宜保持相对的适当湿度，一般以90％~95％最适宜。因此，把握各种材料不同的温度状况是极为重要的。

⑶隔离密封

将材料密封于一定的容器内，隔绝日光与空气，防止微生物污染或氧化的方法，可以达到长期保存食物的目的（如罐头食品）。有些材料经一定时间的密封而更增风味（如陈年酒、腌渍酱菜等）。

隔离密封法按材料的性质而有所不同。如酱油及豆瓣酱等，装瓶后添加少量芝麻油则可防止酶菌的生长。火腿表面涂以白腊或油脂，海参干、虾仁干、干贝等放在有盖铁罐内，均可保持长期的鲜美。

采用隔离密封方法前，先将材料煮熟或腌渍，便可抑制细菌及酶的活动，如此再予密封，将可获得预期的贮藏功效。

4. 饲养材料

采购活的动物为材料时，一般都按照调理的需要，于采购后立即屠宰使用。但有些动物须经过一段饲养期后才屠宰供用。如大量采购时，动物于被屠宰后无法在一时全部用完，将带来加工与贮藏的困难，同时会影响材料的鲜度与品质。在这些情形下，饲养一段时间后屠宰，可以提高品质。此外如泥鳅等购来时肉质尚带几分泥臭，不够美味，须经在清水中饲养一段时期方能消除泥臭而添增美味。

其他如购自外地的家禽，在运输过程中减轻体重，经过一段饲养期后，逐渐回复原来的肥嫩。据以上的理由，对于这些材料都有饲养的必要。借着饲养使之加肥、添味，帮助调理。

在这些事由下进行的饲养工作，虽仅属短期，但为提高效果，尤应慎重而仔细地实施。饲养淡水鱼时，多留意换水，保持水的清洁，水温不宜过高或过低。最好的方法是在水槽表面安装自来水水龙头，让水一点一点滴入，以保持水槽中水的清洁，同时供应充足的氧分。对于家禽类则应多注意其食、住的日常动态。

第二节 烹调材料初步加工的基本认识

材料的初步加工是烹调作业中不可或缺的阶段。一般依材料之切配（刀工与配菜）、烹调及塑形的顺序，在调理以前进行初步加工工作。材料初步加工的好坏，将直接影响菜肴的色、香、味、形。材料用法是否合理，更影响食用者的营养及健康，所以该工作具有极重要的意义。材料的初步加工必须符合以下几项条件：

1. 确保材料的清洁卫生

判断材料品质的好坏，其重要条件之一，乃是材料是否合乎卫生的要求。

我们不能将变质或污染的材料取来食用。在初步加工的阶段，必须对此加以慎重的处理，须经选别、洗净、切配、烹调的慎重手续然后供食。

2. 注意保持材料的营养成分

各种材料均含有各种不同的营养成分，在初步加工阶段，尽可能保存这些营养成分，切勿使之白白流失。例如白菜或菠菜等叶菜类，是我们体内维生素及矿物质的重要来源之一，但此养分在材料中，及容易溶水而消失，也容易受日光或空气的影响而遭破坏，因此，在初步加工时，应先洗净后才切，为免养分的消耗，贮存时间应尽量缩短。

3．勿影响菜肴的色、香、味、形

在初步加工时，注意避免影响菜肴的色彩、香气、味觉及形状。例如宰鱼时不得弄破鱼的胆囊，否则肉质会染上苦味。宰鸡时须放尽血液，否则肉质将变红。

4．贯彻节约原则

在洗涤、处理以及收拾材料的工作中，除了污秽及不能食用的部分以外，应充分节约，不得浪费任何有用的材料，同时亦须留意如何利用废弃物。例如聚集鸡羽毛或鸡骨等，加以利用。

第三节　蔬菜类的初步加工

蔬菜材料因品种繁多，材料的配合复杂，故初步加工应分类处理。

1. 摘除处理

摘除处理是蔬菜初步加工中的第一步骤。蔬菜类在购入时，大部分都粘有泥土、杂物、细菌及虫；同时蔬菜本身、外皮、旧根等不能食用的部分，摘除处理即系完全除去这些泥土、杂物及不能食用部分的工作。

2. 洗涤处理

洗涤处理，一般为蔬菜类初步加工中的第二阶段。经过削去、挖除等处理后再进行洗涤处理。

依蔬菜种类及其初步加工的需要，可分为冷水洗涤、热水洗涤、盐水洗涤及苏打水洗涤等数种方法。

(1)冷水洗涤

蔬菜上的泥土及污物，一般用清洁的冷水即可洗净。冷水洗涤可以保持蔬菜的新鲜度，为最常用的一种洗菜方法。凡绿叶蔬菜类，例如青菜、白菜等，浸入清洁冷水中后洗涤，就可完全洗净污物。荠菜因叶上长有细毛，故宜多洗几次。

根茎类中甘薯、萝卜、山芋等都带有多量泥土，故宜用水冲洗。

(2)热水洗涤

热水洗涤的目的在除去臭味与外皮，例如用热水洗涤蕃茄，可除去外皮。将豆腐干浸在热水中洗涤，可除去豆腐臭味。

(3)盐水洗涤

该种洗法具有杀菌作用，叶菜中常附有小虫，当浸于2%食盐水中洗涤时，小虫即浮上水面故除虫容易。

(4)苏打液洗涤

温水中加少量苏打，可达除味与去皮功效，例如洗涤莲子时可以用此法。

第四节　水产类的初步加工

对于水产物，在切配与烹调以前，首先要去鳞、除鳃洗净。具体的步骤，依品种与使用方法而异，一般而言先去鳞、鳍、鳃，后摘除内脏。

1．去鳞、鳍、鳃

首先除去鱼之鳞、鳍、鳃（用刀反方向刮去鳞，用剪刀或菜刀切除鳍，用手挖取鳃）。但对于鲥鱼，因其鳞下附有脂肪，味道鲜美，故只除鳃，不必去鳞。

鲫鱼鳍幼嫩，通常无须切除。

鳜鱼（桂鱼）、鲈鱼、黄鱼的背鳍非常锐利，须在去鳞前用剪刀剪去（刺在手上容易感染细菌导致发炎）。

黄鱼须将头皮刮去。

2．摘除内脏

内脏的摘除通常使用以下两种方法：

一为剖腹摘取：一般材料都采用此法。换言之，在肛门与腹部间，用菜刀沿着腹皮剖开一直线，取出内脏。

二为保持鱼体的完整，在肛门正中处用菜刀轻轻作横向切开将肠剪断，用两支细竹棒（或使用竹筷），从鳃插入腹部，卷取内脏。

取出内脏时勿弄破苦胆（一般海水鱼不具苦胆），否则鱼味会变苦，例如青鱼、草鱼等在冬季腹部会鼓起，故须从腹鳍部切开到尾鳍处。夏季则从尾鳍部切开到腹鳍部，如此可避免弄破苦胆。鱼的腹部有一层黑膜，具有强烈的腥臭故需去除。

• 退沙　指鲨鱼皮有沙粒状的坚硬部分，需先用热水煮沸，然后用稻草摩擦。除去粗皮后再去鳃，最后摘除内脏。

• 剥皮　对于板鱼、橡皮鱼等首先应先剥去外皮，在刮去板鱼腹下的白鳞后，去头，除去内脏。

• 泡烫　黄鳝、弹涂鱼因无鳞，故须用热水烫后宰杀，取去白黏液后剖开，除去鱼骨。

• 宰杀　对于有甲壳如甲鱼等，先切去头部，去血后浸于70℃左右热水中，刮去白衣，剖开腹壳，刮去肠和黄油。

• 挤捏　去虾壳的方法：一手抓住虾头，另一手抓住虾尾，将虾身向背头部一扭，虾身便立即从壳脱落。脱落出来的虾仁，不带虾头。但对于大虾应用剥壳的方法，速度虽不如挤捏法，但可保持完整的形状。

在水产物加工中，应充分利用各部分材料及废弃物材料。例如可从黄鱼腹中的鱼鳔制造鱼肚。青鱼的肝脏、肠，墨鱼穗、墨鱼蛋等均可成为重要的土产材料。鳝鱼骨及头部均可煮汤，切勿随便丢弃。

第五节　鸟类的初步加工

各种鸟类的初步加工，基本上方法均相同。对于活禽先行宰割后拔去羽毛，剖开胸部再洗净；对于光禽，只须剖开胸部再洗净即可。家禽与野鸟在处理上不同的是：拔毛时家禽必须浇热水，而野鸟可以直接拔毛。

1. 对于鸟类初步加工时的注意事项

(1)宰割时须割断血管与气管

宰割鸟类时必须割断血管与气管，因二者关连密切，若未加以割断则无法去血，且肉将呈红色，有损肉质。

(2)烫毛时须妥为控制水温和时间

烫毛时必须妥为控制水温与时间。须依家禽的老或嫩而决定水温及烫的时间。一般对于老禽的烫毛时间较长，水温稍高；而烫嫩禽时间较短，水温也稍低。其他依照禽种而水温及烫毛时间均有差异。鸡的烫毛时间较短，而鸭与鹅的烫毛时间较长。

(3)注意洗涤必须干净

洗涤必须干净，尤其注意内脏的洗涤，将内脏中的污物、腹腔的血污，多次冲水洗涤，保持卫生。内脏在洗净后用食盐水浸渍片刻，以利除去黏污。

(4)注意节约，勿浪费物材

家禽的头、脚可制作卤味，拔出禽骨可以熬汤，鸡胵的皮可供药用，鸭子、鹅的羽毛可以制作羽毛制品，不要随意丢弃。

2．家禽的初步加工

⑴屠　宰

宰割鸡鸭时，首先准备大碗，碗中放入少量食盐及适量清水（热天用冷水，冷天用温水）。用左手抓翼，右手准备施割。拔去颈毛，用刀割断气管与血管，技术熟练者所割处只有红豆般大小，割完后右手捉禽头，左手捉住双脚并抬高，倾斜禽身，用大碗接禽血，俟血放尽，用筷搅拌，使之凝结。

⑵拔　毛

拔毛时，必须等待鸡鸭完全断气，双脚不抽动时才开始拔毛，否则时间太短不容易拔除，但也不得放置过久。拔毛前先浸烫热水。热水的温度依季节与鸡、鸭之老嫩而异。一般而言，老鸡最好用滚水，一岁左右的鸡鸭用80℃左右的热水为宜。冬季因毛较厚，可稍为提高温度。夏季因易脱毛，水温宜低。如水温过高，会使皮肤破裂，故须多加注意。

鸭、鹅类的拔毛，有温水烫毛与热水烫毛两种方法。温水法使用60～70度的热水浸烫鸭、鹅，浸水须始终保持同温。首先一手顺毛方向轻压鸭身，拔去鸭翼，再逆着毛的方向拔去颈毛，最后拔除全身羽毛。用80度的热火浸烫，以木棒搅拌，毛就自然地脱落。这是适合数量多时的方法。一般老鸭宜用滚水。

⑶开　胸

开胸的目的是为取出内脏，但须照烹调的必要而选择开

39

剖方向。以全鸡（或鸭）烹调时有开胸、开肋、开背三种剖开法，均须保持禽只原来的形状。

开胸法最适合一般的调理，首先从禽颈与背骨间切开，取出气管与食道，再于肛门与腹部间切开约2寸的口，小心取出内脏、洗净。

开肋法是从翼下切开，该法适合烤鸭的烹调，此剖法使其在烘烤时不至于滴漏油汁。

开背法是剖开背部。该方法适合于填装东西。盛在盘中时胸部朝上，则看不见切口，较为美观。切块或切丝时的剖开法较为简单，只须剖开腹部取出内脏即可。

开胸取出内脏时，注意勿破损肝脏与胆囊。因鸡鸭的肝脏属于上等材料，破损了极为可惜；胆囊有苦汁，一遭破损则肉质便有苦味。

(4)洗净内脏

鸡鸭的内脏，除嗉囊、气管、食道及胆囊外，均可食用，故将其洗涤法介绍如后：

• 肫（砂）　先去除接肠的部分，然后剖开肫肝，刮取里面污物，剥去内壁黄皮后洗净。

• 肝　剖胸时取出肝脏，摘出胆囊，注意不要弄破胆囊，因胆囊一有破裂则使肝脏染上苦味，无法洗去。

• 肠　整曲肠为直，除去在肠上的二支肺肠，接着用剪刀剖开肠，再以明矾、粗盐除去肠壁的污物与黏液，洗净后烫水（烫水时间宜短促，时间一长即变硬，不能咀嚼）。

• 油（脂肪）　母鸡腹中有脂肪，可以取出使用。鸡油不适于煮，放在蒸笼蒸，可保原来色彩。

• 血　凝结于碗中的血，可放入热水中煮。禽血嫩软而美味。但放在蒸笼经长期蒸煮，将损及品质，不够美味。

40

其他有心脏、鸡腰、母鸡腹中未成熟的蛋等，均予以取出后洗净。鸡腰尤为烹调佳材，不可舍弃。

3．野鸟的初步加工

处理野鸡、竹鸡、野鸭等，一般都属已死的鸟禽，必须依照用途进行适当加工。用于切丝、切片时，最好剥皮。换言之，首先剥去皮与毛，再切去头、脚，接着剖开腹部取出内脏。若需制成卤味，就得保存外皮，因野鸟的皮薄而易破，羽毛也极容易损伤，故无须烫毛，只要直接拔除羽毛即可。

拔毛后剖开腹部取出内脏，浸入清水中，用拔毛镊子拔去剩余的毛。对于受枪击的鸟，必须严格检查子弹是否去除，并观察子弹穿过的伤口，肉质是否有变，如已变质则应丢弃，以防止中毒事件的发生。

鸽子、鹌鹑等一般均采用活禽屠宰。宰法有掼、闷、酒醉等。

拔毛有干腿、湿腿两种，干腿是鸟禽完全断气后，趁体温尚暖时去毛，否则稍后拔毛将增加困难。湿腿采用60℃热水浸烫（因为禽肉甚嫩，不得过于高温，否则表皮会剥落），依照用途，剖开腹部，取出内脏。

第六节　家畜肉类的初步加工

家畜肉类的初步加工系一项不可缺少的作业，且为材料切配与烹调的基础，若在初步加工时用法不当，将影响菜肴的色、香、味，故此步骤非常重要。

肉类的初步加工主要是指对于猪、牛、羊的内脏、脚爪、尾及舌等各部分的洗涤工作。因为这些材料大都较脏、多脂，且有腥味，若不充分加以洗涤则无法食用。

对于这些材料的洗涤加工，其工作相当繁碎复杂，且各材料的洗涤法皆有差异。

主要洗涤方法有翻洗法、擦洗法、刮洗法、冲洗法、漂洗法、烫洗法等。有些材料未必只用一种方法洗涤，如肠、胃等部分需要并用上述几种方法来洗涤，才能洗净。

1. 翻洗法

翻洗法，就是将材料翻过来洗。主要用于肠、胃等内脏的洗涤。因肠胃内部非常肮脏且充满油脂，非翻过来洗不可。

洗大肠，使用套肠翻洗法，亦即将大肠口较大的一端翻过，用手撑开，注入清水。肠因受水的压力，逐渐翻面，最后内外完全翻面，此时用手刮去附在肠内壁的污物，或用剪刀剪去，再用水重复洗涤。

2. 擦洗法

擦洗法一般使用食盐或明矾。主要为除去附在材料上的脂肪和黏稠物。例如将胃、肠反复洗涤后，再予翻面，用食盐、明矾及少量的醋重复揉擦其外壁，使除去外壁的黏液。

3. 刮洗法

刮洗法是用菜刀刮去材料外皮的污秽物及硬毛的方法。例如洗脚爪时用普通小刀，刮去爪间污垢与剩余的毛。也有采用火烫或拔取的方式。洗涤猪舌、牛舌时，先浸在热水中，至舌苔变白，立即用小刀刮去白苔再加以清洗。

4. 冲洗法

冲洗法适合洗猪肺、牛肺。因为肺叶的气管和支气管的组织复杂，充满了肺泡、血污，难以清除。因此，洗时将肺管套在水龙头下，将水注入肺中，扩张肺叶，冲出血污，一直冲至肺色变白，而后割破肺的外膜，再加以洗涤。

5. 漂洗法

漂洗法系用清水漂洗的方法。适用于洗涤脑、脊髓等材料。因为该类材料非常柔软而易碎，洗涤时应先放在清水中，用牙签或稻草轻轻除去外侧的毛细管膜及血管，再用清水轻轻洗涤。

6. 烫洗法

经过初步洗涤的材料，再放入锅内加热或煮沸，以去臭气则称烫洗法。该方法主要用于除臭与除去血污。烫洗时需将材料与冷水同时放入锅中，逐渐加热，则不致使材料外边突然萎缩而紧紧卷起，适合于除去内脏血污与腥臭。

第七节　干物材料的初步加工

凡是干货材料，均经脱水后予以干燥而制成，与新鲜的生材比较，尽管在程度上有若干差异，但却都具有干燥、坚硬、强韧等特征。干燥的动物性材料较干燥的植物性材料强韧，而山珍海味类与肉、鸟、鱼类的干货相比，则晒得更干，且具有一股腥味。

干燥材料的制法有：晒干、烩干、风干、烘干、烟干、腌干等。因此干燥材料的性质也极为复杂。一般而言凡晒干、烘干、烟干的脱水较高，味道未减。腌干都带有一点碱的苦味，与原来的味道有些差异。

干燥材料的初步加工，较新鲜生物的初步加工更为复杂，必须经过涨发加工（使材料膨胀而泡开），在饮食业界称涨发加工为发料，是使干燥材料重新吸收水分而回复原状的方法。经过发料，使干物的体积膨胀，质地松软，并且除去腥臭与不纯物质，以便切配，符合食用的要求。

干燥材料的涨发加工方法，因各种干物的状况可分为：水发、油发、盐发三种。

1. 水　发

水发为最普遍、最基本的涨发法，除黏稠、油腻及表面有皮鳞的材料外，一般的材料都可采用此法。水发有冷水发、热水发及碱水发三种。

(1)冷水发

冷水是将干物放入冷水中，浸湿相当时间，使干物吸收水分而膨大、松软的方法。该方法简单易行，适用于形状小、质地软的干物材料。如：香菇、白木耳等，经过此番直接浸渍法可使物料从外线一直涨发至核心内部。

该浸渍法除应用于以上形小而质软的干物外，可与其他涨发法配合，应用于大形而质硬的干物。例如鲛鳍（鱼翅）或海参干等，在用强火煮发之前，需有一段相当长的时间浸泡在冷水中。如此在煮发时，表面可不致破裂，同时便于除砂等工作。

干贝及蛤士蟆油等，先用冷水浸约 3～4 小时后，再用蒸笼蒸，使之涨发，可以保有材料原有的胶质和美味。鱿鱼干、墨鱼干等，先浸在冷水约 5～6 小时后再浸于碱水中，可以减少碱水对于材料表面直接的腐蚀作用。

"漂"是一切发料过程的最后步骤，可除去材料本身或在发料过程中掺入的杂物或异臭。例如鱿鱼干或墨鱼干等，经碱水涨发后须以冷水漂过，以除去碱质。

(2)热水发

将干物放入水中煮，并加盖保温，或用加热等各种不同的加热过程处理，或浸渍于温水或滚水中泡发，使材料急速的吸收水分，物料扩大、变软，此谓为热水发。热水发的应用范围非常广范，一般可分为以下数种方法：

①煮　一般而言，形状大的干物，内部非常坚硬，尤其表面附有泥沙的材料不容易发到核心，因此必须加以煮热。如此让水分渗透到材料内部，使材料发软，达到取沙去骨、内外涨发的目的。

②焖　焖是煮沸后连续加热的一项过程。因为材料在水

45

中经煮后，若再继续用强火煮沸，可能导致皮破肉化而损及品质。所以在煮沸后再将材料与热水一起放入缸或其他容器中加盖保温，在焖过固定时间便可达到涨发的目的。

③蒸　将材料放入蒸笼中蒸，是用于易碎的材料，而且不同的材料蒸的方法亦有所不同。例如鲍鱼须连续蒸热多次，在第二次蒸热时加入鸡头、肉及骨等才能增加滋味。蒸干贝时，为除去臭气，须加绍酒、葱及姜等。蛤士蟆用清水蒸煮漂清即可食用。蒸的特征是可保持材料的原形，且汤汁澄清。

④泡　泡是将材料浸渍热水或温水，经一定时期使成松软。一般适用于形状小、质地硬或有异臭的材料。

热水发是最简单的方法之一，但须注意气候的寒暖。例如泡银鱼干、发菜、粉丝、脱水菜等时，冬季宜用热水，夏季宜用温水。

(3)碱水发

先用清水泡后，再将材料泡在碱水中，使之膨胀、变软的方法称为碱水发。这种藉碱水来增加蛋白质吸水能力的方法，虽可缩短浸泡时间，迅速的泡开干物，但应注意营养成分的散失。因此采用碱水发时应注意以下各点：

①碱水发的使用范围　碱水发只适用于极硬的材料。如：鱿鱼干、墨鱼干等，因此类材料以热水发难以达及核心，肉质也无法变软，采用碱水发即可渗透到内部。

②碱水溶液的浓度　碱水溶液的浓度与涨发效果有极大的关系。因为水溶液具有腐蚀及脱脂性，若浓度不足，则不能泡开，过浓则会破坏材料的纤维组织与营养成分，故碱液的浓度需根据材料的性质而妥加斟酌。

但通常使用的是碱 7%、石灰 7%，及热水 90% 的混合液（碱与石灰相加发生碱性反应，成为苛性苏打，材料吸水而促进涨发），冷却后液体澄清，除去沉淀物后，即可使用。

③碱水发程序上的注意 浸入碱水以前须先稍浸在冷水中，俟材料略为变软后才放入碱液，如此可以缓和碱液对于材料直接的腐蚀作用，较大形的材料可切小块，如此可以在同一时间泡开所有材料。倘大小不一，小块的已泡开而大形的尚未发软，因此必须正确控制时间，依顺序取出已涨发的材料，未泡开的继续泡浸，取出来的材料再用冷水漂清，以去碱味。

2. 油发与盐发

将干物放油锅中，加热使酥松，称为油发。将干物放入盐锅加热，经炒或上盖，用文火焖一段时间使成膨松谓盐发。

油发与盐发的作用相同，使用范围基本无异，因此，凡可以油发的材料，均可使用盐发来达成同样的目的，比较其涨发效果两者均有优劣。若为同一干物，经盐发的色泽远不如油发，在品质上亦逊于油发。因此，如有充分的食用油时，仍以采用油发为宜。油发及盐发的泡法有共同点与相异处，分别介绍如下：

(1)油发和盐发的共同点

①助发材料（油或盐）须稍多于干物材料，为使干物得以润浸其中，然后加盖焖发，并注意迅速搅拌。

②加热时火力不得过强，火力太强，干物外侧易焦，内部却无法泡开。尤其在干物开始膨胀时，宜用文火处理，可使材料内外都泡开。

③油发时宜多多翻面，盐发也要勤炒多焖，才能使材料的周围、表面及里面都松开。

④经油发或盐发后，须将材料浸在冷水或温水中 1~2 天。可使涨发脆酥的材料回复柔软度，并可去除油分或盐分等的夹杂物。

(2)油发和盐发的不同点

①助发材料的不同：油发的助发材料为植物油，而盐发的助发材料为粗盐。

②干物入锅前的准备步骤有异：油发时须检查干物是否干燥，如带有湿气者，须先用火烘烤后才能与冷油同时入锅，进行加热。

盐发的材料最好是干燥的，但即使带有湿气也可以直接盐发，无须另外烘烤使干。首先将盐炒熟，使盐中水分蒸发，俟盐已炒干即将干物放入锅内翻炒。

3．干物涨发加工实例

干物种类繁多，性质各异，有许多涨发方法，兹将通常使用的干物涨发加工法介绍如后：

(1)鱼　翅

鱼翅的涨发加工，首先将鱼翅放于温水中浸泡，但在此前先将大小、硬软妥为分开，以免泡水后硬的未成，软的已化，加工时切勿使用金属类器具，否则易在翅上生斑，损及品质。

比较常用的鱼翅涨发法如下：

①吕宋黄、金山黄、河墩统白翅等，因翅壁厚大，沙质（呈沙粒状之硬表皮）较硬，翅针粗且具有黏性，品质佳可

48

为排翅。

涨发方法，先用剪刀剪去鱼翅薄边（因有细沙，无法去除），放入汤锅，煮一小时后捞出。再放入木桶中，加热水（能盖过鱼翅的水量）浸渍，焖上数小时。俟水温降低（不烫手的温度）后，取出鱼翅沙质，剪去鱼翅根部，洗净，将按不同硬软度分开的鱼翅各装入竹篮中加盖紧封（免于水滚时鱼翅摇晃而散开），放入锅中烧焖（以文火加热）。烧焖时间为：软的为4小时半，硬的约6小时半，方能完全泡开。

浸泡时间因气候寒暖的不同而自行斟酌，暑季的浸时较短，寒季的浸时较长。

②新加坡产统白，中国大陆产白翅，同绵群翅、三连小沙翅等，因翅壁薄而坚硬，沙质坚固而皮薄，不宜以强火煮，应采取少煮多焖的方法。

首先用剪刀剪去鱼翅薄边，入锅煮至翅身缩小后熄火，用余热焖30分钟，接着与热水一起放入锅中，约焖4小时（寒冷时焖6小时）。焖后割去翅根去沙，洗净后分软硬，装入竹篮，入锅再煮。软者煮焖（加盖以文火煮）约3小时，硬者约煮焖4小时。削去骨，除去腐肉后放在清水中浸一日。接着浸渍热水约4小时，再用清水漂清即成。

③非洲产净根鸟勾翅、乌皮翅、软骨翅、软骨皮刀翅等，因翅质柔软、皮薄，沙粒易除，故不适于热煮，以采用泡焖法为宜。

首先将鱼翅放在木桶，放在冷热水混合中浸渍。水与热水的比例是：热天：热水40%，冷水60%；冷天：热水60%，冷水40%，水量照翅体体积而斟酌加入，放入鱼翅后紧盖之，不使空气进入，热天焖8小时，冷天焖12小时，即可达到退沙效果，冬天消沙时可加高温的热水。

退沙后分软硬，分别装入竹篮，放入锅中煮。煮时注意火候不得过强，需保持稍沸的状态，软者约煮4小时，硬者煮5小时，煮完去骨，再以清水浸渍4小时后漂清。

④"鸟羊翅"、"净根上清"、"台湾产上色与中色鱼翅"、"中国大陆沿海产小杂翅"等因翅中夹有长骨、翅短而细，一连串黏在皮上，泡时皮与翅容易分开，泡法困难。涨发法首先浸在温水焖，天气较冷时冷热参半，热天时热水30%，冷水70%。焖的时间：夏天约4小时，冬天约6小时。焖后即进行退沙去骨。

去骨方法有二：一种先取骨后煮焖，亦称"生出骨"，亦即退沙，去长骨后煮焖2小时。另一种是先煮后取骨，称为"熟出骨"，先退沙，煮焖约2小时后去骨。二者以前者较佳，可保持翅皮的完整，后者须注意火候，火候不均匀，在取骨时翅皮容易破损。去骨后热天浸2小时，冷天约浸4小时便可使用，焖及浸的时间可按情况而调节。

⑤退沙的鱼翅，在原产地已经泡发过，因沙粒业经退除，故泡发较为简单。粗、长而质硬者煮焖3~4小时；细、短而质软者煮焖2小时，再放入清水浸渍约2小时即可。

(2)鱼皮

鱼皮是指鲨鱼皮，形大而质厚，表面普遍呈粗沙粒状。

鱼皮的涨发法较鱼翅为简单，浸泡前区分软硬，以便入锅后易于搅拌，较大者先剁为小块。

首先将鱼皮放入沸腾的滚水锅中煮约4~5分钟后捞起。捡起砂状已脱落的软皮，砂状粒未掉者重新放入锅内，煮至粗粒脱去后捞出，一起放入木桶中60%热水与40%冷水混合放入桶中，紧上盖，焖约8~10小时左右，就可刮去其余的砂质和腐肉。洗净后按软硬分开放入两个竹篮，锅中煮沸清水，竹篮放入，一俟煮滚便改为文火，软者约煮30分钟，硬者煮1小时后取出，用清水漂清。

"铲鱼皮"因于原产地已去沙，故只需在热水中煮焖30分钟后捞出，除去剩余的沙质，浸泡2小时左右，然后漂清即可。

(3)海　参

海参品种繁多，涨发加工的方法亦各有异，一般可分为以下两种：

①先烧皮后水发　乌皱参、番乌参、乌元叁岩参、灰参等均属肉厚而质密的品种，但其外皮坚硬，如只用水泡，肉虽软化，但皮质仍硬，不够美味，因此须先烤皮，后施水发。其方法为：先用中火把海参外皮烤至发出焦臭味，接着用小刀刮去焦黑的外皮至见到深褐色为止。再放入冷水中，浸至变软，然后放入水锅，煮沸后改为文火煮焖约2小时。取出海参剖开腹部，挑去有沙的肠，浸于冷水约4小时后漂清，但天气寒冷时须浸一昼夜。接着再放入锅中，煮约一小时半，再用清水漂清，区分硬软。软者浸于清水，硬者煮约40分钟后捞出，整妥形状。如尚有坚硬者，则须重复煮沸，一俟全部软化再浸于清水中4～5小时漂清。

②多泡少煮　对于皮薄而肉软的乌参，可泡在热水中使涨发即可。

其方法：在春、秋、冬季先将海参放在干净木桶中，用热水浸泡10数小时后，换冷水冲洗，取出已泡开的海参，剖开腹部，取出肠泥（取肠时将大拇指沿着内侧压），若腹部尚无法打开则继续放于热水锅中煮沸，立即捞起放在盘上，再用热水泡，直至腹部可打开并取出肠泥时止。

海参的大小不一，品质亦各异，很难同时泡成，也无法确定须经几次煮开的手续才告完成，故须勤于观察，一俟用手压海参即深陷一个洞时即可整妥形状，剖开腹部，停止再泡。

夏季是泡海参最困难的季节，稍一疏忽即生霉菌而告腐败变质。因此泡发的方法也有异，在夏季将干海参直接煮沸，放入桶中用热水泡。最好一天煮沸二次。此时，须仔细留意放置海参的桶，若水中有霉，水即呈浊而发黏，此时可放入锅内再煮以免变质。

海参在涨发加工时最重要的是，保持所使用锅与桶的清洁，应洗净用具所含的油污或盐分，水中有油脂时容易使海参腐化，有盐分则无法泡至核心。

剖腹取肠时不得弄破腹膜，腹膜如破裂，调理海参容易散开，应用清水轻轻洗涤，然后除去腹膜。

(4)鱼　肚

鱼肚是鱼腹中的鱼鳔经脱水处理的干物。

鱼肚的涨发方法有油发、水发两种。对于质厚的鱼肚，用油发、水发均可。但对于质薄的鱼肚如采用水发，易软化太过而变成糊状，故宜以油发来处理。

①油发　凡黄鱼肚、鲤鱼肚等均称小鱼肚，将鱼肚放在温油锅（70℃～100℃）中加热，在油锅中用漏勺压往鱼肚，以防鱼肚受热而卷曲。一见鱼肚开始膨胀，即搅动鱼肚，使鱼肚所受的热度均一，内外均发开。只要油温不过高，就不会有外部烧焦、里部未化的情形发生。加热时间依鱼肚性质而定。

鱼肚化开至核心时，油面自然平止，此时用指头一按鱼肚就告断裂，一般在横断而呈海绵状时为完成。因鱼肚依序涨发，所以，从先发鱼肚捞起。

鲟鱼肚、鳇鱼肚、毛鳍肚总称为广肚，体大而肉厚，油发时先放入油锅。油发时先放入油锅，用文火低温油焖约 1 ~2 小时，一俟鱼肚软化，即转为强水，不停用漏勺搅动鱼肚，直至鱼肚膨胀发开时止。但勿用火过强，火候过强会造成外焦内硬的情形。内部未化，浸水后仍硬，有时外围发软呈糊膏状。

②水发　广肚除用油发外，可以采用水发。水发时先将广肚浸于清水中数小时，接着装入焖罐，加冷水煮沸，再用文火煨（用文火煮）2 小时。换水后再煨，保持水温 60℃~70℃，最好换数次水。每次换水，用冷水洗一次鱼肚，最后再煮，使鱼肚完全化开。再用冷水浸泡务使鱼肚中完全充满水分，直至用手捏时略带弹性而不黏手时止。

(5)蹄　筋

蹄筋多使用猪蹄筋。因羊蹄筋太小，牛蹄筋过于粗大，均不及猪蹄筋的品质。蹄筋的涨发方法有油发、水发及盐发三种。

①油发　500 克的干蹄筋需用 15 克的食用油。先将筋与油同置于锅中，不停地以漏勺搅动。蹄筋先是体积缩小，尔后逐渐膨胀，俟蹄筋发出白色气泡时，即移锅离开火处，待气泡消失后再将锅子复位，此时火不宜太强，且仍需反复搅动蹄筋，至蹄筋发开，可以一折为二时就告完成，折而不断者则继续泡发。已涨发之蹄筋可以保存，使用时在热水中加少量苏打（碱）予以泡开，俟水温降低后，挤出蹄筋中的油分，再用温水漂净即可。

②水发，水发的程序较简单。将 500 克蹄筋放入大碗中，加 1.5 千克水，蒸笼蒸约 4 小时，俟蹄筋软化时取出；用冷水浸漂二小时，俟蹄筋变硬后，剥去外层筋衣，洗净即

成。

③盐发 盐发干蹄筋需用 500 克盐。先将盐放于锅中，炒至盐中水分完全消除，再加蹄筋于锅中炒。炒后的蹄筋体积逐渐缩小，接着逐渐涨发。听见霹霹答答的声音时即须迅速搅动。蹄筋膨胀后就转为弱火，续炒，直至蹄筋可以折断。使用时浸在滚水中，浸泡后用清水漂净即可。

(6)肉 皮

肉皮一般使用猪肉皮，猪皮中以后脚皮及背皮最佳，皮质紧绷而厚，膨胀度恰当。前脚、颈部及腹部的皮粗糙而坚硬，不容易泡开。肉皮涨发的方法有油发及盐发两种。

①油发 将猪皮和冷油同时放入锅中，此时所需的油量很多，且火力不可过强。逐渐加热，直至猪皮因热度而卷缩，皮上浮起一粒粒小泡，才捞起冷却。等到气泡凹陷后，增高锅中的油温，再一片片放入锅内，当猪皮开始膨胀时，一手持铁勺压住猪皮，另一手用只齿钩拉开卷曲的猪皮，直至放手后不再卷曲为止。

再在油中搅动猪皮，至四面都涨发时就捞起，试着用叉子敲打、穿洞，如果声音清脆便表示已充分涨发。使用时用热水浸渍后再用温水漂洗。

②盐发 猪皮的面积大时，盐发工作需要两种道具，即长柄的大煎匙和铁勺。盐发时每 500 克约需 5 千克盐。先用强火炒盐，接着放入猪皮，二者翻匀后下盖，焖数分钟后，予以搅拌，再加以焖热。俟猪皮发软，卷曲再慢慢翻炒，直至猪皮浮起但并未十分涨发时，即可从盐中取出。

略为降低锅底火力，取出一块猪皮放入盐中煨焖，并以煎匙压住上面，卷曲处全部涨发而扩张，色泽呈白而透明，里面无黑斑时即告完成。若发现有黑斑时继续加盖煨焖。若

54

只有一边涨发而另一边卷曲未开，则用热盐不停的洒在卷缩部分上（此时边用煎匙压住），放开煎匙而不再卷缩即告完成。下次取出使用时浸渍与漂洗的方法与油发时同。

　　经过盐发的猪皮，色泽不如油发时明亮且质地坚硬，品质也差。

第二章 切配技术

第一节 刀工技术

一、刀工的意义及其基本要求

刀工是厨师的基本技术，厨师在学习烹调之初就必须学习刀工。何谓刀工？就是用各种不同的刀法将材料切成特定的形状。广义的说，刀工有粗材料的加工和细材料的加工两种。粗材料的加工是指材料在第一阶段加工时所使用的刀法；细材料的加工是决定材料最后形状的各种刀法，两者间具有密切的关系。

为何需要使用各种刀法将烹调材料加工为多种形状？针对此问题，必须从烹调方法开始说起。烹调材料的种类繁多，调理方法各异，材料的形状主要依调理上的要求而决定。因此，材料开头颇为烦杂，有：片、丝、块、丁等，于是各种不同的刀法便应运而生。

1. 刀工的意义

刀工技术不仅决定材料的形状，且影响菜肴完成的色、香、味、形以及卫生等方面。施用刀工的意义有下列几点。

(1)使菜肴易于入味。

许多材料，如不经切割，则味道无法透入内部。因此必须将材料切成小块，或在上面饰以雕花，使味道能透入。

(2)使烹调容易

中国的调理材料丰富而多彩，有各种各样的烹调方法，且烹调时的火候亦各有异。例如爆炒须热油旺火，是属于时间极短的烹调方法之一，因此材料须切成又细又小的薄片、丝、丁等最宜。

(3)令人赏心悦目

如将材料切成整齐、美观的形状可使人对上桌菜肴产生赏心悦目的感觉，且可增进人们的食欲。

研究并学习刀工时，首先须熟知有关刀工领域的基本事项，然后才能对刀工工作上的个别事项，做进一步的研究。同时应注意：刀工的优劣，将影响菜肴的色、香、味、形。

2．刀工的基本要求

(1)必须使材料粗细、厚薄均一

妥为切配的材料，无论是丁、丝、块或其他的任何形状，都必须粗细、厚薄均一，长短相同，这样才能使完成的菜肴兼具色、香、味、形的特色，而且符合卫生的要求。否则，不仅外观上不足以悦目，且味道不匀，将大大地减损了菜肴的风味。

如材料粗细或厚薄不均，则在烹调时将使细而薄的材料先被煮熟，而粗厚材料的中间却尚嫌生硬，以如此的外观，上盘供食，不仅将因部分材料未熟而损及味道，且会影响卫生。若等待粗厚的部分煮熟，则细而薄的部分却已先告老硬。甚至谈不上色、香、味、形，大大影响了采肴的品质。所以材料的整齐划一是使用刀工第一项应注意的基本事项。

(2)切得干净俐落勿连起

落刀时条与条、丝与丝或块与块应干净俐落，不得有藕断丝不断的情形发生。如有似切断又相连的情形时，不仅破坏美观，也影响色、香、味。为使下刀时干净利落，应注意下列各项：

①刀刃不得有缺口。

②砧板须平坦，不得有凹凸不平的情形。

③工作时须平均用力，使刀柄前后没有轻重之别。

(3)配合烹调方法

各菜的烹调方法、调味程度、火候等均不相同，刀工亦须密切配合各菜的特点。

例如以溜、爆、炒等方法烹调菜肴时，使用的火力强而时间短，因此须将材料切成薄而小的形状。如切成厚又大时，则味道无法渗入，食物也不容易煮熟。

采取焖、煨、烧等烹饪法时，因火力小，时间长，汤汁多，所以切成厚度较大的形状。对于脆酥材料（如茭白）的刀法处理宜做直切；而对于弹性材料（如肉类）的刀法处理则以拉切或推切为宜。

(4)材料的性质和把握刀法处理

再者，依照材料的性质，所切的形状也各异。同样是属于肉块，不带骨的肉应比带骨的肉切得大些，因为加热后肉类的收缩程度不一。同样要切成肉丝，因牛肉较硬，且多筋，故将牛肉横切，使其经爆炒较为脆嫩。猪肉因筋少故宜斜切，如采取横切而易使猪肉碎断。猪肉较嫩的部分可以顺着纤维生长的方向而切。鸡肉最嫩，宜顺着纤维而切，以保证切后形状的完整美观。

(5)注意各种材料间形状的相互配合

有些菜肴由主材料与副材料构成。此时在切配上应注意主材料与副材料形状的调和。一般而言：副材料应随从主材料。在炒菜中，副材料的形状最好与主材料的形状一致。除特殊的情形之外，都依照材料本身的特征而定。通常副材料都切得稍小于主材料，以显示主材料的地位。

(6)善加利用材料切勿浪费

用菜刀切配时须控制材料，使大小都符合应用原则上的。例如一只火腿，可分为油头、上方、中方、腿筒、脚爪等部分。上方肉嫩软，品质最佳，可以切成冷盘薄片，或切成火腿丝。腿筒切成块，可做"蜜汁腿筒"、"干菜腿筒"等。油头与脚爪，可以炖汤。若将火腿切去上方，作不十分妥当的应用，岂非浪费了物资？

二、菜刀与砧板的使用、保养

施展刀工的主要工具是刀与砧板，因此应熟悉这两种工具，并妥为保养，使二者时时都能发挥功用。

1．刀的使用和保养

(1)刀的种类和使用

烹调用刀，种类繁多，但一般都按其用途或形状区分刀种。

59

①以用途分，可分：片刀、斩刀及前片后斩刀。

• 片刀（薄刀）重约 500 克左右，轻而薄、刀刃锐利、钢质坚硬，用于切割精细材料或薄片。适于切割鸡丝、火腿片、肉片等，然不适于切割带骨而坚硬的材料，因为容易伤及刀刃。

• 斩刀（骨刀、厚刀）重约 1 千克以上，刀峰厚，刀峰及刀刃形成三角形，专门切割带骨材料。

• 前片后斩刀（文武刀）重约 500～1000 克，前方像片刀，后方类似斩方，适用范围广。前方可以用来切割精细材料或薄片，后方可用于切割带骨材料（但不能切割如鸡、鸭骨等大而坚硬的禽骨）。

②依刀形可分为：圆头刀、方头刀及马头刀。

• 圆头刀　刀端呈圆形，轻而方便。

• 方头刀　长方形的刀，刀面广，轻而方便。

• 马头刀如马头，前面大，后面低，刀峰厚，较前二者略重。

除以上各种刀外，尚有烧刀、刮刀、牛角尖刀、雕刻刀等，各有不同用途。

(2)**刀的保养**

菜刀须保持锐利，勿使其生锈变钝，如此才能切出形状整齐、切口俐落的菜肴，也可避免切割不完全而相连在一起的情形发生。

①使用菜刀后的一般保养法　使用后用清洁的抹布擦去油脂与水分，尤其在切割富于盐分或黏稠性的材料，如：咸菜、莲藕、菱角等后，刀的双边都黏附有丹宁，极容易引起氧化，致使刀面变黑。因此使用后须以清水洗净，并拭干挂在刀架。注意勿使刀刃碰到坚硬物，以免损伤刀刃。

　　梅雨时期应注意霉菌的发生。在切用多盐分材料或酸涩物后，因刀刃容易生锈，故每次使用后必需洗涤干净，并擦拭收好。

　　②磨刀法　磨刀工具有磨刀石、磨刀砖二种。前者系沙岩物质，质地粗糙，用粗磨刀石磨刀，难免损伤刀刃。后者为泥沙砖制品，质地细腻，易使刀磨得锐利，且不伤及刀刃。但是在上新刃时，或刀刃有缺口时，可先以粗磨刀石磨砥尖端，然后用细磨刀砖磨，将磨得锐利。可见两种磨刀石及砖各具用途，是厨房中绝对不可缺少的必需品。

　　磨刀时须熟知磨刀要领，而表里两面的磨刀次数应相等，并均匀地磨砥刀刃前、中、后各部，如此可保持刀刃之平直锐利。

2．砧板的使用和保养

　　砧板（或称切菜板、砧炖）为切菜时与菜刀搭配的必需工具。材料放在砧板上切配，可保清洁卫生，并应严予区别切割生材料或熟材料的砧板，以防细菌的传染。切用时应保持砧板的平坦稳定，使切割后的材料均匀划一。新的砧板，在使用之前可涂以水和盐，或浸在盐水中，经过盐渍后的砧板，因木质发生收缩作用，使其更形坚硬牢固。而使用过的砧板应予以清洗、擦干，再用清洁的布盖紧，立放，使滤去水分。

三、刀法种类

刀法是各种不同菜刀的处理方法，亦即使用菜刀切割各种材料使成不同形状的方法。精确的菜刀操作法是指灵巧、迅速地掌握各种刀法，因此唯有赖于不断的练习各种基本技术，才能学得正确的刀法。谙熟刀工的基本技术后，仍须不断的努力提高刀工的技术水准，才能达到正确而精密的境界。

刀法种类极为繁多，因地区不同而各异，今以刀刃与砧板的接触角度为准，可分为直刀法、平刀法（片刀法）、斜刀法、混合刀法等。

1. 直刀法（垂直切）

直刀法是刀与砧板面成直角的刀法，依材料的性质与调理的要求，直刀法可分为"切"、"劈"、"斩"三种。

(1)切

切法一般使用于无骨材料，刀的刀法在基本上有以下各种：

①直切（垂直切）

直切刀法是：用左手固定材料，右手持刀。切时菜刀垂直向下，既非往前推，亦非向后拉，而是一刀一刀的垂直切下。直切刀法一般应用于脆性材料，如竹笋及其他蔬菜类。直切刀法左右两手的移动，动作须配合一致。其两手姿势为：用左手压住材料，右手中指关节掐住刀身。随着右手切割动作的进行，左手按住材料不断地往后移动。亦即：右手持刀，用臂力使刀往左移动，一刀一刀稳健地切下；左手则像蟹爬式往后移动，使被切的材料切幅一定。移动时若是切幅不一，则易切成不整齐的形状，若两手移动动作没有配合就易发生空切的现象。

切时务须直切，勿偏内或偏外。切法不直，不仅影响材料的美观，而且一刀向内，一刀向外都容易削到砧板，导致木屑混入材料等现象。故务须努力练习刀法，右手持刀，上下移动，左手与之配合，不断向后方移动，可增加直切的速度。

②推切与拉切

推切刀法是刀与材料成为直角，切时刀从持刀者的这边向那边移动，用力点在刀的后端，一次推切完毕，勿有再度推回的现象。

拉切的刀法是刀与材料成直角，切时刀从持刀者那边移至这边，用刀点在前端，做一次切毕。

材料质地不够稠密的，不容易用直切法切断，也不能切成同形，因此可采取推切法与拉切法。例如切百页、干丝等，均用此刀法。对于无骨而富于弹性的材料，如肉类等均采用拉切法。操作推切与拉切刀法时须取得双手动作韵律的平衡。用左手固定材料，中指关节掐住刀身，保持一定的速度往后移动，切时须直切，勿偏内或偏外。每次移动左手，间隔应相同，不得过宽或过窄。

推切与拉切时的臂力与动作，基本上是相同的，所不同的是推切时刀的方向是从这边推向那边，而拉切是从刀的那边拉向这边。

③锯切或推拉切

63

锯切及推拉切的刀法是将刀与材料保持直角，切时将菜刀推前，接着推回，一推须拉有如拉锯般的切法。

该刀法适用于无骨而富于弹性的材料，或需要薄切的柔软材料。如切火腿、白切肉、面包等。

操作锯切法时，缓慢而不用力，前后推拉时的刀，应保持直立，勿偏内侧或外侧。切时用左手按住材料，以免移动。此时若是移动，切处将失去依据，形成大小、厚薄不一的形状。锯切时不仅用眼睛观看，且用左手中指一并调节材料的形状与厚薄。

④铡　切

铡切有二种切法：一为用右手握住刀柄，左手按住刀峰前端，将刀柄上提，压下刀尖，向下按切。这种切法须正确把握住下刀的位置，并防止材料滑开，为类似铡刀的使用方法。

另一种方法是用右手握刀柄，刀放在材料被切的位置上。

左手按住刀峰前端，左右双手交互摇晃切下，该种切法可防范下刀后材料的飞散。

铡刀一般适用于有壳、小形而圆、易滑的材料，以及带小骨的未加工品与加工品等割切，如切螃蟹、带壳碱蛋、花椒等。

⑤滚料切

滚料切是用左手固定材料，用右手持刀，使材料与刀成直角，每切一次，旋转一次材料的切法。

滚料切适合于切圆形或椭圆形脆性材料（如葡萄、茭白等）为切片或块时使用。一般滚转快而切得慢就形成块，滚转慢而切得快就成片。滚料切的要诀是适当调节左手滚转材料的角度，使右手上的菜刀配合材料的滚转，以一定的角度切下。倘角度发生误差，切成的材料就有厚薄不一的现象，而且大小也不能均等。同时眼力亦须看住被切的部分，注意形状大小的均等。

一般适合薄切或细切弹性佳的材料，都可采用上述切法。对于膨松的材料则需切成又厚又粗的形状，才不致于破碎或飞散，对于有纤维的材料，必须顺其性质，沿着纤维方向或向横、向斜切成。

(2)劈或砍

劈适于有骨或硬质的材料切用，此时菜刀宜使用斩刀。劈切时必须用力，用大拇指与食指握紧刀箍上部，注意勿伤及手。

"劈"有直刀劈、跟刀劈及拍刀劈三种：

①直刀劈

直刀劈的刀法，首先看准劈切处，用力垂直劈下。直劈的刀法通常用于带骨或质硬的材料，例如：火腿、腌肉、猪头等。

直刀劈的方法与普通的切法其用力方面略异。切时多用力在手腕部分，但劈时多使用臂力，可见劈比切需要用力。此时若用手腕力，可能将伤及手碗。劈前举高右手，左手紧按材料，下刀时速将左手放开，以免落刀时伤到左手。

直劈时握紧刀柄，须以一刀劈断为原则。因一刀不能劈断，需下第二刀时，往往劈下的痕迹不能落在原先的落刀点上。这样不仅影响到材料的形状，亦可能造成许多肉碎与骨屑。劈开肉类时须将皮面朝下，从肉层入刀。

②跟刀劈

跟刀劈是将刀刃贴紧材料预定的劈切处，使菜刀与材料一起上下的刀法。此种刀法用于不容易一次切断，必须连续做 2~3 次劈切的材料。例如劈切脚爪、蹄膀等时。

操作跟刀劈，双手须密切配合，左手握紧材料，右手持刀，双手同时上下，刀刃紧紧插进材料的内部。用力时须注意菜刀与材料不可分开，否则可能有肇事的危险。

③拍刀劈

拍刀劈法是把刀刃紧贴于预定劈切的部位，右手握紧刀柄，左手用力，敲拍刀背，然后切断材料。

拍刀劈适用于圆形、椭圆形或小型而易滑的材料。因这些材料较难控制落刀的位置，故先固定刀刃于预定的劈列位置上，左手用力，敲拍菜刀而切。适用于劈切鸡、鸭的头。

拍刀劈的重点在于用力的方法，用力过强或过弱均不宜，用刀过强，容易使材料四散，含有汤汁的菜就会汁液四溅。用力不够则无法切断材料。切时必将菜刀紧贴于预定劈切的部位，不得移动，一经移动，切成的材料则有大有小，不太规则。

(3)斩或剁（排斩）

斩一般用于无骨材料的切配。这是将材料切成茸或末时的刀法。为提高工作效率，通常都双手持刀，因此亦称为排斩。

排斩前，先将菜刀浸入水中弄湿，以免茸末黏在刀上。排斩时双手握刀，切刀不得举得太高，应保持一定的距离——不远也不近。双刀前端距离可以稍近，而两刀刀根距离稍远为宜。手腕用力，由左向右，再由右向左，反复操作，双刀交替上下，同时不断翻复材料使所切匀细。

其他还有先用刀背拍打材料为泥浆状后再刀切等的方法。以如此的操作，可切成更细的茸末。

2．平刀法

平刀法、片刀法是保持刀与砧板为平行状态的刀法。可将材料切成薄而美观的片状，当一般方法无法切成时应用此法，系一种精巧的刀工。应用于无骨、富弹性、强韧的材料或柔软的材料；或经煮熟后呈柔软易碎的材料。

平刀法可再分为平刀片、推刀片及拉刀片三种。

(1)平刀片法

平刀片的刀法是平放刀身，使刀与砧板平行，薄切时，只用一刀即成。一般适用于豆腐干、肉冻、猪血、鸡血的平切。

平刀片的重点，是将菜刀前端紧贴砧板，菜刀后端稍抬高，调节薄片厚度。用左手按住材料时不得过于用力，只需固定材料不使切动即可。

操作平刀片刀法时，一般从材料底部（即紧接砧板的部分）开始平切，但亦可由上切起。由下而上，可切成平整薄片。由上部开始平切时，可通过左手食指与中指间的空隙，眼观察厚薄。该方法一经熟练，可迅速将材料切成平整美观的薄片形。

(2)推刀片法与拉刀片法

推刀片法是将刀身平放，将菜刀由靠近持刀者的一方向另一方推去，进行削切材料的刀法。该刀法适用于削切经煮后成酥的材料，如熟竹笋、熟茭白、玉兰片（笋干）等及其他。

拉刀片也同样平放刀身，将进行削切完毕后的刀，由持刀者的另一方拉向靠近持刀者的这一方。该刀法多用于富弹性的材料，如：肉、鸡、鸭等。

推刀片与拉刀片的刀法重点，基本完全一致，唯开始削切后，前者将刀往前推，后者则拉向自己，其余步骤均同。

3. 斜刀法

斜刀法为片刀法之一种，切时菜刀与材料成斜角，斜刀法可再分为两种：正斜片与反斜片。

(1)正斜片

正斜片的刀法，将刀身倾斜，刀背向外，刀刃向内。刀身与砧板面成极小的锐角，进行削切时向左下方移动。此法一般适用于无骨的材料，切成斜型稍厚的片或块。例如切腰片、扇形鱼片等。

正斜片的刀法是左手放在预定削薄的材料部位，斟酌薄片的厚薄而决定刀身的斜度，一刀一刀进行斜切的工作，该刀法需要双手密切的配合。

(2)反斜片

反斜片法是将刀背朝内，刀刃向外，刀身内倾，左手指紧按材料的斜切刀法，刀身进入材料后即采用由内向外。

反斜刀片多用于酥脆易滑的材料，如墨鱼、白菜侧面的酥厚部分。

反斜刀片的刀法，左手紧按材料，同时以左手中指上节关节支持刀身，右手所握的刀身紧贴左手中指关节，左手不断地移动材料，当左手移向后方时，须保持一定的间隔，如此可使切成的材料厚薄一致。

4．混合刀法

混合刀法是混合使用切（直切）与片（平刀法与斜刀法）等刀法。别名为剞刀（刻切法、装饰法），是在材料上刻入刀纹的方法。剞又分为推刀剞、拉刀剞及直刀剞等。

⑴推刀剞

推刀剞刀法与反斜片相似，左手中指紧紧按住材料的这边，右手持刀，刀口朝外，薄切约式切 2/3 的深度。

⑵拉刀剞

拉刀剞的操作与拉切法相似，左手紧按材料，右手持刀，刀身外倾，菜刀由外而内切入 2/3 深。

⑶直刀剞

直刀剞与直切的操作相似，但不切断材料，刀纹深浅要求一致，为相当高深的技术。

其他剞刀应用法有一般剞与花刀剞两种。

一般剞仅于材料上刻成一排纹饰，例如烹调全鱼时使用拉刀剞，在鱼肉上刻入约 2 厘米隔间的刀纹，深及鱼骨处则止。或以 3~4 厘米的间隔先刻入达到骨处的直刀剞，再倾斜刀身，以拉刀剞沿骨刻入 2~3 厘米。

另有双飞蝴蝶片是第一刀以直刀剞切入 4/5 深，第二刀用拉刀法切成，于是形成剪刀般的形状，亦称"鱼鳃片"。

⑷花刀剞

花刀剞的应用范围最广，所谓花刀（装饰切法），是在菜肴上切成各种交叉的花刀纹，使成为各种形状的方法。比较常用的花刀有以下几种。

①荔枝与麦穗的花刀　首先用一次推刀剞，再用直刀剞

法，与已切的线成直角交叉，最后将材料切成块。若将刻有此种花刀的材料切成象眼块（菱形），经调理后可以卷成荔枝型。如切成较长的长方形，调理后可形成麦穗的形状。该刀法多用于肾脏、墨鱼等材料的雕刻。

②钉子花刀　纵横以直刀剞刻成小方形，再切成片。材料一经加热后形如一排铁钉，其花纹有如核桃故又名核桃花刀。

③梳子花刀　先施直刀剞，再横摆材料薄切，加热后形如梳子状。适用于质地较硬的材料。

④蓑衣花刀　在材料上整面施以荔枝花刀法后，翻面，再度施以推刀剞，使刀纹与正面的刀纹成斜十字交叉，双面刀深均保持 4/5，最后切成三厘米见方的小块，用力一拉即呈蓑衣状。

山东名菜"汤爆双脆"的材料加工乃沿用此刀法。

花刀种类非常繁多，且因材料、用途之差异，而有各种不同创意的刀法产生，故在此无法一一列举。

"剞"的功用不仅使材料看起来美观，且使材料质地柔软易嚼，由于材料在锅中迅速被加热，短时间内即烹成一道菜肴，可保材料原有的特性，并使添加的调味料易于入味。剞的深度因材料与烹调方式而定，例如拟在调理后使卷成花形，则刻入应稍深，大略刻入材料厚度的 3/5 或 4/5。如只为调味料的渗入或方便烹调加热之故，则刻入可略为轻浅。但各刀纹的深度必须相等，纹间距离亦应相同。

以上数种较常用的刀法，除求操作上的正确与精细外，持刀者尤须注意有良好的姿势。

因良好姿势有利于提高工作效率，减轻劳动程度。因此，握刀时必须位置正确，紧握刀柄。通常使用拇指与食指，紧按菜刀的后端。按住材料的手保持不动，持刀者的身体与砧板应保持一定的距离，不必紧靠砧板。操作时集中精神，双脚从容的站立，动作整齐，注意安全。

以下表示适用于上述各种刀法的材料，及其切成后的形状（如后表）

四、材料经刀工处理后的形状

经刀工处理的各种材料，其形状大致可分为块、条、丁、片、丝、拉、茸、末等。

其形状粗细都依材料的性质与调理的要求而定。

兹将刀工处理后的材料形状分述如下：

1. 块

块由切法或劈法形成，无骨材料多用切的刀法，有骨材料则用劈的刀法。块的形状颇多，较普遍的有菱形块、大方块、小方块、长方块、滚料块等。

切成块的材料，除本身已属较小型，或依据材料原有的形状直接切劈外，一般多先切成同大的条或段，然后再切成块。动物性带骨的材料，一般均使用直劈刀法，劈切为方块或长方块（禽类可先去颈及爪，鱼类先去头及尾）。植物性材料如莴苣、莲藕、茭白、萝卜、蕃茄、冬瓜、丝瓜等可切成三角块或滚料块。另一种劈柴块是先用刀背拍击使纤维软化后切成块的方法。

分类	刀法	操作方法	适用材料	形状
直刀法	直切	使菜刀与材料成垂直，由上而下切下。	竹笋、莴苣等蔬菜及各种脆嫩材料	条、丁、丝、厚、片、粒
	推切	①使菜刀与材料成垂直，由靠近持刀者这方向另一方推出。②用力于菜刀后端，推切至最后。	①豆腐干、百页等柔软而薄、形状较小且富于弹性的材料②去骨的、有弹性的材料，如鸡、鸭、猪、牛、羊肉等。	①块、丝②条、丁、丝、块、粒
	拉切	①使菜刀与材料成垂直，由靠近持刀者的一方推至另一方。②用力于菜刀前端，拉切至最后。	去骨的有弹性材料如鸡、鸭、猪、牛、羊肉等。	条、丝、块
	锯切	使菜刀与材料成垂直，如拉据般推前，再往后拉。	①较厚而硬，去骨而有弹性的材料如：火腿等。②膨松而易碎的材料如面包等。	①薄片、块、粒（火腿）②厚片（面包）
	铡切	有两种切法（菜刀与材料保持垂直）①左手按住刀背，使刀刃对准预切位置，同时用双手，按动菜刀，切断材料。②握刀法同①但高竖刀柄，尖端落下，由前往后地移动刀身，使刀刃切入材料。	①有壳的，或软骨材料，或细而小，有硬骨的材料如：蟹类等。②蛋类③小形而圆，脆嫩的材料如花椒等	①段（螃触）②块（蛋类）③瓣（花椒）

分类	刀法		操作方法	适用材料	形状
直刀法	劈	滚料切	①左手按住材料，使其不断地旋转 ②右手握刀垂直切下	圆形或椭圆形脆嫩的材料，如萝卜、竹笋等。	滚料块、厚片等
		直劈	①右手举刀，对准落刀位置，用力壁切。 ②左手轻按材料，但落刀时须从落刀点放开左手。	可用一刀劈断的带骨坚硬材料，如有骨的鸡、鸭、鱼等肉类。	段、块等。
		跟刀劈	①刀刃顶住拟切的位置，菜刀与材料同时落下。 ②右手持刀，左手握材料，双手同时落下。	一刀不能劈断的带骨或坚硬材料如脚爪、蹄膀等。	块
		拍刀劈	①右手持刀，刀刃放在预定切断的位置。 ②举左手，用力敲拍刀背。	圆形或椭圆形，小而滑的材料，如鸡头、鸭头等。	块
	斩	排斩	①双手同时各握一刀，同时操作。 ②双刀保持一定的距离，刀尖靠近，手边稍离。 ③由左而右，由右而左反复剁切	无骨材料	茸、末
平刀法	片	平刀片	平放刀身，以一刀削切为准。	无骨柔软材料如豆腐、豆腐干、肉冻、鸡、鸭血等。	片（条、丝、丁的预备步骤）
		推刀片	平放刀身，切入材料后由靠近持刀者的一方切至另一方。	煮熟、柔软、清脆的材料如熟竹笋、茭白、玉兰片（干笋）等	片（条、丝、丁的预备步骤）
		拉刀片	平放刀身，切入材料后由远离持刀者的一方切至靠近持刀者的这方。	去骨的鸡、鸭、猪、牛、羊肉等有弹性的材料。	片（条、丝、丁的预备步骤）

73

分类	刀法		操作方法	适用材料	形状
斜刀法	片	正斜片	①斜放刀身，刀背外倾，刀刃内倾切入材料。②左手按住预切的位置，切完一次，将刀刃移向内侧，移一次削切一次，每次移动的距离相等。	无骨有弹性的材料，鱼、肉、猪骨脏、鸭胗等。	片
		反斜片	①刀身斜放，刀背内倾，刀刃外倾，切入材料。②用左手近住材料，以中指关节支持刀身，刀身紧贴中指关节，切入材料。③随着切刀进行，以同距离移向一边，每移动一节，切一刀，保持均一的移动距离。	酥脆易滑的材料，莴苣、墨鱼等。	片

块的形状依调理的需要与材料的特征而定，一般而言，在加热时间较长的烧或焖时，可切成较大块；加热时间较短的溜、炒时则切成小块。材料质地膨松脆软的，宜切大块；坚硬有骨的宜切成稍小的块。大块的肉类材料可在正反两面刻入十字花纹，可帮助火力透入以及味料的渗进。

2. 片

片是以直刀法、平刀法或斜刀法削切而成的薄片，较块为薄。若材料的形状与宽幅适合切成片，则直接切成薄片；若材料的形状不适合切片，则先切成条后再切成片。有些材料须先去皮、筋及骨等，切成较大的块或较宽幅的条后再切为片。

片有大小厚薄之分，依烹调方法而定。汆（白煮）时的片，加热时间较短，宜切成薄片，因入锅后无须翻面，若切厚则容易沉底，也不容易透热。用于炒、爆、溜的片，宜稍厚，因加热时间略长，有翻面、挂芡等必要，过薄则黏锅，容易破碎。

切片时应以材料原型为依据处理。例如圆柱形的茭白、红萝卜等宜先直劈后再切成月牙片（半月形），倘切成斜方形，就成橄榄片或菱形片（均为菱形）。

莴苣、茭白等宜用滚料刀法，切成剪刀头片。换言之，宜根据材料形状，切成相关的各种片型。片型种类有：柳叶片、桃叶片、长方片、梳子片、剪刀头片、橄榄片、齿轮片、蝴蝶片等。

各种片形因厚薄、大小的差异而改变用途。例如肉类多切成柳叶片，用于白煮、爆炒。鱼切成长方片，用于炒、溜等。

肾脏先施以剞刀，再用斜刀切成梳子片，因炝拌、清汤、莴苣、茭白、红萝卜、竹笋等多切成橄榄片，做为肉类、鸡等的副材料。

3．条与丝

条与丝的形状相似，只是粗细有别，长度一般为 3～4 厘米，条细者宽约 7 毫米，粗者为 1 厘米。细的丝宽约 2 毫米，粗者为 3～4 毫米，最细的丝宽在 1 毫米以下，恰如棉线。

条与丝，首先将材料切成片（若属较薄的材料如百页等，则无需切成片），再以直刀法直切、推切或拉切，切成丝。

条因较厚且宽，常一片一片分开切成。丝可一次叠成数片而切，其叠法有如下三种：

(1)瓦楞形叠切法

将一片片材料叠如瓦，斜排。层勿过多，叠成 4～5 层即可。此法系应用最广的叠法，材料切到最后也不会溃散。

(2)砌砖形叠切法

为整齐叠积每片材料的切法。该种叠法须使材料每片的大小与形状合一。

此叠切法的缺点是切到最后因手难以维持，其叠切的形状容易溃散。

(3)卷筒形叠切法

将片卷成圆筒状，适宜于面积较宽，质薄而坚韧，富于弹性的材料。如百页、蛋饼等。切成丝后若过长，再横切 1～2 刀，使成恰好的长度。

切条与丝时，对于有弹性而坚韧的材料（如猪肉、鸡、鸭、鱼肉等）宜使用推切或拉切；对于清脆的材料（如萝卜、茭白、竹笋等）则须直切。同时根据材料纤维生长的方向，采取顺切、横切或斜切等不同的切法。

4．丁、粒、末

丁较块小，从条切成。其大小依据条之粗度。粗条切成大丁，细条切成小丁。丁的形状之可分为：小方丁、橄榄丁、菱角丁、手指丁等。

粒比丁更小，由丝切成，大小犹如米粒。末比粒更小，大小如粟或芝麻，多由丁或粒切成。

丁的用途广泛，适用的材料很多。例如弹性佳的各种肉类，清脆的竹笋、茭白等均是适于切丁的材料。

粒多用于弹性佳的材料，如炒豌豆时使用的火腿，最适宜切成粒。

末多用于菜肴中的配色、调味或勾芡等。使用的材料有鸡肉、肉类、火腿、香菇、葱、姜等，也可用为菜肴的主材料，例如四川菜中的"麻婆豆腐"即以牛肉末与豆腐为主材料作成。

5. 茸、泥

各地方对于茸与泥有各种不同的称呼。有些地方称用刀背与刀刃敲打后剁碎的材料为茸；用刀腹击打，使成黏膏状的为泥。但有的地方称剁碎成软浆的猪肉、鱼虾等为茸，也有地区将煮熟的马铃薯磨碎的称为泥。更有一说，茸比泥软，泥比茸细。

茸、泥的意义，各地说法皆不一致。一般而言，茸泥均以排刀法或用刀腹磨碎而制成，其方法不外乎细剁材料，使成泥状。使用的材料有鸡、虾、鱼、肉等。

材料剁成茸之前，须先去筋与皮。制作鸡茸、鱼茸时，宜添加适量的猪背脂（通常剁鸡茸加 30%；剁肉茸、鱼茸约 40%）使产生黏性。

五、刀工的基本训练

选择适合材料的切法，又能迅速而精确地操作刀工，则须有充分的基本练习不可。

刀工的基本练习，其内主要针对片、切、斩、剖四项目。其目标在于将烹调材料切成粗细厚薄均一，大小长短相等，刀口干净俐落，且操作者的动作迅速无误等。换言之，须为以上的目标多做训练。

片、切的基本训练，应从"三丝"（肉丝、榨菜丝、豆腐干丝）开始不断练习。斩的基本训练可由斩肉膘（斩背脂）、斩排骨、斩肉丁开始。剖的基本训练由剖兰花豆腐干、剖腰花、剖墨鱼、剖荔枝肉开始不断练习。一边完成工作任务，一边累积经验。

第二节　材料的计划与分配

屠宰后的家畜与家禽的整只材料，因部位或品质的不同而产生肉质的差异，需予以正确的划分、调配，此谓为材料的划配。

划配工作是切配（配布材料）工作中的重要部分。倘划配不正确，不仅影响切配，亦将影响烹调，更影响菜肴的色、香、味、形。同时划配是一种高深的技术，对于每一种材料的划配，只用一种切法是不敷使用的，须加入切、片、劈等各种刀工的配合，才能完成划配的任务。

例如划配鱼肉时，去鱼头须以劈刀法；去背骨用平刀片法；除腹部骨头则用斜刀法；剥皮用反刀片法。至于划配猪、牛、羊、鸡则更为复杂。

因此，非有熟练的刀法与技术，否则很难胜任划配材料的工作。

一、划配材料的功用

1. 确保菜肴的品质与烹调的特色

欲以同种材料制作不同的菜肴时，可用不同的烹调法及采取不同部位的材料，以确保菜肴的品质与烹调的特色。

举例说：同是猪肉，烹调"酱爆肉丁"或"滑溜肉片"等时宜使用里脊肉；若做"回锅肉"则宜用坐臀肉；制"腐乳焖肉"时可用肋条肉；烹"剥皮大烤"时则用夹心肉最佳；若制镇江名菜"水晶蹄"宜使用猪的前蹄膀。

烹"酱爆肉丁"或"滑溜肉丁"若不使用里脊肉，将失去滑而柔的特征。在"水晶蹄"名肴中，若不使用前蹄膀，就无法烹调那番瘦肥适宜的绝佳滋味。

2. 合理化使用材料

猪、牛、羊、鸡、鸭等家畜或家禽，均以体大肉多为特色。禽畜的各部，肉质有异，特色也不同，故须按照其性质与特点，采取各种不同的烹调方法，以确保菜肴的品质，如此方能物尽其用，不致浪费。

举例：里脊肉最嫩软，适合切成片、丝，做炸、溜、爆等烹调。肋条肉红白相间，皮薄而适于烧、炖、焖、蒸。夹心肉的吸水力特强，做为肉馅材料或肉圆子最宜。奶脯肉多结缔组织，为滑软的油脂部分，只能炸成猪油。

二、划配材料时应注意的事项

1. 注意划刀部位

划配材料时以膈膜处划刀为要，因为家畜与家禽的身体，往往由一张黏膜隔开两种不同的肉质。

划分取料时以膈膜为界，沿着膈膜入刀，可保形状的整齐，不致碎散。

2. 划配程序

无论家畜或家禽，在划配取料时须掌握一定的程序，否则将失去肉质的整齐与统一。例如取猪前腿时，先剪指甲，再切蹄膀，接着除小排骨，嗣后去肩骨，倘不照此程序，上面的肉质，将会碎散而损及品质。

3. 除骨时刀须紧贴于骨

切除骨头时须将刀身紧贴于骨，进行切除，刀法干净俐落，使骨上无肉，肉上无骨，才不浪费。

三、划配部位及其用途

1. 猪肉的划配及其用途

(1)头尾部位

• 猪头　从屠宰切口处至脑顶骨去头。

• 猪尾　从尾根部位去尾。

猪头及猪尾一般以酱、烧、煮、腌等调理法调理。

(2)前腿部分

• 上脑　上脑部位背部靠颈处，位于扇骨上面，肉质嫩软，瘦肉间夹有白脂，最适于作"咕噜肉"、"桂花肉"等。

• 夹心肉　位于上脑之下，肉质硬坚，多筋膜。适于做肉、馅肉圆子等。夹心肉上有小排骨，可做"红烧小排"或"糖醋小排"。亦适合炖汤。

• 前蹄膀　由关节处切断。前蹄膀因多瘦肉，皮厚而富于胶质。适于白煮、红烧、走油、肴肉、扎蹄等。

• 颈肉　肉质较差，渗有血，瘦肥不明，多用为肉馅。一般用为红烧肉的材料。

• 前脚爪　脚爪部均为皮与骨，但前脚爪中有肉夹筋。爪短而肥，较后脚爪质佳。亦可由此抽取蹄筋，做为干燥制品，食时油发供用，但品质不如后蹄筋。猪脚爪适于红烧、取汤。

(3)腹背部分

• 脊背　包括大排骨、里脊肉。

• 大排骨　筋少而嫩软（除骨后谓扁坦肉）。类似里脊肉，是猪肉中最嫩软的瘦肉部分。用于爆、软炸、滑炒等。

• 里背肉　须于去大排骨前剥去里背肉。• 方肉（五花肉）　位于脊背下方，奶脯之上，大部分的胸部由此方肉成形。方肉有硬肋与软肋之分，靠头有肋骨的部分谓为硬筋。肉质绷紧而质佳。软肋接近尾部是无骨的腹部单边，质不如硬肋。方肉适于红烧、走油、粉蒸、白煮等。

• 奶脯　位于猪腹下方位置，肉质甚劣，几无瘦肉，全是柔软肥腻的油脂，只能取用为猪油。

(4)后腿部分

• 臀尖肉　位于尾根下的瘦肉，极嫩软，可为里脊肉的代用品。

• 摩裆肉　纤维长，筋少而柔软。可为里脊肉的代用品。

• 弹子肉　紧接臀肉，肉质较嫩，用于爆、炒等烹调。

• 后蹄膀　适用于红烧、走油、清炖等。

• 后脚爪　该处仅皮包骨，无肉。但后蹄筋质佳，制为干物，经油发或水发后，可供炒或煨等。

• 坐臀肉　位于臀尖肉之下，肉质较硬，用于"回锅肉"、"白切肉"等。其中有称为黄瓜条的肉，纤维长而无筋，色较淡，一般附在坐臀肉之上无法切离。

2. 牛肉的划配及其用途

牛肉的划配与用途略同于猪肉。但有些部分的肉质异于猪肉而用途也不一。牛肉各部位的名称依各地区的菜系而异，但一般而言，可分为：

(1)头尾部分

• 牛头 多皮、骨，少肥肉，全属瘦肉。适于烧、卤、白切等烹调。

• 牛尾 多肥肉，最适于煨汤。

(2)前腿部分

• 上脑 位于脊背前部，靠近后脑，带有肥肉而嫩软，用于烤、炒等。

• 前腿 位于上脑下部位置，包括前脑腱子上部，肉质较软，用于红烧、卤、酱、煨、制馅等。

• 颈肉 即牛颈脖的肉，质较劣，可用于红烧、煨汤、制馅。

• 前腱子 肉质较硬，用于卤、酱、红烧等。

(3)腹背部分

• 牛排 包括里脊肉。牛排位于脊背部，紧邻上脑，肉厚而幅宽，带有脂肪而柔软。一般均用于烤、炒、爆等。里脊肉质细而嫩，用于爆、炒等。

• 腑肋 位于胸部肋骨部，肉中密布筋膜，肥瘦相间，用于煨汤、红烧等。

• 红白奶（胸脯） 位于腹部，呈带状，肉层较薄，有白筋者适用于红烧；柔软部分用于爆、炒等。

(4)后腿部分

• 米龙 位于尾根部，前部紧接牛排，肉嫩，表面有脂肪，适于炸、溜、爆、炒等。

• 里仔盖 位于米龙下部，肉瘦而嫩，类似米龙。

• 仔盖 紧接里仔盖，用于炸、溜、炒等。

• 和尚头 位于里仔盖旁，其肉由五条筋肉构成，肉质极嫩，最适于炒。

• 后腿子　肉质相当坚硬，多用于红烧、卤、酱等。

3．羊肉的划配及其用途

羊有绵羊与山羊之分。绵羊肉质肥嫩，腥臭味较山羊为淡，皮下有脂肪，羊尾几乎全是脂肪。山羊肉的腥臭味重，全属瘦肉。羊肉的划配及用途，略同于猪、牛。

(1)头尾部分

• 羊头　肉少皮多，用于酱、白煮等。

• 羊尾　绵羊尾多脂肪，粗尾者有达500克者，用于炸、爆、炒及取油等。山羊尾细而多皮，肉少，虽含油脂但不油腻，用于红烧、卤、酱、白煮等。

(2)前腿部分

• 颈肉　羊颈肉略硬，间有细筋，用于红烧、煮、煨汤、制馅等。

• 前腿　位于颈肉之后，含前胸部与腱子上部。羊胸肉极为软嫩，适于烧、扒等烹调，其部分肉多筋，只适于红烧、炖、酱、卤、煮等。

• 前腱子　肉嫩而清脆，肉中含筋，适于卤、酱、烧、炖、煨汤等。

(3)腹背部分

• 扁担肉　位于脊背外侧，状如扁担。肉的纤维长而嫩软。用途甚广，适于测、烤、炸、溜、爆、炒、煎等。另有里脊肉，形如竹笋，位于脊骨后方，为最嫩的部位，用途与扁担肉相同。

• 肋条肉　无筋、外层有一层膜。瘦肥皆有，多脂处更嫩。适用于测、烤、焖、扒、扣等烹调。

·胸脯 位于腹部，多脂少瘦肉。肉中无筋膜，用于烤、烧、扣等。

(4)后腿部分

·后腿 羊后腿较前腿肉多而嫩。其中肾尖肉（亦称大三义），肥瘦参半，上部有层筋，去筋则为嫩肉。肉的纤纤纵横交错，肉质粗杂，肥肉多而瘦肉较少。适用于烤、炸、爆等烹调。黄瓜条与摩裆肉同位，形如两条连接的黄瓜，一条纤维呈直行，而另一条纤维肉质呈斜向。肉质细嫩，可为里脊肉的代用品。

·后腱子 肉质与用途同前腱子肉。

其他有脊骨髓，上通脑部，下接尾根，细长而被白膜包住，呈青色，质软如豆腐，用于烩、烧、白煮等。

4．鸡肉的划配及其用途

(1)背 脊

鸡的背脊部分肉少，而由鸡皮紧包脊椎骨。划配后的皮都归于鸡腿、鸡脯。故只剩脊椎骨。

(2)腿 肉

取腿肉时，用菜刀沿着腿腋切开皮肉，接着将刀紧贴臀部骨先端，切开筋膜，使骨露出，再切断腿关节的筋，用力按住鸡身，拉腿便可抽出，再把鸡翻面，以同样方法抽拔另一条腿。抽取大腿骨时，先切开肉，使骨露出，再切断膝部骨即可拔出。鸡的腿部肉厚而略硬。适于切丁、切块，但不适于切丝、茸等。

(3)胸脯肉

去双腿后由头颈部起至上三叉骨，将刀沿着胸骨突出部分，直向尾部深截，在翅根关节部位各划一刀，切断筋，接着将颈置于砧板上，抓翅而往后拉，半部胸脯肉即脱离背脊骨与胸骨。同样拔出另一半胸脯肉。然后以斜刀法切除鸡皮。

鸡脯肉极嫩，适于切成片或丝。

鸡脯肉嫩，适于切丝。拉出胸脯肉可发现贴在胸骨处有两条里脊肉。用刀切断贴在骨上的筋即可取出该部分的肉。此肉为鸡肉中最嫩的部分，适于切成片或茸。

(4)翅　膀

同时取出翅膀与鸡脯肉，一般都不从翅膀取肉。可用于红烧、卤味、白煮、清炖等。

5. 青鱼、草鱼的划配及其用途

(1)鱼　头

从鱼头紧贴胸鳍处垂直切下，青鱼头肉少、骨多，适于作"红烧头尾、"头尾汤卷"、"烧下巴"等菜肴。

(2)鱼　尾

垂直切下尾鳍。鱼尾肉嫩、富油脂而美味。适于烹调"清甩汤"、"糟卤清炖头尾"等菜肴。

(3)鱼中段

该部位从中骨部位切入。切口紧贴中骨，适用于鱼片、鱼丝等。

(4)鱼肚裆

沿着胸骨切入，便可取得鱼肚裆。肉质有油脂而嫩，用于"烧肚裆"一菜。

第三节 整只去骨

使用鸡、鸭、鱼等一整只材料，制成几道精致菜肴时，须经去骨与整形的手续。抽出材料的骨骼，并需保持材料的原形，非有高深的刀工与技术不可。因此，整只去骨是切配上特别的技艺之一。

整只材料中有极硬的骨骼，常成为加热及调味上的一大障碍，尤以装填其他材料于腹中时为甚。若于调理前拔去骨骼则可使腹中的馅易熟而透味。除此以外，材料去骨后的外形较容易改变。

例如"葫芦八宝鸭"、"松鼠桂鱼"、"松鼠黄鱼"等于去骨后形状更佳，成为精致的名肴。

禽畜整只去骨时，须先慎重精选材料，应挑取肥嫩而健康、肉多而大小适度的肉材。

例如鸡应选择一岁前后强健而肥美的母鸡。8~9个月大小且肥壮富有活力的为上选；因为过于幼嫩或太瘦的均缺乏脂肪，去骨时皮易被撕破，调理时容易破碎；过于坚硬的，则肉质绷紧，若烹调时间过长则肉易破；如烹煮时间短则不易软，总之，均不适用为整只去骨的材料。

鱼类以500克左右为准，新鲜而肥美，身厚而肋骨软（一般称腹中无硬纤者）为上选，如黄鱼、鳜鱼等均是。

肋骨较硬的鱼，去骨后腹部下陷，不适于使用。例如青鱼、鲫鱼均是。

因此，无论鸡、鸭鱼类，去骨时须慎重行之，以不伤及任何皮肉肌肤为准，否则将有损外表之美。

进行切除工作时，刀刃须紧贴骨上，应尽量减少骨上黏附有肉。此点不仅为防止肉类的浪费，且可保持整体材料的完整丰满。

切入位置必须正确，应切入材料最适当的位置。例如在切断鸡颈骨时，颈皮须由两肩中央处切开，否则无法将皮翻面。颈骨须由鸡头近部切断，否则拔骨后鸡头下面会有若干颈骨。可见从正确部位切断，非常重要。

1. 整鱼去骨

(1)去背骨

砧板上，先置鱼头于另一边，鱼腹放左，鱼背置右，左手按住鱼腹，右手持刀使刀刃紧贴鱼背骨，深入鱼背部位，白鳃切至尾，划出一条沟。若将按住鱼腹的左手往下移，此条沟纹即会裂开。再由此沟痕，贴紧刀刃于骨，向内切入，切至超过背脊骨的位置，当经过胸骨与背骨相连处时，注意不切弄破鱼腹皮肉。

将单面背脊的鱼与骨完全切离以后，将鱼头转回，仍将鱼腹放左，鱼背置右，放在砧板上。再以刀刃由背脊处横切，以同前的切法，切离胸骨与背骨连接处。从背部切口拔出背骨，切断并取出紧接于鱼头与尾的背脊骨，而鱼头与鱼尾仍旧接连鱼肉。

(2)拔去胸骨

砧板上将鱼腹置下，鱼背切口放上，由切口处剖开鱼肉。此时切断的胸骨与背脊骨相连处，便露出胸骨根部，因此，可用菜刀沿着骨根下方切入一排胸骨。

由靠近鱼头的部位向鱼尾切出，先切离靠尾的鱼胸骨，用左手取出靠尾部的胸骨。接着切离靠头的胸骨。如此便已全部出单边胸骨。再翻转鱼身，切除另一边胸骨，最后整只鱼体便恢复为原来的鱼形。

2. 整鸡鸭去骨

鸡鸭的体形与构造类似，去骨法基本一致，一般可分为以下步骤：

(1)切开颈皮、切断颈骨

先由双肩中央处沿着颈骨直切，在颈皮与肉之间划约6厘米深的沟痕，用手按开沟缝，由切口拉出颈骨放于砧板上。右手持刀的先端，于鸡头近处，以左手敲击刀背一次，切断鸡颈骨。此乃"拍刀劈"法的应用。此时勿以刀端割破颈皮。

(2)拔出前肢骨

放下鸡头，由颈部切口翻开颈皮，再用手仔细而缓慢地将皮与肉剥至两支前肢骨关节处。前肢骨脱离鸡体后，以手拔出前肢骨。该前肢骨系翅膀中不同粗细的两支骨，不仔细观察，就不能拔出细的一支。

(3)拔出骨骼

拔除前肢后，再将鸡胸置于砧板上，一手紧抓鸡头，用另一手将胸骨突出部分（胸部尖骨）做1~2次按入，按下突出来的骨，翻开皮与肉，以免骨刺破皮。再将皮与肉翻至背部（背部肉少，皮紧贴于胸骨，小心勿被撕破）。

砧上放鸡，一手抓住鸡头，另手抓住鸡背的皮与肉，轻轻翻开，倘皮紧贴骨，无法翻开胸骨皮时，需在皮、骨间划一条沟痕后再翻。翻至腿部，鸡胸放上，双手各抓一腿，拇指按住翻下的皮肉，两腿向背慢慢推开，使露出腿部关节。用刀去关节筋，除离后腿，继续翻开，翻至肛门切断尾骶骨（注意勿撕破尾部皮肌），如此，鸡尾仍旧连续鸡身。此时腿部以外的全身骨骼（内脏包在骨骼内）已脱离。从肛门处切除直肠，洗净肛门内的粪便即可。

(4)拔出腿骨

上腿及下腿骨尚在鸡身中，拔骨时，在紧接下腿的上关节部分（与上腿连续的关节）与靠近下关节部分（与脚爪相连的关节）各划一条横向的沟痕，翻开两处的皮，再切断下腿骨（注意勿切断皮），拔除下腿骨。接着将下腿上部关节切口的皮肉向大腿翻开，使露出上腿骨的关节部，再予以切断（注意勿切断皮）。

将菜刀朝切断上腿骨的方向切入，使上腿骨端露出若干。以左手按住上腿，右手紧抓露出的骨端，用力拉出上腿骨（靠近胸部大腿骨的一端，在拉出骨骼时业已折断）。此时上腿与下腿已被全部拉出，只剩上腿与下腿间关节与脚爪的骨。

关节骨应留在肉中，不宜除去，若拔去关节骨，填在腹内的东西便容易遗漏。通常也不剪除脚爪，有时留下下腿骨，若剪去脚爪就从大小关节处剪去下腿脚爪。是否需要剪除，依照情形而定。

(5)翻回鸡皮

鸡骨除了头、上腿、下腿之关节及脚爪外均已拔除，最后翻回鸡皮，皮放外，肉归内，回复原来的鸡状。腹中填装馅物，经加热烹调后，鸡只形状更为饱满。

第四节 配菜技术

一、配菜的意义

1. 配菜的意义

配菜是依照菜肴品质的需要，配以各形材料，使成一道菜肴的过程。配菜是紧接着刀工的一项程序，与刀工有密切关系，因此刀工与配菜可囊括为"切配"，然而配菜是在刀工范围外的一种独立工作。

欲做好该工作，不仅须熟知烹调方法，亦需明了各种材料的性质是否合乎材料的用途，以及蔬菜的季节变化等。除此以外尚须留意主材料、副材料的品质、色彩、形状配合等。

配菜可分为两种。一为热菜的配菜，一为冷菜的配菜。而两种的程序与条件各异。

• 热菜的配菜程序　采取刀工→配菜→烹调→上席。

• 冷菜的配菜程序　采取烹调→刀工→配菜→上席。

配菜在全部菜肴的调理过程中，是一项重要的工作。因各种材料合理的配合对于菜肴的品质、色、香、味、形及成本计算（原价）有直接的影响。

此列举其意义：

(1)决定菜肴品质与量的构成内容

菜肴的品质系指一项菜肴的内容。换言之，则指各种材料配合的比率，主材料与副材料配合的比率及荤、素配合的比率。

所谓菜肴的量系指一项菜肴中所含各种材料的总份量。

决定菜肴的质与量，在于配菜。烹调技术的优劣，对于菜肴的品质固然有极大的关系，但必须以配菜中所采取的比率与份量为衡量的前提，因烹调技艺如何高超亦无法改变菜肴的内容。

(2)为菜肴色、香、味、形的关键

材料的外形决定于刀工，而菜肴整体的外观则由配菜来决定。配菜时，适当地将形状相似的或相异的组合在一起，使成为错综而调和的形状。

各种材料有其固有的色、香、味等性质，将几种不同的材料配合在一起时，可互相弥补色、香、味、味任一点之不足，各种材料如配合巧妙，则可充分发挥材料的色、香、味、形等特色，若配合不佳，则不仅不能互为弥补，反而起了互相反、消杀的影响而使菜肴整体的色、香、味、形更不足取。

(3)决定菜肴的成本

配菜时所采用材料的程度、份量的多寡，将直接影响菜肴的成本（原价）。若份量不正确，高级作料与普通作料的配合比率不当，与其说会影响菜肴品质，毋宁说将使消费者蒙受损失，因菜肴成本提高势必转嫁于消费者，从而影响经营上合理的收入。因此，配菜也是成本统计上一个重要的环节。

(4)配合材料是使菜肴更趋多项化组合的重要步骤

除刀工与烹调法外，能使菜肴富于多变的原因，要归功于各种不同的材料配合。配菜即是创造更多菜肴的根本。

二、配菜者须知

(1)熟谙并理解有关材料的知识

各种材料各有其不同的性质，有富于弹性的，有清脆的，有软的亦有硬的。

在烹调中发生的变化各不相同，因此配菜时，须照调理方法而做适宜的调配。

如猪、羊、鸡、鸭等各部位的性质有异。嫩软部分适于爆、炒；坚硬处宜于烧、煮、炖、焖等，功用不能混淆。因此，配菜者须熟知材料的性质与部位。

烹调材料均由市场供应。但市场供应的烹调材料未必全是不变的，将因生产状况、季节变化、供应关系等因素不断发生变化。在某一时期会有某种材料较多而某些材料较少的情形出现。

配菜者须详知此种情况，方能多利用供应较多的品种材料而少采用较缺乏的品种材料。

此外，配菜者须熟知餐厅厨房的库存量，并为决定采购的品种拟定计划书。在每次采购时，应对采买人员说明应购买的物品与无需购置的物品，以免发生餐厅厨房存量过多或物资匮乏等情形。

(2)知悉菜肴名称与调理的特征

中国菜的品种非常繁多，各地均有风味独特的地方菜，各店亦有其独特的招牌菜，且都有其一定用料的使用法、刀法及烹饪法。

配菜者应详知本店菜色的名称、作法的特色，使能巧妙配菜，显示本店菜肴的特色。除熟谙本店菜肴的名称与特征外，对于同地区的菜肴及其他地区的菜肴名称与特色，亦须有某种程度的知识，才能在材料配合上发挥"推陈出新"的功能。

(3)精通刀法，熟谙烹调

热菜的配菜，行于切与烹之间，这是紧接于刀工的工作，为烹调的前序。因此，配菜者除精通切工外，亦须知悉因火候与调味的相异会引起材料何种的变化。

(4)知晓材料营养成的配合

中国菜材料的配合，应以符合基本营养为原则。但有若干菜肴，为了衬托特色，其配菜未必完全合乎营养条件的要求。

一位新进的厨师，务须克服此项困难，把握各种材料所含营养值的知识，以便配菜时适当地组成各种营养成分。

(5)把握质量基准与成本

配菜者应善于把握每项菜肴的品质、规格、成本及利润、售价的计算方法，对每项材料具体的废弃率；主材料、副材料与调味料的品质、数量及成本。再依照餐厅的利润，决定每项菜肴的利润与售价，然后制订各项菜目的品质规格与成本表，使从事材料配合的工作者，按照成本表，诚实而巧妙地配菜。

(6)推陈出新，创出菜目

配菜者除遵从传统特色与一般广为人知、形式已定菜色的正确配菜外，不必过度拘泥于旧有的方法。应根据材料切法与调理特色，顺应市场供应的物品的变化，临机应变，创造出外形更美、色香味更佳的菜目。

三、配菜的基本方法

材料的配合，分为一般菜与花色菜两种。一般菜较为纯朴；花色菜则属于技巧性的，多在色与形上下工夫。以下介绍过两种配菜的基本方法：

1．一般菜的配菜

以材料分量来区别时，配菜有单一材料的配合、主材料与副材料的配合及不分主副材料的配合三大种类。

⑴单一材料

单一材料是指由一种材料构成的菜肴。一般而言，几乎所有的材料都可成为单一材料。因只使用一种材料，无需其他材料的配合，所以，做法极其简单。然而，采取单一材料的情形时，要显明材料的长处，掩盖短处。因为我们食用单一材料菜肴时，主要以品尝该材料的特有的风味为目的，因此对于选择材料、初步加工及刀工等均须特别注意。

举例言之，各种蔬菜须选择鲜嫩的部分。"清蒸鲥鱼"乃为欣赏鲥鱼的肥美故不去鳞、鱼翅。熊掌因本身的味道不足，故做为单一材料时必须添加若干火腿、鸡肉等炖煮，炖煮后再除去火腿、鸡肉，以单一材料的姿态上桌。

除此之外，有以一种材料为主，但在其表面排列有其他材料，使成美丽菜样者。例如"兰花鸽蛋"，此菜半鸽蛋排

95

列于盘上；再以火腿薄片为花瓣、葱丝为、发菜为须，在鸽蛋上排出一式兰花图案。该项菜肴虽有火腿、发菜等其他材料的配合，但也仅只是作为装饰品使用，故此菜肴仍算单一材料的菜目。

(2)主材料与副材料的配合

主材料与副材料的配合，是指一种菜肴，除使用主材料外，又添入一定数量的副材料而言。添加副材料的目的，主要是对于主材料的色、香、味、形及营养做适当的调整作用。

例如"走油肉"、"香糟扣肉"等菜富含脂肪，吃起来非常油腻，若添加若干蔬菜，不仅可调和过度的油腻且可凭添加色彩的鲜艳。又如"洋葱猪排"除主材料猪排外，另添有若干洋葱，可使主材料更具香味。

其他在主材料中增添一些副材料而弥补营养值的范例极多。

肉类含有丰富的蛋白质，脂肪亦多。蔬菜却含有多量维生素。两者互相配合，使营养更趋平衡。

由主材料与材料所配合的菜肴，一般而言，主材料占品质上的重要地位，而副材料则为衬托、辅助或补充作用者，不得有喧宾夺主的现象。一般主材料多采用动物材料，副材料则使用植物材料。当然亦有例外者，例如北京菜"八宝豆腐"以豆腐为主材，火腿、鸡肉、虾米、干贝为副材料。扬州菜"煮干丝"乃以干丝为主，火腿、虾米为副。四川菜中"飘黄瓜"以黄瓜为主，猪肉、鸡蛋为副等均是。

(3)不分主、副材料的多种材料配合

所谓不分主副材料的多种类材料，系指两种或两种以上份量略同的材料所构成的菜肴。其中主副材料不必加以区分。尚几种材料的份量与体积或味道的浓淡有显著的差异时，须调整分量，以期平衡。此种菜类，配菜技术较为复杂，对于各种材料色、香、味、形的配合，应以慎重的态度来处理。

例如"油爆双脆"中所使用的鸡或鸭的砂肝，以及猪肚，均属清脆而富于弹性的材料，因此，外形可采用蓑衣块的方式，其切痕的深浅、块粒的大小、厚薄等必须划一。又如"糟溜三白"中的鸡、鱼、竹笋等，均应切成片，使色泽洁白，吃起来软嫩可口。

无论为主副分明或主副不分的菜肴，其各种材料，均须分别放入各盘皿中。因为调理上有先后之分，若混淆在一起，难以分开下锅，可能影响炒煮的时间而损及品质。

2．花色菜的配菜

⑴花色菜材料配合须知

花色菜（精艺菜肴）系在色与形上加以特别技巧的艺术性菜肴。

该菜肴在刀工与材料配合上有独到的工夫，非有高超的技术无法做成色、形俱佳，味美而富营养的作品。兹介绍花色菜在制作上的须知：

・严格选择材料，以方便造形上的处理。

・菜样的图案、形状、色调宜大方、美丽、和谐。

・因多使用手工，故须注意清洁卫生。

⑵花色菜材料的配合

花色菜的配合，变化多而微妙。以下介绍几项方法：

・叠　叠是将色、味不同的材料加工成同形，然后隔片重叠，间涂糊状材料（如虾茸），使贴在一起的作法。例如"锅贴鱼"，将鱼片、火腿、猪背脂、酱菜叶切成同大的长方形，各贴在鱼片双面，片间涂以虾茸而成。

•卷　卷系将有弹性的材料切成片或较大的长方片，再将色味不同的材料切成细丝或茸末，分别排在片上，上涂以蛋粉糊（鸡蛋加淀粉的糊），滚卷即成。两端可制成各种美丽的形状。

例如"三丝鱼卷"，是在较大的长方鱼片上，搁置火腿、笋、香菇丝（切得长些，使可从鱼片露出），卷起鱼片涂上胡粉使两端合闭，油炸后淋汤汁即成。

•排　排有两种类：

一如"葵花鸭片"，先将鸭肉、蘑菇、竹笋、火腿等不同色彩的四种材料切成厚片，在碗底放一个圆香菇，再将鸭肉、蘑菇、竹笋、火腿片铺于其上，交替排成复瓣葵花状，上淋碎鸭肉再加调味料，放入蒸笼内蒸后，伏在盘上扣出，再以绿叶点缀周围即成。

一为使用一种主材，而其他材料添加在周围，摆成各种图样的方法。如"兰花鸽蛋"即是。

•扎　扎是将切成条或片的材料，用黄花菜、海带等扎成一束束的形状。例如"柴把鸭掌"，是将去骨加热的鸭掌，添加火腿条、冬菇条、笋条，外面再以干菜丝扎成束，放入蒸笼，并加调味料而成的名肴。

又如"清汤腰带鸡"，是将去骨鸡肉、火腿、竹笋、香菇切成片，片间开洞，再以扁尖（笋干的一种）串成，扎结两端，使其状似腰带，添调味料与清汤在蒸笼蒸煮的一项名菜。

•瓤　瓤是以一种材料为主，将其他材料填装其中的花色菜。

如"瓢青椒",先去青椒心,里面涂上薄的干菱粉。再将猪肉、火腿切成茸状,外加荸荠末及调味料,搅拌均匀后放入青椒内。于放入锅中油煎后加鸡汤,入蒸笼蒸。蒸后移鸡汤于锅中,加调味料,用太白粉作成浆,淋在青椒上即成。

• 包　包是将鸡、鱼、虾、猪肉等嫩软无骨的材料切成片或茸,包于网脂、蛋饼或莲叶中,加热制成的花色菜。如"鱼肉馄饨"等,先除去大黄鱼骨,再切成大丁,蘸上菱粉,用面棒擀成薄皮,以调味的虾仁为馅心,包成馄饨形,经清水白煮即成。

四、色、香、味、形的配合

⑴色的配合

各种菜肴的材料,各有其色。这些色彩经烹调后将产生若干变化。一位独立作业的厨师,应熟知此等变化,才能妥为配合各种材料,使菜肴的色调和谐、色泽鲜美,促进人们的食欲。

配色的具体方法,依实际情形而定,但以色彩调和、具有美感为原则。

如"芙蓉鸡片"的色彩洁白,若添加几分绿叶蔬菜,则更可衬出如芙蓉花般的白色色泽。又如"炒虾仁",虾仁本就白里透红,自然而美丽,若加入一些青豆,更予人清新之感。若加竹笋或茭白,则不能达到此调谐的效果。倘加入木耳则使虾仁的白色与木耳的黑色无法调和,破坏了美感。

除注意菜肴色调的配合外，亦须注意全桌菜谱色调的调和。

(2)香与味的配合

大多数材料本身即具有独特的香与味，但烹调的味与香，须经加热与调味后才能真正显出，因此需要知悉在烹调完成时会有何等的香与味产生，在配合材料时才能以熟练的方法搭配香与味。香与味的搭配属于复杂的技术，一般而言，动物性材料与植物性各具有不同的鲜美味道及几许挥发性的芳香物质，使气化后酿出各样芳香，故在配合材料时，应注意保持及提升这些香味的产生。

如洋葱、蒜、芹菜均含有丰富的芳香物质，适于与动物性的材料配合，使菜肴更香、更美味。除此，芳香浓厚的可与香味较淡的搭配。

但如香与味的配合不佳，也将影响菜肴的品质。例如"蟹黄狮子头"如添加香菜，将会使此菜黯然失色。

香味相似材料不适合搭配，例如牛肉与羊肉、青鱼与黄鱼、马铃薯与山芋、丝瓜与黄瓜、青菜与莴苣等，总难有效烹出美味的菜肴。

(3)形状的配合

形状的配合，关系菜肴的外观，也影响菜肴的品质。菜肴除保持自然的形状外，还可以运用刀切使调理更趋方便。加热时间的长短与材料形状的差异有密切的关系，形状细小的材料，不适于长时间的调理；形状粗大的材料不适合时间短促的调理法。

配合主材料与副材料时，副材料不应比主材料大。不区分主副材料时，各种材料形状应相似。如条与条，丁与丁，块与块配合，才能使全肴调和平衡。

配合花色菜材料时，应仔细留意构图的统一，必须整齐均衡、清洁明晰、美丽逼真，才能吸引人。

配合材料时应注重营养、香味、形状等。其重要性不一，兹细述如后：

首先须注意营养成分、香、味，然后注意色与形。因为，人们吃菜虽为摄取营养及享受香与味，而观赏色调与形状则在其次，故勿仅注重色、形的美观而疏忽了营养与香、味。若为美观而添加非食用色素时，已完全失去了烹调的意义。

五、决定菜肴名称与排菜

决定菜肴名称及排菜（决定出菜的顺序），看起来似乎不属于切配的范围，其实决定菜肴名称和排菜，均需由切配厨师执行，故属于切配工作的范筹之内。兹简述如下：

1. 菜肴名称的决定

中国菜的种类繁多，菜肴的名称非常复杂，但从较常见的菜肴名称中，即可推测出命名的方法。

⑴在主材料名称前加上烹调方法的名称

例如：

煮干丝　　　清蒸鲫鱼

干烧明虾　　粉蒸肉

生煸草头　　挂炉烤鸭

软炸口蘑

以上是最普遍的命名方式，使人们一望而知整个菜肴的内容与烹调方法。凡是调理方法较具特色的菜肴，可沿用此法命名。

(2)主材料前加调味料的种类或调味法的名称

如：

咖哩鸡　　　糖醋排骨

鱼香腰花　　椒盐蹄膀

盐水鸭　　　蚝油牛肉

(3)在主要材料前表示色、香、味、形的特征

例如：

雪花鸡、芙蓉鸡片等充分显示出菜肴色彩的特征。

再者如：香酥鸭

脆　鳝

怪味鸭

等反映菜肴的香与色。

兰花鸽蛋

蝴蝶海参

等反映菜肴形状的特色。此命名法适用于色、香、味、形皆具有显著特色的菜肴。

(4)以所配合的材料名称为菜肴名称

如：

虾子蹄膀　　腌肉

洋葱猪排　　腰丁腐皮

蛤蜊鲫鱼

等名称，表示菜肴所用的材料。适用于不区分主副材料，或虽有区别但副材料在味道方面占有重要作用的菜肴起名。

(5)藉烹调方法与材料色、香、味、形的特征而起名。

如：

油爆双脆（双脆指两种脆物：鸡肫与猪肚）

糟溜三白（三白为；鸡肉、鱼及竹笋）

炒三鲜（三鲜指：鸡肉、鱼、猪肉）

清蒸狮子头

以上名称的起用，虽未直接表示材料名称，但可显示材料色、香、味、形的特征，使人藉以辩认所使用的材料。

(6)在主材料前加地名

闽生果（福建式水果名肴）　　　宁蚶（宁波蚶食）

成都蛋汤（成都式）蛋汤

西湖醋鱼（西湖式糖醋草鱼）

此种命名法说明菜肴的起源地，适用于家乡风味浓厚的菜肴起名。

(7)将主材料、副材料及调理方法的名称全部排出来的起名法

如：

参炖鸡（海参与鸡肉的煮汤）　　　香肠蒸鸡

豆豉扣肉　　　芹菜炒牛肉丝

咸鱼蒸肉饼　　　干菜烧肉

此种起名法极为普遍，用于一般菜肴，由菜肴名可以获悉菜肴的全部内容。

其实菜肴名称并非一经决定就无法变更的，当然也可以不按前述方法起名。以调理方法及色、香、味、形各条件的特色为依据，可以创出既符合菜肴内容特色又富艺术性的名称。

2．排菜

排菜是根据消费者吃的习惯，按照顺序将所配合的材料，按一定顺序排于厨台之上，并将合乎菜肴的器皿放在适当位置的一项工作。这样可使厨师迅速而顺利地进行工作，以防出菜顺序颠倒，以致出现混乱的情形。

排菜时须将以下各节明确区分：

(1)区别酒肴与饭肴

以一般吃的习惯而言，先喝酒后吃饭，故应先出酒菜，接着进饭肴，最后端出汤类，切勿颠倒顺序。

(2)区别菜肴烹调时间的长短

为使出菜有连贯性，需先将烹调上需时间较长的菜肴备妥，而烹调时间较短的菜肴稍为延后。

(3)区别普通菜与紧急菜

普通菜是指平常提供的菜肴，紧急菜是因客人有急事，而须赶时间所做的菜肴。为免宾客在紧急时不致浪费时间等待，排菜者务须先调理紧急菜使其能应时供应。

其它有须添菜或有漏菜情形时，务必及时补充供应。

(4)区别调味的浓淡

味浓指顾客对于辣、酸甜、咸等要求较重，味淡乃指对以上各味要求较淡的情形。或者是食客因本身病理原因而要求限制动物性油、盐或糖等调味料的菜肴。排菜时应严加区分，经常留意，以符合顾客要求。

(5)区别小吃团体菜与桌菜

琐碎的小吃应考虑顾客的要求、饮食的习惯、烹调的快慢，而妥善安排上菜的菜单。团体菜或单桌菜，应照菜单，依序端出，切勿变更。在决定烹调的顺序时，注意避免于同一时间出菜。

　　欲使排菜成功，应集中精神，认真负责，保持服务员与厨师间的默契，方能积极发挥排菜的功能。

第三章　烹调技术的基本认识

第一节　烹调的基本认识

一、烹调的意义及作用

一道菜式，经过材料选择、初步加工及切配（刀工及配菜）的程序后，进一步便是正式的烹调。烹是加热，调是调味。烹调是运用巧妙的切工，将分配好的材料，经过加热与调味，做成一道香美的菜肴。此处即介绍烹与调的作用。

1."烹"的作用

烹的目的，是将生的材料加热，使其变成熟的东西。其作用有下列数项。

(1)杀菌消毒

一般而言，生的食物，不论如何新鲜，都带有病菌和各种寄生虫，若不予杀死，吃的人就容易生病。据说，这些细菌及寄生虫在 80℃ 左右的温度中，大部分会死亡，亦即，烹调处理是杀菌消毒的有效方法。但，鱼和肉是不良的传热体，大块的鱼或肉，就算经过长时间加热，也只有外表的细

106

菌会被杀死，而内部的温度仍然很低，以这样的热度无法杀死食物深处的细菌及寄生虫。因此，必须延长加热的时间，将肉切成适当大小，予以搅拌均匀，而达到迅速加热的效果。

(2)分解营养成分，帮助人体的消化。

食物中的化学成分，一般而言，是指蛋白质、脂肪、糖类、矿物质、维生素、水等。这些成分全是维持人体正常生长所需要的营养。但，这些成分全是以复杂的化合物状态存在于食物中，所以不会自动分解。食物经高温烹调，会发生复杂的变化，其成分即被一次分解。例如，烹调后，食物中的蛋白因热而凝固，胶质蛋白溶入汤中，纤维组织分散，矿物质、钙、磷脂质流出，存于水份中，即易于被人体吸收消化。

(3)引出食物中的香气

生肉没有香味，但入锅加水煮后，虽不加任何调味料，只要煮到一定程度，肉的香味就会四溢，引起人的食欲。其他食物，如蔬菜、谷物，也都在煮后会溢出香味，为什么呢？原来，许多食物都含有各种芳香成分。这些成分经受热气化，就放出香味。亦即，食物由于烹调加热，就放出了香味。

(4)混合各种材料的单一味道，作成复合的美味

一道菜式，要使用好几种材料，而各种材料均有其特具的味道。烹调以前，各种味道独立存在，不会与其他味道融合，但加热后，会发生变化。因物质中的分子经常在运动，温度提高后，运动更激烈，在这运动中，一种材料中的分子，会进入他种原料组织之中，造成了复合的美味。

例如，"干菜烧肉"，由于加热，肉的一部分分子，会经

过锅中水分，渗入干菜中；而干菜的一部分子会渗入猪肉中，干菜中有肉味，肉中有干菜味，形成了极佳的美味。

(5)作成佳肴的色、香、味、形

食物经加热，除引出物料的香气及复合的味道外，亦能使菜肴的色彩和形状发生变化。例如，加热时的火候如果掌握适当，会使炸的东西变成金黄色；炒的青菜变成碧绿色；虾用强火炒后，会变成鲜红色；鱼肉炒后会变成雪白色。同时，经花刀（装饰刀工）处理后的材料，加热后，亦可作成各式各样的形态。例如，麦穗形、兰花形等。

2. "调"的作用

调的目的，是加入调味品，将各种材料适当拌合，以除去原来的恶味，增加美味，其作用如下：

(1)除去腥味，分解浓味

牛肉、羊肉和海产品等材料，往往有很大的腥味，豚肉则有很大的浓味。这些腥味浓味，因为不合我们的口味，有必要予以剔除。当然，加热可以除去一部分，但却不能全部除去。因此，有必要掺合某种调味品或混合一些材料。调味品中的葱、姜、蒜、绍兴酒、醋、盐、白糖、香料等，都有除去腥味和脓味的作用。

以绍兴酒为例，绍兴酒的酒精成份很少，香味很醇，脂肪酸和氨基酸很多，所以，烹调时，加入适量的绍兴酒，会溶解肉、内脏及鱼肉表面黏液所含的氨、氨基酚、四纳化氢等化学物质，使其全部气化，所以可除去腥味。

(2)增加材料的味道

有些材料味道非常淡薄，甚至有的完全没有味道，若不加入其他味道，很难引起我们的食欲。所以，为了增加这些材料的味道，可加入调味品，或配合其他浓味的材料烹调。例如，豆腐、粉皮、凉粉、葡萄等是味道非常淡的东西，但适当地加入葱、姜、糖、汁、酱油等调味品，或与鱼、肉等味浓的东西一起烹调，会使本来平淡的味道变得鲜美。

(3)决定此道菜肴最后的味道

做菜时，要做成何种味道，决定于调味品。例如，做"排骨"时，加糖和醋，即成甜酸味道的"糖醋排骨"；加盐和花椒，即成芳香的"椒盐排骨"。

以鸡肉来说，如使用桂皮、茴香为调味料，则成"五香扒鸡"；使用咖哩粉，则成"咖哩鸡"。此外，使用牛乳可成"雪衣鸡"；或以陈皮为主要调味品，则成"陈皮鸡"；如加入辣油、芝麻酱、花椒粉、白糖、麻油、醋、酱油等，则可做出味道混合的"怪味鸡"。总之，调味料选用的不同，会决定菜肴最后的味道。

(4)使菜肴的色彩鲜明

烹调时所加的调味品，除了对味道有决定性的作用之外，也会增加色彩的鲜明，呈现色泽的调和及美观。例如，红腐乳汁和蕃茄汁会使菜式变成玫瑰色；红糟会使菜式成为红色；咖哩粉会使菜式变成淡黄色；蚝油会增加菜式的光泽。这些调味品全都有助于增加菜肴的色彩。

烹和调，虽然各具独立的概念，但两者是一体的两面，有不可分割的关系。经由"调"，进行材料与调味品的适当配合；经由'烹'，使材料与调味品起各种物理及化学变化。所以，要正确把握烹与调的技术，方能保证菜肴的品质。

二、烹调的主要厨具

1. 炉灶

炉灶是烹调时加热的工具，也是调理场的主要设备。任何厨师都必须深具炉灶的基本知识，熟知炉灶的性能，把握炉灶的使用方法，才能正确运用火候进行烹调，作出色、香、味、形俱佳的菜肴。

炉灶的构造、性能、效率等对烹调效果有很大的影响。一般而言，好的炉灶，效率高，燃料能恰当利用，火力的强弱大小容易调节，工作者可保操作时的安全，并易于清理和保持卫生。

炉灶可分类如下：

·依照所使用的燃料分类：分为烟炭炉灶、无烟炭炉灶、稻壳木屑炉灶、瓦斯炉灶等。

·依照炉灶的用途分类：有炒灶、蒸灶、烘灶、烤灶，及使用于各种烹调的炮台灶（有一个主火口及利用余热的 1～2 个副火口）等。

2. 其他用具

烹调用具的种类很多，且因各地菜肴系统的使用及习惯而不同，所以，要谈论许多烹调用具的规格，实非易事。以下拟介绍一般常用的主要用具。

110

• 铁锅（镬子）　有生铁锅和熟铁锅两种。一般烹调使用熟铁锅；煮火和蒸则使用生铁锅。生铁锅易坏，而热传导亦不如熟铁锅快，所以不适宜烹调用。熟铁锅，有双手式和单手式两种。要辩认铁锅的品质，就要检查铁的光泽。熟铁锅以白亮者为上品，暗黑色者为下品；生铁锅则以青色发亮者为上品。此外，要注意查看有无碰伤、破裂等缺点。

• 手勺、铁勺

铁勺是搅拌锅中的菜，加调味品及盛菜入器皿时用的工具。圆勺长柄，柄端有木制把手。铁勺的规格以盛量为标准。

• 牛铲、铁铲　铁铲是作菜和煮饭时搅拌用的工具。

• 漏勺（铁制有洞孔的勺子）是滤油和取出汤中材料的工具。有柄且有许多小孔。

• 笊篱　用途与漏勺相似。有铁笊篱、铜笊篱、竹笊篱三种。

• 网筛　是过滤汤汁或液体调味品的工具。

• 铁叉　从沸腾的汤中取出材料的工具，也有前端呈钩形者，可防止材料滑落。

• 铁筷子　是用于分离锅中材料的工具，类似竹筷子，但稍长。

• 蒸笼　蒸食物时使用的工具。盖子有扁平形和圆山形两种。盖子扁平者，蒸气的水容易进入材料中，影响味道，所以采用圆山形者较好。

三、烹调作业所必要的基本训练

1. 烹调作业的一般要求

烹调是复杂且纤细的作业，富有技术性及艺术性。同时，因烹调在高温条件下进行作业，使用工具时较需要力气，所以有下列各项要求：

- 注意锻炼身体，以增加体力及耐久力，尤其是臂力。
- 要正确把握基本操作的姿势，以自然姿势操作最为方便。
- 操作时要集中思考，注意动作的敏捷及安全。
- 刀具需清净及锐利，锅子经常保持清洁，注意卫生。
- 通晓各种工具的正确用法。

2. 烹调的基本训练

使用各种烹调方法，作出符合一定色、香、味、形的菜肴，此即烹调的基本要求。

为了使菜肴的品质安定，香、色、味、形俱佳，需要忠实实行烹调基本技能，其主要内容可归纳为下列八项。

- 正确放入材料（水及调味料亦然）。
- 面衣及加味面衣要适度而平均（浓度及厚度要适当）。
- 正确识别油温（依现象认识本质）。
- 迅速地掌握火候大小。

- 勾芡要适当（煮汁及浓度）。
- 翻锅要能自如（大幅度摇动锅子、旋转锅子和铁勺的操作要迅速配合）。
- 菜出锅的时机要适当（以保证柔及脆）。
- 盛菜于盘碗的动作要熟练（使外形美观）。

无论采用何种烹调方法，作何种菜肴，基本上离不开上列八项技能。

第二节　火　候

烹调，一般而言是用火加热使熟。烹调所使用的材料，五花八门，其性质形态有硬、软、大、小、厚、薄之分，而菜肴有的需要达到芳香，有的要作成新鲜而柔软，有的又要作成软得快溶化似的，所以，在加热过程中，要使用不同的火力及加热时间来烹调材料，这就叫做"掌握火候"。

使火候变化的因素很多。依菜肴的风味、烹调方法，及一道菜肴中烹调的各个阶段，而有不同的火候需要，并非千篇一律。要迅速掌握适当的火候，才能作成色、香、味、形俱佳的菜肴。

一、火力的分类

火力之中，何谓强火？何谓弱火？又，强火与弱火之间有几种火？如何加以区分？一般在习惯上分为四大类：

1. 旺火

也叫武火、急火、大火。旺火的火柱高高地伸于烹锅的外面，火焰高而安定，呈黄白色，光度明亮，热气逼人。一般用于需快速烹调的菜肴，以保持材料的新鲜及柔软。例如：炒、爆、炸、溜等。

2. 中火

也叫文武火，中火的火柱稍伸于烹锅之外，火焰不安定，呈黄红色，光度稍微明亮，热气大。中火一般用于烧、煮。

3. 小火

又叫文火、温火。小火的火柱不伸出烹锅外面。火焰小，时而上下。呈青绿色，光度暗，热气稍大。一般用于缓慢的烹调，使菜肴柔软而有味道，适于煎、贴、煸等。

4. 微火

也叫相火。微火的火焰更小，加热亦微弱。微火一般用于长时间的炖煮。材料即使被煮成快要溶化的样子，也能保持香气及味道。适于炖、焖、煨。

以上所述，是以一般用煤炉为标准的情况。重要的是，要以熟练的烹调技术及丰富的烹调经验，迅速掌握火候。

二、"热"传到材料内外的情况

在烹调过程中，热传到食物的情况很复杂。一般而言，分为两个过程，一个是材料外部的热传导过程，一个是材料内部的热传导过程。

1. 材料外部热传导过程

铁的传导能力非常强，所以燃料在炉灶中燃烧时，将热传到铁锅，铁锅再将其热立刻传到锅中的材料。但，有时材料不直接置入锅中，而将辅助材料（热煤体）如水、油、盐、砂粒等置入锅中。亦有蒸、烤等特殊的加热方法。兹将这些情况区分说明如下：

(1)使用水的热传导

水的热传导能力很小。水受热后温度上升，水中的材料受热，发生对流作用。水的沸点是 100℃，无论火力多强，水的温度只能达到 100℃，所以温度超过的部位就化为蒸气释放出去。

(2)使用油的热传导

热传导能力亦非常小。油受热后，也会发生对流作用，油的沸点在 200℃~300℃之间。烹调时可以用各种不同的油温，对食物加热。

(3)使用蒸气的热传导

蒸气可用其温度将材料加热。蒸气的温度比水高，最低温度为 100℃。蒸气的温度决定于火力的大小及气压的高低。蒸笼的盖子紧闭，蒸气不漏出，便可大幅提高温度。

(4)藉空气的热传导

藉空气的热传导有两种。一种是以火的热直接熏或烤；另一种则是将食物放进烤炉中的铁盘，以密封之热气对食物加热。

(5)藉盐或砂粒的热传导

利用盐粒或砂粒等物体的吸热及散热作用，以均等的温度对食物加热，温度的大小依火力决定。

利用上述各种传热的方法、组合火力的大小及时间的长短，可以形成各种烹调方法。

例如，水的传热有汆、涮、煮和部分的炖、熬、烩；使用油的有炸、爆、炒、溜、煎、贴、煸；使用蒸气的有蒸、炖；使用空气的有烤、烘、熏；使用盐的有盐焗、泥烤。

此外，有交互使用各种传热方法的。例如：烧、扒、烹、焖及部分的熬、烩。

2．材料内部的热传导过程

热从铁锅及各种热煤体到达材料的表面后，才开始了对材料内部加热的另一过程。经过这个过程，食物被烧热，也被充分的杀菌消毒。保证了食物的色、香、味、形。但是，一般食物的热传导能力很低，大部分是不良导体。大块的鱼或肉，如果加热时间过短，则不论表面温度有多高，内部的温度依然很低，所以无法煮熟食物。

根据实验，将小于 1.5kg 的牛肉块放在沸腾的水中一小时半，牛肉的内部温度才 62℃。又，将一条大黄鱼放入锅里炸，油的温度达 180℃时，鱼的表面温度达到 160℃，而鱼的内部却只达 60~70℃，因此，对食物的材料加热时，要注意下列各点：

(1)使热容易传到材料内部

在使用强火而短时间的烹调方法时，必须将材料切小、切薄。如果材料大而厚，则必须将材料的各处切开，使热容易传导。

(2)依材料的大小，高明地掌握火候

烹调大块的鱼或肉时，必须以小火长时间加热。当红色的血痕消失，鱼、肉的内部变成灰白色时，其内部即达到85℃左右，在这样的温度下，细菌通常会被杀死。若要使鱼、肉的内部达到这个温度，则必须加长烹煮时间。如果持续使用强火，锅中的水分大部分会被蒸发掉，而且热也无法传到鱼、肉的内部。

(3)对材料均等加热

烹调时，必须注意使材料的各部分均等受热，尤其炸、溜、爆、炒等，使用强火、短时间烹调者，必须注意翻锅，并以锅铲搅拌。

三、食物受热时发生的变化

在烹调过程中，食物在一定的温度下，经过一定的时间后，会发生物理变化和化学变化，使食物的质改变。质的变化过程，就是材料由生变熟，食物的性质皆不同，受热由生变熟所发生质的变化亦不同，所以加热过程应特别重视。

1. 加热过程中食物的一般变化

(1)分散作用

食物受热产生的物理变化，有吸收水分、膨胀、分裂、溶解等。生蔬菜或水果的细胞充满水分，细胞与细胞间存在着一种使细胞黏着的植物性胶质。所以加热前，坚硬而膨胀，加热后，则胶质软化，与水混合成胶液；同时，细胞破裂，其中所含的部分矿物质、维他命等都溶于水中，致使食物整个变软。蔬菜加热后，会有汤汁流入锅中，就是这个道理。这汤汁含有丰富的矿物质和维他命，所以不可丢弃。

水果所含的胶质特别多，故加热时若加入少量的水，可作成各种果酱或果冻。淀粉在冷水中不会溶解但在温水或沸水中会吸水膨胀，变成糊状，加热后，其胶粒会变多，黏着性也会变强。

根或茎中的淀粉（如莲藕、甘薯、马铃薯等）比谷物（米、麦等）多。利用这种较强的黏着特性，可作羹汤、挂糊、上浆、勾芡等处理。

(2)水解作用

食物在水中加热，许多成分会发生分解作用，如蛋白质会分解成氨基酸，所以烹调后带有甜味；肉类受热后，结缔组织中的生胶质会分解成动物胶。动物胶和生胶质都是蛋白质，但是，动物胶有相当大的亲水力，会吸收水分而成为硬胶。予以加热会成为动物胶液；予以冷却，则成为胶冻。

肉类（尤其多肌纤维的肉）用文火炖或焖后，形成组织的生胶质会被水溶解，蛋白质纤维会分离，肉会柔软。同时，汤中会形成许多被水分解的物质，即动物胶，冷却后，会成为肉冻或鱼冻。动物胶质、鱼冻或肉冻，会因温度变化而改变。镇江和扬州的"汤包"就是根据此项相互变化的原理作成的。

$$动物胶溶液 \xrightleftharpoons[加热]{冷却} 鱼冻或肉冻$$

(3)凝固作用

食物受热，则水溶性蛋白质会慢慢凝固，如果溶液中有电解质，则会更快凝结。

我们知道蛋白质的种类非常多。大多数的蛋白属水溶性，而大多数水溶性蛋白质受热会慢慢凝固。例如鸡蛋的蛋白，受热会立刻变硬。血色素也是一种蛋白质，加热达85℃左右，就会凝固成块。加热时间加长，则凝固的程度会更大。煮鸡蛋或作鸡血、鸭血汤及猪血冻时，要注意加热时间不可过长，否则食品会变硬失去原味，食用后对人体消化亦不好。

蛋白质动物胶溶液中有电解质时凝结会更快。例如把石膏或盐卤等电解质放进豆浆中，豆浆就会立刻凝结成豆腐。

食盐含电解质，所以煮豆、煮肉，或作浓白色的汤时，不可过早加盐，因为过早加盐，材料中的蛋白质会过早凝结，水分便不会渗透到材料中，组织也会被破坏，所以，食物很难成为柔软的状态。作汤时，如果蛋白质凝结过早，不能溶解到汤中，汤就无法变成白色。当然，这种电解质对各种材料、各种蛋白质的影响皆不相同，所以加盐时间的早晚，视作料的情况而定。

(4)酯化作用

脂肪与水一起加热时，一部分会溶于水而变成脂肪酸及丙三醇（甘油），如加入酒、醋等调味品，则脂肪酸化合成芳香的脂肪酸类，这就叫酯化作用。

脂肪酸类比脂肪容易挥发，又具芳香，烹调鱼或肉时，如果加酒，会立刻散发香味，就是这个道理。

(5)酸化作用

食物烹调时，损失最大的是维他命。大多数维他命，与空气接触，会立即酸化而被破坏，食物因此失去营养价值。如果受热，则酸化会更快。再者，如其中含有碱性溶液或少量盐化铜亦会使酸化作用加快。其中以维生素 C 最容易被破坏，其次是维生素 B_1 和 B_2。

维生素在酸性溶液中比较安全（如果加醋，可以延迟酸化时间），在碱性溶液中则容易酸化，如果其中含有少量的盐化铜，则维生素 C 会酸化，因此，烹调含有多量维生素 C 的蔬菜时，要尽量避免接触空气（例如减少掀盖时间），加热时间不要过长，也不要随意加盐或苏打，并不可使用铜锅或铜铲。

(6)其他作用

食物加热时，除了上述主要变化外尚有其他各种变化。例如，糖类在高温下会变成糊状，然后变成黄色；碳化后便呈焦黑色。

2. 火候、材料及加热方法的不同对食物的影响

食物在加热过程中所发生好的变化，应充分加以利用，但也有坏的变化，则应予以积极防止。烹调时，使用不同的火候、材料、加热方法，就是为了达成这个目的。关于火候及加热方法，应把握下列原则。

120

硬而大的材料，一般使用弱火或文火，长时间加热则组织会分解，肉质会变软。

软而小的材料，一般使用强火，短时间加热，才不会变成黏糊状。

(1)用水加热时，一般使用中火或弱火

加水烹调的食物，在加热过程中，有很多营养成分，如蛋白质、脂肪、维他命、矿物质等的一部分会溶解到汤中，所以不可将汤丢弃。否则养分的损失很大。当然，有一部分养分与水分一起蒸发，这是难免的。

这里要特别注意的是，将蔬菜（尤其绿叶蔬菜）放进水中加热时，必须在水沸腾后才放入。因为蔬菜加热后，细菌膜会被破坏而产生一种酸化酵素，这种酵素对维他命有很大的破坏作用。但是，酸化酵素不耐高温，在 65℃左右时活动力非常强，温度到达 85℃时即遭破坏。所以若把蔬菜放进水中后才加热，则水温达到 65℃左右时，酸化酵素即大肆活动，蔬菜中的重要养分维生素 C 便在此时被大量破坏。但如果水沸腾之后再将蔬菜放进去，则酸化酵素无法动，则可使维生素 C 的损失减少。

(2)用油作加热辅助材料时，一般用强火

油的沸点很高，所以能达到高温。对食物表面有很强的干燥凝固作用。食物表面受高热，会迅速进行干燥收缩，产生一层薄膜，使外部变得很脆，可防水分泄出，所以内部会成为柔软状态。

(3)蒸时要使用强火，但精细材料要使用中火或小火。

材料放在蒸笼中蒸时，不必翻动，所以能保持一定状态。如扣紧蒸笼的盖子，则笼中的温度会变得很高，使水蒸气充满其中，材料的水分不会蒸发，营养不会丧失且使材料变得柔软。但蒸法有一个缺点，就是调味很难。因为材料在蒸笼中，为使水分不致外出只能在加热前或加热后调味。

(4)烘、烤的火力要均等

烘和烤的方法，都是将食物放在干燥的热空气中加热。材料表面受到干燥热，水分容易蒸发，会立刻形成薄膜，这薄膜可防止材料内部的水分向外蒸发，所以食物的外部干燥而有香气，内部则呈柔软状态。

使用密闭的烤炉，水分蒸发缓慢，煮汁不会凝固在材料表面，而是掉在炉上。所以养分的损失比开放式炉大。

泥烤是一种间接烤法。将材料用泥密封数层，不直接接触火焰，而是从外面徐徐加热，形成外部干燥、内部柔软的状态，材料中的水分不致蒸发，所以营养不会丧失，食物也特别好吃而柔软。

第三节　菜肴的初步熟处理

有些菜肴的材料在正式烹调前必须作初步的熟处理，这称为"开生货"。初步处理，就是把要加工的材料先放到水锅、油锅或红锅（指锅中放有很浓的调味品）中初步加热成半生不熟的状态后，从锅中取出备用。

初步熟处理的方法，一般而言，有焯水、过油、走红等。也有和作汤并用的，但是，作汤的主要目的，不是要对材料作初步熟处理，所以，以作汤为目的的材料，最好作了汤后才使用。也有些材料要与焯水同样作初步熟处理。

兹将初步熟处理的方法分类如下：

一、焯水 (水煮)

1. 焯水的意义及作用

焯水，又称"水锅"，是熟处理最普遍的方法。把待加工的材料放进水锅，加热成半生不熟的状态后，取出，切好，再进行烹调。

需要焯水的材料非常广泛。大部分的蔬菜和一部分带有污物或腥味的肉类，都要进行焯水。其作用如下：

(1)使蔬菜颜色鲜明、柔软，并除去涩味及苦味。

例如：青菜、菠菜等绿叶蔬菜，焯水后，会变得颜色鲜明，入口柔软。竹笋焯水后，涩味会消失；萝卜焯水后则会使辣味消失。

(2)排出肉类的血，除去异味

例如：鸡、鸭、猪肉等焯水后，会将血排出，牛、羊及内脏焯水后，可消除其腥味。

(3)缩短正式烹调时的加热时间

焯水后的材料，成为半生不熟的状态，所以正式烹调时，可以缩短加热时间。这在作迅速烹调时，相当有利。

(4)调整不同性质的材料，正式烹调时可以齐一熟度

因为各种材料的性质不同，有些材料只要稍微加热就熟了，有些材料需要非常久的时间才能煮熟。例如：肉类与竹笋、萝卜、马铃薯一起烹调时，因为都是必须经过长时间加热的食物，所以没有关系。但是，猪肉与极易煮熟的茭白一

123

起烹调时，当猪肉煮熟，茭白则已过热而失去味道。这种情形，就必须将不易熟的东西，先行焯水，才能使加热时间一致。

2. 焯水的分类

(1)冷水锅

焯水时，材料与冷水同时入锅。蔬菜类中，适合于竹笋、萝卜、芋、马铃薯、慈菇、山芋等。理由是：竹笋、萝卜等的涩味与水一起入锅加热，可以除去。而且，这些东西体积比较大，需要较长的加热时间，所以，如果用沸水加热，会发生内部不熟、外部过热的现象。

在肉类中，此法适合于腥味大且有血污的羊肉，以及猪大肠及胃等。这些材料如果放在沸水中加热，则外面会立即收缩，内部的血和腥味则很难排出，所以必须从冷水开始加热。中途须翻动数次，使其均等受热，沸腾时及早取出，不可过热。

(2)沸水锅

焯水时，先让锅中的水沸腾，然后将材料入锅。蔬菜类中，适合于需要保持鲜明色泽及入口即触的如油菜、菠菜、青辣椒、芹菜、莴苣、豆芽菜等。这些蔬菜体积小，水分多，如与冷水一起加热，时间拉长，材料中所含的营养损失很大，色素被破坏，色泽和口味亦将变坏，所以必须等沸腾后才放进去。

沸水锅也适于处理肉类中腥味小、血少者。例如鸡、鸭、蹄膀、方肉等，可以放进沸水中除去腥味。用沸水加热时，把材料放进去，一沸腾就拿出来。

尤其绿叶蔬菜，加热时间不可过长。变化快的蔬菜，例如油菜、豆芽菜等，焯水完后，立刻注入冷水，可以保持色泽。

3．焯水时应注意的问题

(1)焯水时间因材料而不同

各种材料大小、软硬、色、香均不相同，焯水时必须分别处理。竹笋的大小、硬软不同，处理方式也不一样，大的、硬的、要花长时间；小的、软的，时间则短。焯水时间过短，涩味会残留；时间过长，则丧失鲜味，所以必须分别斟酌适当的时间。

鸡肝和鸭肝的处理方式也不同，因鸡肝软，鸭肝硬，鸡肝在水沸时必须立刻拿出来；鸭肝则需等水沸腾后，再加入少量的水，再度沸腾后才可以拿出来。（鸡肝和鸭肝，只有作卤肝时，才要焯水，作其他烹调时，则不需要。）

(2)有特殊气味的材料与一般材料要分别焯水

食物材料中有浓香味道的，例如芹菜、萝卜、羊肉、大肠等，如与一般无气味的东西一起焯水，则对一般东西的味道有很大的影响，所以要分开焯水。使用同一锅时，应先将无气味或气味小的物料放入焯水，取出后，再将特殊气味咸气味浓厚的物料放入焯水，这样，可以节省时间和水。

(3)色浓的东西与色淡的东西要分别焯水

焯水时要注意材料的颜色。不可将色浓和色淡的一起放入锅焯水。例如，将色浓的绿叶蔬菜，与色淡的马铃薯、芋、竹笋、山芋等一起焯水，则色淡者会染上色浓者的颜色，破坏其原有色泽，所以必须分别焯水。但如果确实知道这些色淡的蔬菜，在正式烹调时要染上浓色，则可以不必保持原色。

(4)焯水对材料养分的影响

焯水有优点也有缺点。材料在水中加热，会发生化学变化，好的变化应充分利用，例如萝卜的辣味，是一种芥子油，属挥发性无色透明液体。萝卜焯水，芥子油会挥发，可以除去难吃的辣味，增强萝卜的甘味。

但是，焯水也会发生坏的变化。例如在焯水过程中，可溶性营养会因溶解而消失，这可说是很大的损失。例如，鸡、鸭、猪肉等焯水后，蛋白质和脂肪会溶解到汤中而消失，如果用来作汤，就没问题。但是，蔬菜的情形则有所不同，新鲜的蔬菜含各种维生素，尤其是维生素 C，这些维生素对热及酸化的抵抗很微弱，容易溶于水中。所以，蔬菜焯水，维生素 C 的损失更大。而其他维生素中的水溶性也会溶解，所以损失亦大。尤其焯水后，加入冷水，损失更大。我们应认识焯水对食物的营养价值有很大的影响，尤其是焯水后加冷水的方法，就尽量避免。

二、做　汤

将营养丰富、新鲜、美味的动物质原料水煮而取汤的方法，叫做"制汤"（也叫"吊汤"）。汤的品质好坏对菜肴的品质好坏有很大的影响，尤其是鱼翅、海参、熊掌、燕窝等名贵而本身无特殊味道的材料，必须以汤补充其滋味，所以制汤是非常重要的工作。

现在，部分厨师不太重视制汤，认为可以味精（化学调味料）代用。但味精不如鲜汤的味道，鲜汤除了甘美之外，还可保存材料的原味。使用多量味精，可能破坏鲜味而产生不良影响。

1. 汤的取法分类

汤的取法一般分为毛汤（浊汤）、奶汤（上等白浊汤）、清汤（澄汤）三种。

(1)毛　汤

汤的颜色浊白，是最普遍而又简单的汤。其作法是将鸡、鸭、猪肉、蹄膀、猪骨等材料用水洗净，放入很大的汤锅中煮沸，除去浮在表面的血和泡沫，然后加盖，继续加热至煮熟（成熟度依材料的用途而定），再取出除猪肉外的其他材料，继续煮下去，待汤色变成白浊时，就算完成了。这种汤的浓度小，甘味不足，所以仅用于一般料理的调味。

(2)奶　汤

将鸡、鸭的骨架、猪肉、猪脚、猪骨用水洗净后，入锅，加冷水，以强火煮沸，除去浮在表面的血和泡沫后，加葱、姜、酒等，再以中火持续煮成乳白色为止。这种汤的甘味和浓度都相当大，能使材料的味道浓厚，香气四播，故可用于煨、焖、煮汤的调理，或用于烧、扒等比较浓厚的调味。一般而言，15 克原料，可以获得 5～7.5 克汤。如果汤量过多，会影响到浓度、味道及颜色。

(3)清　汤

一般以鸡为主要材料。汤很清淡，鲜味也很浓。多用于高级材料中的煮物烹调或汤烹调。清汤有下列两种：

一般清汤

将老母鸡洗净，置锅中，加冷水，以强火煮至沸腾，然后用弱火长时间加热（一定要持续使用弱火，否则，鸡肉的蛋白质及脂肪溶解于汤中会使汤混浊）。鸡与汤的份量比例是：净重 1.5 公斤的鸡，可得 2.5 公斤左右的汤。

亦有将老鸡与瘦猪肉一起煮的，其份量应以鸡为主。

• 高级清汤

高级清汤是将一般清汤再予添加材料，使汤的颜色更透明，甘味更浓厚。

其制作方法是，用纱布过滤清汤，除去糟粕，再把鸡腿肉的皮除去，切碎，连同葱姜（有时不加入）、绍兴酒及少许水，加入滤过的清汤中，以强火加热，同时用铁勺向一定方向不断旋转，在快要煮沸时改成弱火（注意勿使煮沸）。汤中的糟粕和黏在鸡上的东西会浮出表面，用铁勺捞掉，就成为澄清的汤。如果要作更高级的清汤，则用鸡胸肉重复上述的方法。

在别的烹调系统中，高级清汤不取自经加工后的清汤，而是从头开始作成的。

例如，将 4 公斤成熟母鸡从背部切成两块，洗净，和瘦猪肉 9.5 公斤、带骨火腿 1.5 公斤、水 22.5 公斤一起放入大锅中，用强火煮至沸腾。再改用弱火，连续煮约 4 小时，可得汤 15 公斤（不要煮到翻滚，只要煮到中心汤涌如菊花状程度）。煮好的汤，除去表面的泡沫和油，将味精 6 克放入大碗中，碗上置清汤的竹筛，竹筛上铺白色木棉布，予以过滤杂物以便取得高级清汤。

2．做汤时应注意事项

(1)必须选甘味浓厚而无腥味的材料

作汤的材料必须是甘味浓厚的。材料的使用方法因地方不同而各异，一般以动物性材料为主，家畜中使用猪蹄膀、瘦肉、脚爪、猪骨等；家禽中则使用鸡肉及鸡骨。

(2)汤的材料一般与冷水一起入锅，中途不加水

作汤的材料一般是整只鸡，或大块肉，如果一开始就放到沸腾的水中，材料表面会变成高温，蛋白质立即凝固，不会溶解到汤中，达不到作汤的目的。因此，一开始就放好需要的水量，以免中途加水而影响汤的品质。

(3)正确掌握火力及时间

奶汤一般用强火或中火煮成沸腾状态，但要注意火的大小，使不致变焦，或发出怪味，汤的品质才会固定。如果火力小，汤味即淡，黏度也不够。奶汤的制作时间约须二小时。

清汤与奶汤的注意事项不同。作清汤时，先用强火使水沸腾，然后换成弱火，保持微小的沸涌状态，不断浮现小泡沫，直到作好为止。

清汤与奶汤的注意事项不同。作清汤时，先用强火使水沸腾，然后换成弱火，保持微小的沸涌状态，不断浮现小泡沫，直到作好为止。

如果火力过强，汤会变成乳白色（与奶汤同色），很难使其恢复澄清状态。如果火力太小，材料中所含的蛋白质无法完全溶解，将影响汤的品质。清汤的制作时间要比奶汤（白浊汤）长，约需4小时。

(4)作汤时绝对不可先放盐

盐有渗透作用，容易渗透到材料中，使材料中的水分排出，则蛋白质立即凝固，汤就淡而无味，鲜味也会消失。

三、过 油

过油是将已经成形的材料或焯水处理过的材料，在油锅中作初步的熟处理。这是烹调前的准备事项，也是烹调过程中的一个工作。

过油与烹调的品质有很大的关系，如果材料过油时的油温、火力和加热时间掌握得不好，则材料会变得很硬，或变焦，或不熟、不香。过油的技术要求很高，必须熟练，所以平常的练习是必要的，过油可分两种。

1. 在材料上沾粉或着衣后过油

在材料上沾粉或着衣，则表面会被一层有黏性的膜包覆着，过油时，可使水分不散发出来，并保持甘味和柔软。过油时，如何掌握锅中的油温，是一个重要的问题，依一般习惯，油温可作如下表中所指的分类：

材料要入锅时，必须迅速判断决定用哪一种油温过油。但这要依火力的大小、过油时间的长短、材料的性质及份量而定。

一般而言，使用强火时，材料入锅时的油温要低；使用中火时，油温要高。若油温太高，可将锅稍端离火焰；若材料硬，体积大，则油温要高；材料柔软，体积小，则油温要低。如果要放进很多材料，则油温要高；如果要放入少许材料，则油温要低。

这些方法互有关连，在温油、热油、高热油中使用哪一种油温，则应正确掌握当时的状况而加以选择。想要使其表面脆酥，过油时要炸两次。要使有衣而且较大的材料表面柔软时，可用温度高的高热油锅炸。

名　称	俗　称	温　度	一般情况
温油锅	三、四成熟	70℃～100℃	看不到青烟，也不爆裂，油面相当平静。
热油锅	五、六成熟	110℃～170℃	有微小青烟，油从周围向中心沸滚。
高热油锅（旺油锅）	七、八成熟	180℃～220℃	有青烟，油面相当平静，但用杓子搅转，会发出爆裂声。

想要炸成白色的料理，过油时必须使用猪油或清油（未用过的植物油），火力不可过强，油温也不要过高。

2．不沾粉不着衣的过油

这种过油方法用得很多。日常出现的三鲜中鱼的干炸；家常豆腐中的炸豆腐；"五香鸡块"中的豆腐干等，都是属于此类。其他，如焯水处理后的大型材料过油，行话称之为"走油"。使用走油的材料，是方肉及蹄膀等大的肉块。其制法是，先将材料入锅焯水，至筷子可戳破时，捞起，除去水分。或用清洁的布吸取水分，放入热油锅中，盖紧，炸熟后起锅。

走油时，油量必需到材料能全部浸入的程度。用强火，待锅中的油冒青烟时，将材料放入，然后，将火力适当减少，使不致炸焦。另须注意的是，将材料放入高温油锅时，要防止锅中的油向外飞散造成烫伤。用右手握持装材料的漏勺，左手拿起锅盖使其直立，遮挡脸面，在材料入锅后，立即盖紧，以防止烫伤事故的发生。

材料入锅时，一定要使皮下肉上。皮的组织非常密，而且弹性很强，不太能炸熟。皮在下，则能炸熟，而且使其有柔软的作用。

盖锅时，锅中会有很大的爆裂声，这是一部分材料的水分被蒸发，和油一起飞散所发出的声音。爆裂声变小时，表示材料表面的水分已大部被蒸发，皮的部分也变软了。此时打开盖子，用漏勺慢慢移动材料，使皮的黏着质不致黏住锅底或变焦，同时如果油的表面浮现小泡沫，要予以除去。通常材料出锅时立刻浸入冷水中，突然冷却，可使皮的部分产生皱纹。

四、走红（红锅）

所谓走红，又称上色，指将材料和各种有色的调味品，放入锅中加热，使材料着色。通常，强韧性的材料，如"酱肉"、"酱鸭"、"红烧鸡"、"红烧蹄膀"、"走油肉"、"走油蹄膀"等之烹调，都必须走红。

走红的方法是将焯水或走油过的材料放入连续使用中的红锅（行话称之为"老卤"），先用强火煮沸，再改用弱火加热，使调味品的颜色慢慢渗入材料中。走红过程中，通常置竹笼于锅底，再将材料置竹笼中以防止材料黏住或焦附锅底。

红锅所使用的材料，是酱油、绍兴酒、糖水、有时将桂皮、八角等香料放入卤中。红锅的卤汁可连续使用多次。

第四节 调 味

一、调味的意义及其重要性

饮食的目的是为了吸收食物中所含的各种丰富养分，以增加人体营养、补给能源、调节机能、促进发育。

任何一盘料理都必须色、香、味俱全，才能达到刺激食欲的效果。因此，烹调时不但需要好的材料和适当的火候，更需要调味的技术。调味是什么呢？调味就是让材料和调味品予以适当配合，藉烹调途中所发生的物理及化学变化，除去不佳的味道，增加美味的一种技术。

调味是烹调技术中的重要项目。材料的正确投入及机敏的火候掌握，是烹调工作的两个关键。如果调味好，稍微差一点的材料也会味美；如果调味笨拙，就算是精选的材料也会如同嚼蜡。调味不仅使料理多样化，也是造成地方料理具有特色的决定者。

任何种类的料理，都必须经调味的过程，因此，调味是人类生活中不可或缺的技术。俗话说："开门七件事，柴、米、油、盐、酱、醋、茶。"其中有四件是调味品，由此可知，调味在人类生活中所扮演的角色何其重要。

二、味的种类

经烹调而成的味道非常复杂。一般而言，可分成基本味及复合味两大类。

1．基本味

基本味指单一的调味品。

·咸味　咸味是调味品中的主角。一般料理几乎全部先加一些咸味，然后再加别的味道。

例如，糖醋类的烹调，味道属于酸甜，但必须先放入少许的盐。若不加盐，只用糖和醋调味，反而不易讨好。尤其是作甜点时，常常先加盐，以除去异味。

·甜味　甜味除了使菜肴的味道变甜外，亦有去腥、腻的作用。甜味中除了材料本身所含的糖类因酵素作用而分解成甜物之外，主要调味品有白糖、冰糖、红糖等各种糖类，还有蜂蜜及各种果酱。

·酸味　酸味除了酸之外，亦有除腥消腻的作用，并促进食物中钙质的分解。其来源除了使材料中的乳酸发酵成酸味之外，主要调味品有各种醋类（红醋、白醋、黑醋、梅醋等）。

·辣味　辣味除了辣之外，还有刺激胃肠、帮助消化的作用。主要调味品有辣椒糊、辣椒粉、胡椒粉、姜等。

• 香味 香味除了使菜肴芳香、刺激食欲之外，并有除腥味和腻味的作用。其来源，除了材料中所含的乙醇、脂肪酸等有机物因气化而散发出香味外，主要调味品有酒、葱、蒜、香菜、芝麻、芝麻酱、芝麻油、酒糟、桂花（盐渍或糖渍）、桂花酱、玫瑰（花干或糖渍）、玫瑰酱、椰子油、香精（合成香料）、桂皮、八角、茴香、花椒、五香粉等。

• 鲜味 鲜味可使料理鲜美。其来源除了材料中所含的氨基酸外，主要调味品有螃蟹、虾子、蚝油、味精、鲜汤等。

• 苦味 苦味本来是一般人所讨厌的味道，但部分菜肴加入苦味烹调时，反而产生一种独特的香味。其来源有各种药材，例如，苦杏仁、柚皮、陈皮、槟榔树皮、白豆蔻、贝母、枸杞子等。

2. 复合味

复合味就是具有两种或两种以上的味道。复合味的调味品，大部分是制作而成的。例：

• 酸甜类 糖醋、蕃茄酱、山楂酱等。

• 甜咸类 甜面酱（甜米酱）等。

• 鲜咸类 酱油、虾子酱油、虾爪露、鱼露、虾酱、豆豉等。

• 辣咸类 辣豆瓣酱、辣酱油等。

• 香辣类 咖哩油、芥茉糊等。

• 香碱类 椒盐（花椒与盐的混合）等。

除此之外，还有许多复合味的调味品。

多数调味品除了增加料理的味道之外，还有使料理改变

135

颜色、增加外观的作用。

三、调味品的调合及加工

调味的方法千变万化，非常复杂，种类也非常多。上述调味品大部分是现成的贩卖品，但亦可由厨师自己调和加工制成，使适合于各种地方名菜的应用。

主要调味品的合成加工方法介绍如下：

1．糖醋

糖醋的味道是甜酸，其作法因各地方料理的特征而异。即使同一地方的料理，也因厨师对材料的配合及作法而异。此处介绍广东料理预先作好大量调味品的方法，及江苏料理当场制作的方法。

(1)广东料理的糖醋

所加入调和的材料各类相当多，这是大量生产的方式。其制造法是：锅子用中火加热，放入白醋500克、片糖（板状红糖）300克，溶解后，加盐19克、蕃茄酱35克、鸡汁35克，用勺子旋搅，瞬间即成。

(2)江苏料理的糖醋

这是当场制造，当场使用的。米醋50克加白糖50～75克即成。

2．椒盐

椒盐的味道是咸辣而芳香。其加工法各地方都类似。一般的作法是将花椒 500 克和盐 1.5 克混合制造即成。用精制盐及岩盐制造的方法如下：

(1)使用精制盐的作法

先除去花椒的杂物，入锅炒到变成黄色，取出，打碎。精制盐放入另锅，炒至水分蒸发，粒子出现时，与打碎之化椒混合即成。

(2)使用岩盐的作法

先将岩岩入锅，炒到水分蒸发后，将花椒放入一起炒，直至花椒变成黄色，取出，再予打碎。

3．香糟

香糟，就是酒的糟粕，有浓厚的酒味。从专门店买来的酒糟，要加工后才能使用。作法是将酒糟 125 克、白糖 125 克、绍兴酒 2 千克、糖桂花 15 克、精制盐 12.5 克放入容器中搅拌后，原封不动地放 12 小时（延长时间亦可），然后用白布袋过滤，所得液体就称为香糟卤。

4．咖哩油

咖哩粉味辣，香气不足，又有药味，一般多经加工为咖哩油后才用于调味。

作法是将适量的油放入锅中，等油热后将火转弱，放入剁碎的葱和姜，炒到变成黄色，再将蒜精和咖哩粉放入一起炒，最后放入香叶，从锅中取出，就成为不含药味的咖哩油。如果需要更浓的味道，可以加入面粉。

5．芥茉糊

芥茉粉辣而有苦味，加工后，可使苦味消失，变成香而辣的调味品。方法是先将芥茉粉放入温开水和醋调成的溶液中搅拌，再加入植物油和白糖（白糖和醋会除去苦味，油会产生光泽），等搅拌均匀后，置放数小时，苦味自然消失，香而辣的芥茉糊就成为厨房的调味圣品了。

四、调味的阶段及掌握的原则

1．调味一般分为三个阶段

(1)加热前的调味

调味的第一阶段是加热前的调味，亦即基本调味。主要目的在使材料于加热前获得基本味道，并除去某些材料的腥味。

基本调味大多是以盐、酱油、绍兴酒、白糖为主。将这些调味品调匀后，拌入材料中，或将材料浸于其中，然后加热。例如，煮鱼时，将鱼在加热前浸于酱油中，需炸、溜、爆、炒等之食物，多在加衣或抹太白粉时调味；蒸东西则在蒸前调味。这些都属于加热前的基本调味。

(2)加热中的调味

调味的第二阶段是加热中调味。这可说是决定性的调味，也是定型调味。

具体的作法是将材料入锅后，在适当时机，依照需要，放入甜、咸、酸、辣等调味品以决定该项菜肴的味道。

对于需使用强火，快速烹调的材料，往往须先将调味品放在碗中搅拌好，这就是所谓"预备调味"或称"对汁"，以备烹调中能迅速取来使用。

(3)加热后的调味

调味的第三阶段是加热后的调味，也可说是辅助调味，经过这个阶段的调味，菜肴的滋味会更吸引人。

有些烹调方法，不能在加热中调味。例如炸、润、蒸等，只能在加热前调味，为了补足加热前的调味不足，常在加热后，即盛入碗盘后，加以辅助性调味。例如榨菜，加上蕃茄酱、果酱、花椒盐等，润菜则因为加热前和加热中都不能调味，所以，必须在加热后调味。

2．掌握调味的原则

掌握调味，是制作好菜肴的关键。如何才能掌握调味，并没有一定的方法。除了不断地揣摩学习外，没有别的途径。但是，一般而言，有如下的原则：

(1)所加的调味份量要适当

调味时，厨师必须先了解该项菜肴的正确味道。一道菜肴要加入数种味道时，需以哪一个味道为主，必须明确。

例如，某一道菜肴以酸甜为主。某一道菜肴以麻辣为主。或者入口时为咸味，到后来转为甜味。这些味道，必须要明确肯定后，才能正确掌握其独特的味道。

(2)使用与材料相适的调味品

• 新鲜的材料，要活用材料本身的味道，不可滥用调味品，抹杀原味。例如新鲜的鸡、鸭、鱼、虾、蔬菜等，不可过分使用调味品，亦不可过咸、过甜、过辣或过酸。因为这些材料本身原有的味道极佳，人们是为了品尝这些原味而食用此菜肴的，因此如果调味过浓，会抹杀其本身风味。

• 有腥味的材料，要适量加入去腥除腻的调味品。例如：鱼、虾、牛肉、羊肉、猪的内脏等都带有腥味，所以要依所作菜肴的具体条件，加入酒、醋、葱、姜、糖等调味品，以除去其腥味。

• 对于本身没有味道的材料，有必要加以适当的调味。例如，鱼翅、海参、燕窝等，本身无任何味道，所以，必须加入鲜汤及其他物料，以补其鲜味的不足。

(3)正确使用味精

味精的化学名称为麸酸钠，是从富含蛋白质的大豆、小麦或其他原料中提练而成的。味精有几分吸湿性，容易溶解于水，味道极鲜。用3000倍水稀释，还是有鲜味，诚然是理想的调味品。但是，味精在碱性（例如食盐、苏打等）溶液中，不但失去鲜味，而且会变得不佳。

将味精以高温（150℃）长时间加热，一部分物质会分解挥发，麸酸钠则会变成焦麸酸钠，这种物质不但没有鲜味，而且有毒性。因此在烹调过程中，不宜太早放味精。离火后再放，不但不会产生毒性，而且以充分发挥其效果。

140

五、调味品的容器、保管及合理的放置处

1．调味品的容器及保管方法

调味品的容器及保管，乍看似乎很简单，但却深具奥妙。如果容器不适当，保存的方法不好，则调味品容易变质而不堪使用，所以要特别注意。

调味品的种类非常多，有液体，也有固体，有的容易流动，有的容易挥发。所以，选择容器时要配合调味品在物理及化学上的变化。

例如。金属性容器含有盐分，不可装入酸性的调味品。如盐、酱油、醋等，否则，会因化学变化而变质，且容易损坏容器，尤其金属会被溶解渗入醋中，引起污染。

透明的容器不可装油脂类的调味品，因为透明的容器容易吸收阳光，使调味品酸化变质，不能长期贮藏。用陶器或玻璃容器装高温的油，易发生破裂。因此，调味品的容器及保管，要注意下列两点。

(1)调味品的保存

•保存处所的温度不可过高或过低。温度过高，糖会溶解，醋会混浊，葱、蒜会变色；温度过低，则会使葱、蒜冻伤变质。

•保存处所不可过湿或过干。过湿，则盐、糖会溶解，米酱、酱油会生霉；过干则葱、蒜、辣椒等会枯干变质。

•有些调味品不可过分接触日光或空气。油脂类曝于日

光会变质；姜接触日光会生芽；香料接触日光则会失去香味。

(2)调味品的整理

•一般而言，调味品不可长期保存，原则上应及早使用。部分调味品，例如绍兴酒等，越陈越香。但是，开瓶后不宜放置太久。

•要把握使用量，不可制作太多。需事前加工的调味品，不可一次作太多。例如，水淀粉（水溶淀粉）、酒糟、碎葱、姜等一次作太多，时间一久，就会变质而无用。

•性质不同的调味品要分类储藏。同样的植物油，新油和炸过东西的油要分开，不可混合，否则容易影响品质。

•要勤于整理及检查。酱油、炸过东西的油等，每天使用后，要过滤，以除掉糟粕。水淀粉要每天换水。酱油要长期储存时，应经煮沸，以防止生霉或变质。

2. 调味品合理的放置处

烹调作业要迅速，所以日常使用的调味品最好放在炉灶右侧近处或炉灶旁的工作台上，以方便取用。

合理的放置方法是：先用者放在近处，后用者放在远处；常用者放在近处，不常用者放在远处；干燥者放在远处。

例如：糖、酒、盐可放在炉灶远处，因为它们无色，而且取用时偶因不慎而掉入前列的油或酱油中，也不会有太大影响。相反地，如果油或酱油掉入糖或盐中，影响就大了。

而且，油、酱油、水淀粉的使用范围广，使用次数也多，大部分烹调方法都是先放油、酒、酱油，再放糖、盐等。所以最好将油、酱油等放在前列（近于灶口的一列），糖、盐放在后列。又，糖和盐形、色相似，必须隔开放，才不会弄错。

油、酱油、水淀粉是液状的，而糖、盐则是干燥的，干燥的调味品即使掉入液状的调味品中，顶多只会溶解，影响不大。相反地，如果湿度大的调味品掉入干燥的调味品中，易使整个调味品溶解，这样影响就大了。所以依照上述位置排列，是比较合理的。

第五节　挂糊、上浆及勾芡

一、挂糊与上浆

1. 挂糊、上浆的意义

挂糊或上浆，是在刀工处理后的材料表面加上一层有黏性的糊状膜，如同让材料穿上衣服，所以行话称之为"着衣"。这是烹调技术中，非常重要的一环。

挂糊、上浆使用范围非常广，炸、溜、爆、炒等烹调中，弹性强的材料都要使用此法。煎、贴、蒸、扣等所用的材料也有一部分常常使用此法。

挂糊和上浆不同，以下面条件区分：

• 要先作糊与不要作糊者

挂糊是先将淀粉用水或蛋和成糊状物（衣），将材料浸入此液。上浆是不先制糊，只是将粉、蛋白及酒、盐等调味品先后直接加入材料混合。

•衣厚者及衣薄者

挂糊较厚，多使用于炸、溜、煎、贴；上浆较薄，多使用于爆、炒。

•拍　粉

除了挂糊、上浆之外，也有只着粉的方法。此法是将材料浸入调味料后，在表面拍上面粉或淀粉，然后油炸。拍粉的作用在使菜刀所作的花纹保持原状，同时材料的硬软程度及大小不致被破坏，材料的味道也不会发散掉。炸鱼通常采用仅着粉的方法，有时并用拍粉或挂糊。

2．挂糊、上浆的作用

挂糊和上浆是烹调前的重要步骤，对菜肴的色、香、味、形有很大的影响。兹述其主要作用如下：

(1)保持材料中的水分及鲜味，使外部香脆，内部柔软。

炸、溜等烹调方法，是用强火使油滚热，材料入锅时油温非常高，鸡肉、猪肉、鱼等弹性强的材料，在强火及高温油中，水分会减少，鲜味也会随水分流出外部而丧失其柔软性，达不到软而香的目的，为补救这种缺点，可以挂糊的方法处理之。

挂糊就是以具有黏着力的糊状物保护其外部。糊状液受热会立刻凝固，成为一层薄膜，使材料不致直接与高温的油接触，油因此不会进入材料中，材料内部的水分及鲜味就不会外流。所以可以保持材料的柔软及鲜味。同时因制糊材料的不同，在经高温的油炸后，可以形成脆的、软的、润的、有光泽的几种形式，亦可加添菜肴生鲜味。

爆、炒等烹调方法，不必使外部香而脆，所以不必作厚的挂糊（衣），只要作薄的上浆就可保护材料，而且能达到外部柔软润滑，内部湿润的目的。

(2)保持材料的形、色，使外观美丽

鸡肉、猪肉、鱼等有弹性的材料，切成薄片、块、丝、条时，如果直接加热，常常会有破裂、萎缩、不能保持原形的情形。如果事先作好挂糊、上浆的处理，即可增强材料的黏性，保持材料的原形，有些东西还会稍稍膨胀。又，表面的着衣由于油的作用，会增加光泽与形态美，使菜肴有美丽的外观。

(3)保持或增加菜肴的营养

鸡肉、猪肉、鱼等材料如果直接接触高温高热的油，则蛋白质、脂肪、维生素等养分会被破坏，材料的营养价值因之大幅下降，但经过挂糊、上浆处理的材料，外表形成保护层，不直接接触高温的油，所以，内部的水分及养分不会丧失。而且，糊或浆系由淀粉及蛋等做成，含有丰富的营养，不但具有保护作用，还可增加菜肴的营养价值。

3. 糊、浆的材料及种类

糊、浆的主要材料是蛋、面粉、米粉、发粉、苏打粉面包粉等。蛋白及苏打粉的主要特色是滑溜而柔软；蛋黄及发粉的主要特色则在爽软；面粉、米粉、面包粉的特色是香脆。但并不是所有糊浆的制作都要使用这些材料，而是要依不同的材料性质选择适当的糊料，所以在烹调前要迅速掌握菜肴的性质，才能按照实地需要制作糊浆。

糊浆的调制方法比较复杂，其种类及材料的比例因各地方的习惯及各种菜肴的作法而不同，但一般而言，较常使用的有以下数种：

(1)蛋白糊

蛋白糊又称蛋清糊。蛋白糊挂糊的材料主要为混合蛋白与粉制成，适合柔软的炸物，能使菜肴柔软滑溜，色为白中略带红。

上浆的材料主要是混合蛋白、淀粉及盐制成，适合于滑溜、滑炒等菜肴，能使食物柔软、滑油，色纯白。

炒、溜等调理法上浆的份量是蛋白50克、淀粉55克。

作"炒虾仁"时，虾仁500克、糊浆用蛋白55克、淀粉25克、盐5克即可（虾仁上浆时，一次加盐叫做"满口"，减盐量叫做"半口"）。

(2)全蛋糊

全蛋糊又称蛋粉糊。挂糊的材料主要是混合全蛋与粉制成。适合炸溜。可使菜肴外脆内软，色为金黄色。

上浆的主要材料是蛋、淀粉、盐。适用于炒法（如猪肉丝等血色很浓的材料），可使菜肴柔软、滑溜，色带黄色。

"桂花肉"的糊料分配如下：猪肉200克、蛋2个、淀粉（包含干粉及湿粉）约75克（也有只用蛋黄，不用蛋白的，为使菜肴更加脆酥）。

(3)蛋泡糊

蛋泡糊是先将蛋白打泡，然后加粉搅拌而成（打泡时不可停手）。

多用于入口即化的松炸材料及部分甜菜。例如，京菜的"炸羊尾"一定要使用蛋泡糊。能使菜肴的外形鼓胀、爽软、易溶于口，色为奶黄色。

蛋白与粉的比例为二比一。例如用四个蛋白（约 100 克），淀粉则用 50 克。但也有使用 35 克淀粉，15 克面粉的，这种比便效果更好。

(4)水粉糊

水粉糊是将粉与水拌搅而成的，但也有仅使用干粉的，大多用于干炸或干溜。这种糊能使菜肴香脆，色为黄中略带紫红。

如果材料是 500 克，则一般用 80 克淀粉、70 克水即可。沾干粉，是仅将材料在干粉上滚转。

(5)发粉糊或酥糊

发粉糊是混合发粉、面粉及水而成。主要用于松炸，有使材料大大鼓胀、香脆可口的作用，色为淡黄色。其份量是，面分 350 克、水 450 克、发粉 17.5 克（不可超过 20 克）。

(6)苏打浆

苏打浆是由蛋白、淀粉、苏打粉、水、盐、糖等混合而成。多使用于猪肉材料的上浆方面。能使料理滑溜、柔软，色为红色略带紫色。

其份量是：材料每 500 克、用蛋白 30 克、淀粉 30 克、苏打粉 6.5～8 克、水 100～200 克，盐 6.5 克、糖 5 克。

(7)拍粉拖蛋糊

在材料表面先涂上干燥的粉（面粉或淀粉）。或先涂水粉，再涂干粉，然后滚入用蛋和粉作成的糊中。锅贴、干煎等烹调多用此法。例如"锅贴鱼"、"锅贴豆腐"等。此种方法可使菜肴味美而柔软，呈金黄色。使用份量是：材料 350 克，配上面粉（或淀粉）20 克、蛋 60 克。

(8)拖蛋糊滚面包粉

先用蛋、面粉和调味品作糊，将材料挂糊后，在面包粉上滚转即成。多用于"炸牛排"、"炸猪排"、"炸板鱼"等干炸。炸好的菜肴，表面有面包粉，芳香呈浓黄色。材料若是200克，则用蛋20克、面粉20克、调味品10克、面包粉100克。

(9)脆 浆

脆浆是将已发酵的面包种、面粉、荸荠粉、盐、花生油等混合而成。多使用于广东式生蚝、鹅肠、春卷等的干炸物上。外脆、内柔、鼓胀，也呈金黄色。

脆浆有两种，兹举例如下：

•有种脆浆　面包种（生酵母）15克、面粉375克、淀粉65克、荸荠粉60克、盐10克、水550克，搅拌至粉粒消失后再静放约4小时后就会发酵。使用前加花生油160克及食用碱水（视发酵程度，适当增减），再搅拌约20分钟后即成。500克肉要用多少脆浆，依肉的体积大小及用途而定。炸生蚝时，不可过厚；炸春卷时，不可过薄。

•发粉脆浆或急浆　将面粉500克、盐6克、淀粉150克、水600克、花生油150克、发粉20克放入碗中，再加水600克搅拌至粉粒消失为止，即可使用。急浆（即席之浆）用途与各种脆浆相同，但所炸出的食物体积易缩小，稍逊于有种脆浆。

4. 糊的作法及其要点

糊的作法是将各种材料按比例配好，放入一个容器中搅和即成。糊的作法，看似简单，但必须掌握下列要点。

148

(1)迅速掌握各种糊的浓度

作糊时，浓度要按材料的软硬、是否经过冷冻、挂糊后立刻烹调或经过一段时间才烹调等因素而定。一般原则为：

• 对新的材料，要稍浓，对旧的材料，要稍薄。

• 冷冻过的材料，要稍浓，未冷冻过的材料，要稍薄。

• 挂糊后立刻烹调的材料，要稍浓，挂糊后隔一段时间才烹调的，要稍薄。

上述的制法亦可用于上浆。软的材料本身所含水分较多，吸水力弱，所以糊或浆中的水份要适当地减少，浓度要浓。硬的材料本身所含水分较少，吸水力强，所以，糊或浆中的水分要偏多，糊、浆的浓度要薄。冷冻过的材料所含水分较多，糊、浆的浓度要浓；未冷冻的材料所含水分较少，糊、浆的浓度要薄。

挂糊或上浆后立即烹调者，糊、浆的浓度要相当浓。如果过薄，则材料尚未吸收糊、浆中的水分即入锅，则使糊、浆易脱落。另一方面，材料经糊、浆后隔一段时间烹调者，材料能充分吸收糊、浆中的水分，同时，糊、浆暴露在空气中，水分会蒸发，因此，糊浆中的水分要偏多，即浓度要薄。

(2)搅拌时，开始要慢，要轻，后来要快，要用力

开始搅拌时，最初水和粉尚未完全混合，浓度和黏度都不足，所以要慢而轻地搅拌。后来糊中的浓度慢慢增大，黏性也增强，可以强而快地搅拌，其黏度会变得很稠。

将蛋白打泡作糊时，最后必须强而快地搅拌，使蛋白不停地走向一个方向，堆积成如雪的泡状，然后加入粉，再度搅拌，则成蛋泡糊。

(3)糊、浆中不可有小粉粒

作糊、浆时，必须充分搅拌，使品质均一，不可有小粉粒出现。这些粉粒如果附着于材料的表面，则材料入油锅时，会破裂、脱落，材料炸后无法成形，影响菜肴的品质。

(4)糊、浆要包覆材料表面的全部

给材料挂糊或上浆时，必须包覆全部。否则，烹调时，无糊附着的部分会被油侵入、缩小、变焦而影响菜肴的色、香、味、形。

二、勾　芡

1．勾芡的意义及作用

勾芡是烹调快完时，将调好的粉作成汁，注入锅中，或在菜肴盛入碗盘后，作卤汁浇在菜肴上。勾芡是烹调程序中的基本技术之一。勾芡的好坏，对菜肴的色、香、味、形的影响非常大。

勾芡的主要材料是淀粉和水。原因是淀粉遇高温后，会吸水成糊，膨胀而加强黏性，有产生光泽及润滑的作用，因此，菜肴经勾芡后会发生下述作用。

(1)使菜肴的汤增加黏性及浓度

一般菜肴在烹调时大多会加液体调味品或水，同样地，材料受热，一部份水分会从材料内部流失。这些水分与材料不会亲和，常常变成个别的东西。加了勾芡，则水分的黏性及浓度会增加，锅中的材料和煮汁会亲和。熟调方法不同，则勾芡亦会发挥不同的作用。

• 溜、爆、炒等烹调方法，勾芡之后，调味品和煮汁会将材料表面全部包覆。菜肴的汤及煮汁会浓稠而有味道。

溜、爆、炒等烹调方法是以强火急速作成，基本上不加汤。但是，烹调时，调味品的汁和材料内部流出的汁，在极短的加热步骤中，不能使这些水分蒸发，也不能使其全部渗透至材料中，如此，材料与汁无法亲和，达到使菜肴煮汁浓稠的要求。

如果做了勾芡，则液汁的黏性会增加，浓度会变大，只要翻转菜肴，煮汁就会包覆材料的表面，能达到以强火迅速烹调的目的。同时，调味品的液汁会渗入材料表面，增加美味。一般而言，溜、爆、炒等料理全部使用此法。

此外，表面酥脆、内部柔软的菜肴，例如"溜黄鱼"、"咕噜肉"等，在烹调时，加汤或液体调味料时，会渗入材料表面，使材料的外表失去脆酥，所以，需先将煮汁在锅中勾芡，以增加煮汁的浓度，然后，再将炸过的材料放入锅中，数次回锅，或将煮汁浇在炸好的材料上，使煮汁包覆于材料的外部，这样就不会渗入材料内部，所以使菜肴外部脆酥、内部柔软。

• 烧、烩、煮、扒等烹调方法，勾芡后汤和菜肴会产生亲和，使变成溜滑柔软。原因是：烧、烩、煮、扒等烹调方法，汁相当多，加热时间十分长，材料本身的鲜味和调味品的味道会溶入卤汁中，如不做勾芡，则材料与汁不会亲和。勾芡后，汁的浓度及黏性增加，汤与材料会融合，产生滑溜、柔软、新鲜的味道。例如，"豆腐羹"、"烩三丁"、"酸辣汤"等，都用此法制作。

• 部分汤做了勾芡之后，汁会变浓，且可使材料浮出。

151

一般做汤的材料多半沉于锅底，从上面看只见汤，而不见材料。做了勾芡，则汤的浓度会增加，使材料浮现出来，汤内的内容因此而丰富、滑溜、味美。

(2)增加菜肴的光泽和美观

菜肴做了勾芡，由于粉所具有的光泽，会使色彩美丽、透明，同时增加黏性及浓度，可使菜肴长时间保持原状，不至干瘪。

2．勾芡汁的材料、种类及作法

(1)勾芡汁所用的材料

· 绿豆粉或真粉　将绿豆磨碎作成。特点是黏性强，但吸水性稍差，色为白色带青绿，有光泽，品质最高。用绿豆作勾芡，会使菜肴中的煮汁均匀，没有沉淀物，冷却后也不会与水分离。此粉要常浸于水中，且须时时换水，否则会变质。

· 马铃薯粉　用马铃薯作成。特点是黏性强，吸水性稍差，色白，光泽鲜明，质细，干燥粉用手捏揉，会发出吱吱声，品质与绿豆粉无甚差别。

· 玉蜀黍粉　用玉蜀黍作成。特点是黏性强，吸水性也比马铃薯粉强，稍带黄色，有光泽，但价格稍高。

· 澄面粉或小粉（小麦粉）　用面粉作成。黏性和光泽都比较差，色白，品质稍差。使用时如用量不多，则勾芡后容易沉淀黏于锅底，影响菜肴的品质，所以要注意。同时是现在最普遍使用的材料。

· 山芋粉（甘薯粉）　用甘薯作成。特点为重量轻，黏性较差，只是吸水性强，无光泽。色为暗红带黑，品质最差。勾芡后容易沉淀而黏附锅底，所以使用时要多量。但有时可使用精制的山芋粉，效果极好。

(2)勾芡汁的种类及作法

勾芡所用的汁，可分为加调味品的汁和纯汁两种。

• 加调味品的汁（对汁），是将汁和各种调味品放在碗中搅拌而成。在烹调之前，将必要的调味品及汁放入大碗中。仔细搅拌，烹调完毕或将完时再将之放入锅中，所以也称为"调味汁子"或"预备调味"。多用于溜、爆、炒等以强火烹制的菜肴。

• 单纯的汁，将淀粉和水混合而成。此汁全预先是作好，所以也称水淀粉或湿淀粉。多用于烧、烩、煮、扒等。

3. 勾芡的分类及方法

(1)勾芡的分类

我们已经知道勾芡时淀粉汁有浓有薄，厨师应好好加以把握。另外还必须了解淀粉吸水力之强弱，同时，烹调方法不同，菜肴的特征也就不同。大致分类如下：

• 厚芡　厚芡是勾芡时必须使用浓稠的淀粉汁，可以分为包芡及糊芡两种。

包芡……是最浓的淀粉汁。勾芡的目的在于使煮汁浓稠，勾芡后，将煮汁包覆材料表面。此汁多用于溜、爆、炒等烹调方法。例如，"油爆双脆"、"炒腰花"、"咕噜肉"、"酱爆鸡丁"等。特点是吃完菜肴后，碗中也看不到煮汁。

糊芡……比起包芡，淀粉汁较薄。勾芡的目的在使菜肴的煮汁变成糊状，使汤及材料融和，变成柔软滑溜，所以适用于烩菜，例如"黄鱼羹"、"酸辣汤"等。这些菜肴如不勾芡，怕与材料会分离，味道较淡。如予勾芡，则调味品与汤会亲和，味道浓厚，且滑溜润口。

•薄芡　薄芡是勾芡时用稀薄的淀粉汁。按其性质可分为流芡与米汤芡两种。

流芡（玻璃芡）　淀粉汁要稀，勾芡的目的在使煮汁浓厚，浇到材料上面增加菜肴的味道及色彩。一般适用于汁及溜法中，体积较大者或整条鱼的烹调时。例如，"白汁鳜鱼"，盛在盘中后，将锅中的煮汁勾芡加热，浇到材料上。煮汁的一部分会黏糊糊地留在材料上面，一部分则从材料上流到盘中，所以叫做流芡，非常美丽。

•米汤芡（奶汤芡）　淀粉汁最稀。勾芡的目的在使菜肴的汁浓厚，使材料浮起，同时使味道浓厚。例如"扒鱼翅"、"蝴蝶海参"等都是用这种勾芡法。

(2)勾芡的分法

一般用铁勺将淀粉汁徐徐注入锅中。但是，下一阶段就要依不同的烹调方法处理。

•翻拌　一种将淀粉汁、调味品和煮汁一起翻拌的方法。亦即在材料快起锅时，将淀粉汁浇入，然后连续翻锅或拌合，使淀粉汁均匀包覆材料的方法，多用于溜、爆、炒。

另外一种是先将淀粉汁和调味品、煮汁一起放入锅中，成糊状后，然后将油炸好的材料放进去，连续摇锅，或搅合，使淀粉均匀地包覆着材料。翻锅是必要的，因为这样糊状的汁才能完全包覆材料。只是摇动，就达不到这个目的。

以上两种方法常使用于表面嫩脆的溜菜，例如糖醋排骨等。

•摇推　摇推一般使用水淀粉。菜肴即将起锅时，一面将淀粉汁徐徐注入锅中，一面拿着锅子缓缓在火上摇动，或

154

用勺子移动，使汤和材料融和。此法多用于烩、煮、烧等烹调，一般汤使用糊芡或米汤时也用此。

4．勾芡时应注意事项

(1)要在菜肴即将起锅时才勾芡

过早勾芡或过迟勾芡，都会影响材料的品质。勾芡后的材料不能久留在锅中，因为那样汁汤变焦，味道变坏，因此，不可过早勾芡，又溜、爆、炒等烹调动作宜快，如果等完成后才勾芡,，则勾芡后在火上翻锅或搅拌，使受热时间延长，会丧失嫩脆的好味道，所以勾芡不可过迟。

(2)勾芡要在煮汁量适当时为之

勾芡前如发现煮汁过多，要用强火稍微使煮汁减少再勾芡。煮汁不够时，则要从锅子的角落徐徐添加煮汁（如果不注意，将会使煮汁浇在上面，使菜肴的色彩及味道变稀变淡，颜色不均一而丧失鲜味，或搞混甜味辣味，降低品质。）

(3)使用水份时，要先决定菜肴的味、色之后再使用

勾芡后加调味品，不能使材料着味，所以使用水淀粉时，必须先知道菜肴的味道和颜色已入料后才做，否则，勾芡后便不能改正菜肴的味道及颜色了。

(4)勾芡时，菜肴上的油量不可过多

如果菜肴上的油过多，勾芡时，汁就不能包覆材料，汁和材料无法融和则影响品质。

因此，勾芡前如果发觉菜肴上的油量过多，要用勺子拿掉一部分油，等勾芡完毕后，再将此油注入锅子的角落。

虽说勾芡是烹调的最后步骤，但也有些菜肴是在勾芡后再稍予加工的。例如，滴油或加碎火腿、碎葱、碎蒜，以增

155

加色彩和香气。如"酸辣汤"、"黄鱼羹"之类,在勾芡之后,加入蛋液时,要注意加热时间不可过长,这样才能使蛋柔软,口触良好。

虽然勾芡会提高菜肴的品质,但并非所有菜肴都勾芡。象下述菜肴就无需勾芡。

味道干脆爽利者,如"炒鸡蛋"、"炒合菜"等,没有勾芡的必要,如果勾芡,反而丧失干脆俐落及清爽的味道。材料的质地柔软,调味汁容易渗入材料中者,亦无需勾芡,例如"油焖冬笋"、"干炒牛肉丝"等,如果勾芡,则丧失柔软的口触感,又,"红烧蹄膀"、"葱烧鲫鱼"之类,煮汁本来就浓,不需再加黏性调味品,所以亦无需勾芡。

第四章　烹调方法及其应用

　　所谓烹调方法就是材料经初步加工及切配完成后，所进行的调味及煮炊法。中国菜的烹调法种类，达数千种之多，但就基本程序而言，可分成数十种烹调方法。菜肴的色、香、味、形都可经由烹调方法的应用具体地表现出来。

　　如果不掌握各种烹调方法，则不能操作多种味道的烹调，也不能满足人们多样化口味的要求。因此，正确掌握并巧妙应用烹调方法，在保证菜肴品质及种类的丰富上，有重大的意义。

　　中国的烹调，因为使用丰富的材料，所以各有不同的烹调过程，同一道菜因地区不同而有不同的烹调喜好，所以创造了多样的烹调方法。

　　为了研究的方便，本书就从中国菜中主要而普通的菜式着手，研究其火候、材料及加热方法的异同，定出初步的法则，将中国菜分为以下 9 种烹调方法：

　　氽、涮、熬、烩（煮水或汤）

　　炖、焖、煨（以文火煮）

　　煮、烧、扒（煮）

　　炸、溜、爆、炒、烹（使用多油的烹调法）

　　煎、㸆、贴（以锅烧）

　　蒸

烤、盐、焗、煨烤、熏（烤烧、蒸烧、熏制等）

卤、酱、拌、炝　腌（冷菜的烹调）

拔丝、挂霜、蜜汁（甜菜的烹调）

各种烹调方法，又可依其材料及作业上的特征再予分类。在各种方法的说明之后，举出若干实例，以供参考。

第一节　氽、涮、熬、烩

1. 氽

氽，用于小型的材料，例如做成片、丝、条、丸子等的材料。

一般是将汤或水用强火煮沸，将材料放进去，再加调味品，但不勾芡，煮开后从锅中取出。也有如"生氽丸子"等在放入水的同时即将材料放入一起煮的。另外一种是从煮沸的锅中取出煮熟的材料，放进大碗，再将预先做好的热汤倒入碗中即成，此法叫做汤爆或水爆。

氽的特征是汤多、新鲜而柔软。

实例1　氽肉丝菠菜汤

• 材料　猪肉 100 克，菠菜 1500 克，干粉条 25 克，汤（或水）500 克，酱油、盐、味精、葱段、芝麻油少许。

• 作法　①将洗好的猪肉切成肉丝，菠菜切好，粉条用水烫过。

②将水或汤入锅，以强火煮沸，将猪肉、菠菜、粉条加入；并适量加入盐、酱油、味精。等到汤煮沸，除掉浮起来

的泡沫，加入数滴芝麻油，自锅中取出即成。

实例2 生氽丸子

• **材料** 猪肉茸 150 克，蛋半个，黄瓜片 100 克，绍兴酒 15 克，盐 5 克，味精 1.5 克，芝麻油 5 克，猪油 5 克，白汤（白浊汤）400 克，葱花、姜末少许。

• **作法** 先将肉茸加上绍兴酒、盐 0.9 克、味精 0.5 克、葱、姜、蛋、芝麻油等，好好搅拌。将汤置入锅中，以强火煮之。作肉丸 12 个，放进汤中，等肉丸浮起后，捞掉泡沫，加盐和味精，等肉丸变硬时，将黄瓜片放入，盛入碗中，加猪油即成。

实例3 汤爆肚尖

• **材料** 猪肚尖 200 克，干口蘑 10 克，油菜心 25 克，姜片（无皮）5 克，鸡汤 500 克，盐 4 克，绍兴酒 5 克，味精 2 克，胡椒 1 克，鸡油 10 克。

• **作法** ①将猪肚尖（即上端肉厚处）用水洗净，用菜刀刮去外皮及油肌，内侧（柔软部分）加以蓑衣形花刀，亦即每隔 1/2 厘米以直刀切入肚尖厚度的 2/3 深，每隔 1 厘米再切斜刀与切口成直角，然后切成 2 厘米宽、8 厘米长的斜刀片。

②口蘑用水烫过后洗清，切成一半厚度，再洗两次。油菜心用水洗净。

③炒锅置于强火上，将鸡汤放入锅中，口蘑、姜、味精、盐各 3 克，放入汤中。沸腾后将泡沫捞去，放入油菜心。然后盛入大碗中，滴上鸡油。

④炒锅置于强火上，放进 400 克开水，加绍兴酒及盐 1 克，沸腾后，将猪肚小片放入氽之，迅速取出后排在盘中，撒上胡椒，和鸡汤一起放在餐桌上，再将肚片放入鸡汤中即

159

成。

2．涮

涮是将水放入锅中，沸腾后将切薄的材料以极短时间汤过，沾上调味品，一边涮一边吃的烹调方法。涮的特色是使用新鲜而柔软的材料，汤的味道好，食用者可各按自己喜欢的味道调整涮的时间及调味料。但主材料的好坏、切的厚度、调味品及锅子的质料对菜肴都有决定性的作用。

实例4　涮羊肉

•材料　羊肉片、白菜、烫过的粉丝、酱豆腐卤、辣椒油、芝麻酱、酱油米醋、绍兴酒、卤虾油、腌韭菜花、香菜末、葱花。

•作法　①选择羊肉的上脑（最软处，瘦中带一点肥）、小三岔（五花肉）、大三岔（瘦肉与甩肉相等）、摩裆（瘦肉中有少许肥肉）、黄瓜条（极软的瘦肉、肥肉相同部分）五处。

②薄片……除去冷冻羊肉的边缘及突起部分，并除去云皮（肉上的薄膜）、软骨和肌，留下肥最好的部分。然后，将肉块放在切菜板上，用白布盖住，将右侧宽幅的一部分露出，从右侧开始切，要切的薄、匀、齐、美。不同部位的肉要分开放在盘子中。

③调味料……上述调味料盛在不同的碗中，个人适量取其所好。此外，也可在汤中放些海米及口蘑汤，以增加鲜味。

④涮的方法……火锅中的汤沸腾后，用筷子夹少量的肉片入锅烫之，肉变成白色时，取出，浸入调味料中，和芝麻

160

烧饼及糖渍蒜一起吃。肉只把一次要吃的量烫入汤中即可，不可一次放入多量。烫过肉后，再烫白菜、粉丝、冻豆腐、白豆腐、酸菜等，和汤一起吃，美味无比。

3. 熬

熬，一般而言，就是烹煮片、块、丁、丝、条等小型材料。

先在锅中加油，热火，将主材料放进去炒，再将汤（一般用浓汤，也有用水的）及调味品放进锅中，用弱火煮。熬菜的特征，一般而言，可使材料柔软欲溶，汤不腻，作法简单，不用勾芡。有汤、有菜，适合作下饭的菜。

实例5　熬白菜

•材料　白菜250克，豆腐一小块，粉条（粉丝粗大者）25克，油、味精、葱、盐少许，鲜汤。

•作法　①将菜洗净，切成一寸左右，先用滚水烫过取出。将豆腐切成小长方块，粉条用水泡过。

②锅中放油，炒葱出香（叫做炝锅），其次将白菜入锅炒之。加适量（约250克）的汤，另放入豆腐、粉条及调味料，用热火煮至白菜软烂为止，加精精少许，自锅中取出即成。

4. 烩

烩的大部分是将小块的材料混合，用汤及调味品做成汤汁菜。烩的特征是有充足的浓汤，味浓厚而鲜美。作法有三种：

• 锅中放油，炒葱或姜，将调味料、汤（或水）及预先切成丁、丝、片、块的材料（部分已预先做熟处理或初步加工）依次放入锅中，用中火或弱火煮过，在下锅前勾芡。

• 上述方法与勾芡稍异。将调味料及汤煮沸后，将主材料及副材料入锅一起煮（或是不将材料加进锅中，而将汤浇在盛于器皿中的材料上面）。此法使用的材料大部分已经过氽、炸、汤等手续，菜肴软而有鲜味。

• 热锅放油炒葱或姜，然后加汤及调味品，持续用强火将汤煮沸后，放入材料，在下锅前将浮在上面的泡沫除去，不作勾芡，此法亦称清烩。特别是汤上面会形成乳白色的油层，味美而香。

实例 6　素烩

• 材料　木耳 60 克，莲子 30 克，干发菜 15 克，香菇 30 克，红枣 60 克，冬笋 125 克，百合根 75 克，小白菜 200 克，植物油 500 克，酱油、芝麻油、盐、味精，调水太白粉少许。

• 作法　①除去木耳的根，用热水泡三分钟，将泥沙冲洗掉，沥干。红枣用温水泡过。莲子放入锅中热水，用弱火煮至柔软。干发菜用温水浸洗 5 分钟，沥干后，绑成 10 个。

木耳浸于浊水中 10 分钟，沥干。切掉百合根的两端，放入锅中的热水，烫 10 分钟后取出。小白菜洗净，去掉根及外皮，将菜叶纵切成半，再切成长 15 厘米的长度。冬笋切成厚 3 厘米、长 4 厘米、宽 2 厘米的大小。

②芝麻油 15 克，热了之后，将白菜放入炒之，连油起取出放入容器。将冬笋用强火热后，放入油锅中，炸一分钟后取出。油不必取出。

用另一个锅子放入水 300 克于强火上加热，水温后，将

162

木耳、冬笋、莲子、发菜、百合根、白菜、红枣、香菇等放入，煮5分钟，再加入植物油50克，及酱油、盐，一分钟后撒上味精，加调水太白粉，搅匀，滴入芝麻油即成。

实例7　烩鸭四宝

· 材料　熟鸭肉100克、熟鸭舌50克，熟鸭胰100克，熟鸭掌100克，鸡鸭汤1250克，湿太白粉15克，香菜末1克，葱末1克，酱油10克，盐2.5克，绍兴酒30克，味精2.5克，米醋10克，葱生姜油5克，芝麻油5克。

· 作法　①将鸭肉切成长8厘米、宽5厘米、厚1厘米，胰脏切成6厘米长的条状。

鸭掌横一刀、直一刀，切成三个。

②鸭子的肉、舌、胰脏、掌（合称四宝）放入热水锅中汆之，捞起来放入炒锅。加鸡鸭汤250克、酱油5克、盐1克、绍兴酒15克，以强火煮沸后，用漏构捞起，沥干，然后将家鸭四宝放入大碗中，撒上香菜末及葱末。

③将炒锅置于强火上，放入鸡鸭汤1000克、酱油5克、盐1.5克、绍兴酒15克，煮沸。除去浮上的泡沫，加味精，注入调水太白粉做勾芡。再加米醋、胡椒、葱、生姜油及芝麻油，倒入盛有家鸭四宝的大碗中即成。

5. 汆、润、熬、烩四烹调方法的比较

汆、润、熬、烩，都是以水为加热媒体的烹调方法。这些烹调方法做的菜肴都属汤类烹调。或汤多菜少（汆、润），或汤与菜各半（烩），或菜与汤均多（熬）。

其中，汆与润的共同点多。都是汤多而味清纯的菜肴，因为材料要切成片、条或丝状，所以刀工的要求很高，入口

柔软味美。所不同的是润可由食用者边煮边吃，选择好的调味料进食。

熬与烩作法上也有共同点，都属汤类及下饭菜，不同点在于烩菜是将各种材料放在一起煮，多为已初步加工的半制品，又，烩菜通常都做勾芡，熬菜则不做勾芡。

第二节 炖、润、煨

1. 炖

炖有两种，即隔水炖与不隔水炖。

隔水炖是先将材料放入热水中，除去血及腥味，然后放入陶器或瓷器的大碗中，加葱、姜、酒等调味品及汤，用桑皮纸密封，放入有水的锅中（锅的水位要比碗口低，使沸腾的热水不致进入碗中）。盖紧锅盖，使水蒸气不会漏出，用强火使锅中的水不断滚沸，约三小时后即成。

用此法，材料的新鲜味道和香气不会散失，做成的菜肴，能保证材料味佳而汤澄。或将盛了材料的大碗密封，放入蒸笼中蒸，效果大致相同。但是，蒸的温度要很高，所以必须掌握蒸的时间。蒸的时间不足，材料不会熟，香气和味道不会出来；蒸的时间过久，则材料会溶解，失去鲜味。

不隔水炖是先将材料放入沸水中，除去血及腥味，再放入陶器（砂锅）中，加葱、姜、酒等调味品及水（水要比材料多些，通常是 500 克的材料，用 750～1000 克的水）。盖锅，放在火上煮。煮时，先用强火煮沸，除去浮起来的泡沫，然后用弱火煮到柔软为止。通常 2～3 小时即成。

实例 8　清炖鸡

・材料　拔掉毛的鸡净重 750 克，盐、绍兴酒、葱、姜。

・作法　将鸡除去内脏，洗净，放在锅中煮以除去血及其他污物，取出后再洗净，放入陶制的容器中，将调味品全部放入，加水约 1000 克，用纸盖住容器的口，放在盛了水的锅中（锅中水位要低于盛着鸡的容器，使沸腾的热汤不致进入容器），盖紧锅盖，用强火煮约三小时，待鸡肉柔软欲溶，就算完成。

实例 9　腌肉

・材料　猪三层里脊肉 250 克，盐腌猪肉 250 克，竹笋 150 克，绍兴酒、姜、葱。

・作法　①先将腌肉及生肉用水煮过，自锅中取出，切成一寸见方的小块。竹笋切成滚料块。

②先将腌肉放入陶制容器中，加水 750～1000 克，用强火加热至六、七分熟。将三层里脊肉及各种调味品放入，用弱火煮至七、八分熟时，加竹笋，煮至全部柔软为止，汤变成乳白色时即完成。

2．焖

焖，一般是将材料用油加工成半制品后，加少量汤及若干调味品，盖紧锅盖，以微火煮成柔软，此法所作的菜肴，汤浓　味厚。

实例 10　黄焖鸡

・材料　鸡肉 500 克，鲜汤 500 克，猪油、绍兴酒、酱油、糖、葱、姜、芝麻油。

· 作法 ①将猪肉切成一寸见方。

②将锅子放在强火上，将猪油加热，加葱、姜、绍兴酒、糖、酱油等调味品，炒鸡肉等表面变成黄色后，移入水锅中。加汤，煮沸后，改用微火，煮至鸡肉柔软欲溶，味道渗入为止，再滴入数滴麻油即可。

3. 煨

煨这种烹调方法和炖大体相同。不同的是，煨使用炉灶的余热（微火）长时间烹煮，直到材料柔软为止。煨菜的特色是汤浓而黏糊，味道浓厚。

实例 11 煨牛筋

· 材料 牛窝骨筋 2.5 千克，糖 65 克，酱油 750 克，绍兴酒 5 克，桂皮 10 克，八角 10 克，葱段 20 克，姜 40 克，花生油 125 克。

· 作法 ①将牛窝骨筋用水洗净，沥干，切成一寸见方，放入盛着五成热（110℃）的花生油锅中炒，等变成金黄色时，移入水锅，用强火煮沸，煮至牛筋上的残滓消失为止。然后取出牛筋，捞取浮油，将汤舍去。

②将牛筋和浮油放入铁锅，加水（浸到牛筋的程度）、葱、姜、桂皮、八角、糖、酱油、绍兴酒等，盖上锅盖，用强火煮沸后，改用微火煨 5 小时（中途翻转数次），直到筷子能穿透牛筋，即表完成。

③牛筋有硬有软，所以，煨时，要将先煮软的牛筋取出，以免煮烂而溶解。剩下的硬牛筋全部煮熟时，将先前取出的软牛筋再放入锅中，一起煮一会儿即可。

这道菜肴，汤非常少。冷了之后，如要加热，最好用蒸笼蒸。

4. 炖、焖、煨三种烹调方法的比较

炖、焖、煨都是以水为加热体的烹调方法，其使用的火力一般是弱火或微火，时间很长，通称为"火功菜"，相似之点非常多。相异之点是汤及菜的风味各有不同。焖菜的水如果适当，火候也适当，则作成的汤和味道都很浓。炖菜一般汤多而清爽。煨菜的汤为黏糊状，汁和菜各半，汤的味道浓，有鲜味，油浮在汤表面，油而不腻，入口有清爽味。

第三节 煮、烧 扒

1. 煮

煮，是将材料（有生材料，也有经过初步加工的半制品）放进多量的水或汤的锅中，先用强火煮沸，然后用弱火煮。

此法的特色是不做勾芡，汤多，味道新鲜。

实例 12 煮干丝

· 材料 白豆腐干丝 250 克，熟鸡丝 100 克，熟火腿丝 50 克，豆苗 10 枝，猪油 50 克，盐 7.5 克，味精 2.5 克，浓白汤 300 克，绍兴酒少许。

· 作法 ①将豆腐干先切片，然后切成火柴棒大小的

丝，浸水，理开，沥干。放在充分煮沸的滚水中，每30分钟换水一次，换了三次后，豆子的腥味就可以去除。

②食用时，从水中取出，将浓白汤放入锅中，加猪油及干丝、熟鸡丝，用强火煮2~3分钟。加味精、盐、绍兴酒、豆苗一起煮后，自锅中取出。先将干丝放入汤盘中，一起浇上豆苗、鸡肉丝、汤，再撒火腿丝于其上即成。

2. 烧

烧也是以水为加热体的烹调方法之一。一般先将材料用煸、煎、炸、蒸法之一做初步的熟处理，然后，加调味料、汤或水，用强火煮沸，盖锅，改用中火或弱火慢慢煮，最后再改用强火，会有很浓的煮汁出现。

烧菜的特征是煮汁少而有黏性，而且味道鲜美浓厚又柔软。

一般而言，此法使用的汤约为材料的四分之一，干烧的情形是，汤全部渗入材料之中，锅中不剩煮汁。烧因调味品颜色而分成红烧及白烧两种。

实例13　酱汁鲤鱼

·材料　生鲤鱼一条（重约750克），甜面酱125克，糖125克，姜末15克，猪油125克。

·作法　①去掉鲤鱼的翅、鳃、鳞，用菜刀切开其腹，取出内脏，好好洗净后，在鱼的两面每隔2.5厘米用刀切一切口（刀划到骨头为止，但不可切断鱼腹）。用手持鱼尾放入滚水中煮2~3分钟。用菜刀撬开切口，以除去腥味。

②将炒锅放在强火上，放入猪油、糖、甜面酱、水100克，搅拌，弄平，加水1150克，煮沸。然后将鱼放入，煮

沸改用微火加热约 20 分钟，等汤少掉三分之一时，再用强火煮沸。最后将鱼取出，放入盘中，汤则留下不动。

③将留下汤汁的炒锅放在强火上，用铁勺不断旋搅，以免汤汁焦黏。待汤汁快煮干时，将其倒入盛鱼的器中，在上面撒上姜末即成。

实例 14　蛏干烧肉

·材料　猪五花肉 400 克，蛏干 150 克，煮熟竹笋 15克，火腿 15 克，小葱末 10 克，姜末 15 克，酱油 40 克，盐25 克，糖 25 克，绍兴酒 25 克，调水太白粉 10 克，猪油 25克。

·作法　①蛏干用水洗净，放入大碗中，加水 250 克蒸之，汤予以过滤除掉糟粕。蒸过的蛏干放入碗中，加水，用筷子旋搅，以洗去沙及粪。将竹笋和火腿切成同样大小的片。

②将五花肉切成长 3 厘米、宽 3 厘米，厚 1 厘米的大小，放入锅中，注水，以强火煮沸，除去浮起的泡沫，用弱火煮至五成熟。加姜末、糖、绍兴酒、酱油、盐、竹笋、火腿、蛏干，煮汁，煮至九成熟，柔软后，用调水太白粉做稀薄的勾芡，加猪油，放入器皿中，撒上葱末即成。

实例 15　干烧鲫鱼

·材料　鲫鱼一条（约 500 克左右），豆瓣酱 10 克，甜酒酿 50 克，姜末、蒜泥、葱花、泡辣椒、绍兴酒、糖、盐、醋调水太白粉。

·作法　①洗净鲫鱼，在鱼身两面作深 0.5 厘米的直纹（菜刀垂直切入做切口），然后放入五成熟的油锅中煎之，两面的鱼皮有皱纹时取出（不必煎到变成黄色）

②将豆瓣酱、甜酒酿、姜、蒜、泡辣椒等调味品入锅，

作米酱调味料，再将鲫鱼放入，加适量的糖、绍兴酒、盐、汤（或水）250克，盖上锅盖煮至汁尽。加少量的醋及葱花，做勾芡，从锅中取出，置于盘中即成。

3. 扒

先将葱及姜以锅炒之，炝过之后，加整齐排列好的材料（生的、蒸过的、经过煮等初步加工的半制品）及其他调味料，再加汁，以弱火煮之，最后做勾芡，出锅。

扒按其所使用的调味品，可分为红扒、白扒、五香扒、蚝油扒、鸡油扒等。扒菜的特点是排列整齐，形状很美。

实例16　扒牛肉条

•材料　牛肉约400克，酱油50克，绍兴酒25克，糖、八角茴香、葱花、青蒜条、麻油、味精、调水太白粉、鲜汤。

•作法　①将牛肉块放入盛水的锅中，煮至柔软后取出，待其冷却后切成长3厘米、宽3厘米、厚2厘米的大小。

②油锅中加少许麻油，加热，油变热时，将葱花及八角茴香放入爆之，立即加酱油、糖、绍兴酒、汤250克，同时将牛肉片整齐地放入锅中，以弱火煮至煮汁消失为止。

用筷子取出八角，加味精，用调水太白粉做勾芡，加少量麻油，将锅子倒转，使牛肉掉进盘中。以少量麻油炒青蒜条，炒好后撒在牛内上。

4. 煮、烧、扒三种烹调方法的比较。

烧和扒的烹调过程在致相同，都是先用油锅炒材料，然后用汤或水煮之。相异点是，扒菜煮好了后在离锅前做勾芡，有适量的汤汁，形状和色彩都美，因此，切配的准备必须比较正确。又，烧菜的汤一般比扒菜要多。煮菜的汤充足而浓厚，不做勾芡。

第四节 炸、溜、爆、炒、烹

1. 炸

炸，是使用强火及多量油的一种烹调方法。入油般都用大油锅，油量比材料多数倍，火力要强，所以材料入锅时会发出很大的声音，特色是香、酥、脆、嫩。依材料性质及味道的要求，可分为清炸、干炸、软炸、纸包炸等多种。

(1)清 炸

材料上了酱油、酒、盐等调味料后，入油锅以强火炸之。一般而言，清炸菜肴的特色是外脆而内嫩。

实例17 炸鸭肫肝

• 材料 鸭肫 250 克，鸭肝 250 克，龙虾片 30 克，花椒盐 5 克，鸭油 1000 克。

• 作法 ①将鸭肫内侧黄色的皮除去，切半，表面朝下，用菜刀切进右半肫肉的内部，达到肌膜时，刀背向左向上斜切，以此法将肫切成四块，每块都成棱形。

鸭肝去其肌，将大小鸭肝切成五块三角形。

②鸭肫放入沸水锅中，以三分火烫约 1 分钟后取出。鸭肝亦以三分火烫过，除去血后，将锅子移下暂放一旁。

③鸭油放进炒锅，用强火热到五、六成熟（110℃ ~ 170℃），将龙虾片放入，等膨胀变白时取出，排在盛盘的周围。

等油温上升到八成熟（220℃）时，放入鸭肫，约 30 秒，稍微变色后捞出。

鸭肝从锅中取出，沥干水气后放入油锅，炸至六、七分熟（约 30 秒）。将炸过一次的鸭肫放入油锅，炸到外侧变成黄色时取出，放在龙虾片之间，加上花椒盐即成。

(2)干 炸

干炸，是将调味品加入生的材料中，等充分渗入后，沾粉或沾糊，再用油炸的方法。干炸的菜肴内外都酥，色为黄褐色。

实例 18 干炸网子肉

• 材料 猪肉 250 克，猪网油 150 克，蛋黄一个，蛋白一个，上新粉 75 克，葱末 5 克，酱油 50 克，味精 0.5 克，调水太白粉 50 克，花椒盐 1 克，甜面酱 10 克，猪油 750 克，盐 2.5 克。

• 作法 ①使用肥肉三成、瘦肉七成的猪肉，肥肉切成末状，瘦肉磨碎，一起放入大碗中，加酱油、味精、盐、小葱末、水 50 克，搅拌均匀后，作成肉馅。用蛋白及湿太白粉作糊。

②猪网油洗净后，沥干水气，铺上新粉，将肉馅放入，再用猪网将这些材料包成棒状。两端用蛋黄密封，切成角眼

172

片（棱形），挂上蛋糊。

　　③猪油放入锅中，以强火烧到七成熟时，将肉卷一个一个放入油锅炸。待材料浮出变黄时，取出盛于盘中，撒上花椒盐即成，桌上并添置放有甜面酱的小盘。

　　(3)软　炸

　　软炸，一般而言，是将小块、片或条形的材料挂糊，用七、八成熟（180℃～220℃）油炸的方法。油的温度要特别注意，过高则外焦内生，过低则糊易脱落。

　　炸时要分散入锅才不致黏住在一起。表面变硬（八、九分熟）时取出，待油的温度再度上升，重炸一次。这种炸法时间非常短，外脆内嫩而芳香。

　　实例19　软炸口蘑

　　·材料　口蘑125克，猪油500克（约消耗150克），蛋白三个，太白粉65克，鸡汤250克，盐、糖、味精、绍兴酒、葱、姜、胡椒、蕃茄汁、麻油。

　　·作法　①口蘑用热水烫过后洗净。将猪油30克入锅，加热到五成热（110℃），放入葱、姜炒之，再将鸡汤、蘑菇、绍兴酒、盐、味精、胡椒依次放入，煮7～8分钟，将蘑菇取出，沥干水气后，挂上用蛋白和太白粉作成的糊。

　　②猪油入锅，以强火加热到五成熟（110℃），将挂了糊的蘑菇入锅炸之。（如果火太强，则持锅离开火焰）。蘑菇上的糊炸熟（色还是白的）就取出，要一个一个取出，分开摆放。

　　锅子放在强火上，油加热到八成熟（220℃）时，将刚才炸过的蘑菇全部入锅炸第二次，直到变成金黄色时，取出，励在盘中即成。吃时用搅拌了麻油、糖、味精及盐的蕃茄酱当调味料，沾着吃。

(4)酥　炸

酥炸，是将材料先煮或蒸过后，挂上用全蛋和太白粉作成的糊再油炸的方法。（也有不挂糊的，一般而言，去了骨的材料都挂糊，带骨的材料则不挂糊。）炸时等油热后将材料入锅，直到变成黄色时取出。这种炸法的特色是芳香脆嫩。

实例20　香酥鸭

·材料　鸭一只（重约1250克），植物油1000克，绍兴酒、老姜、盐、葱、香粉、花椒、葱酱、蒜。

·作法　①剖腹取出鸭的内脏。洗后沥干，内外抹盐，放入大碗中，加碎姜、葱、花椒、绍兴酒、五香粉、蒜等调味料，放入蒸笼中蒸。蒸熟后，将鸭子取出，拨去葱、蒜、姜、花椒，用剩下的汁浸鸭子，渗入后，取出，再沥干水气。

②植物油入锅，七成熟（180℃）时，将鸭子放入，直到变成金黄色为止，皮和肉都嫩为止。吃时，沾葱酱食用。

(5)纸包炸

纸包炸，是将新鲜无骨的材料切好，用盐、味精、酒等调味后，以玻璃纸包好，用高温油炸的方法。这种炸法的特点是，汁会留在纸中，特别能够保持材料的美味和柔嫩。炸时必用强火，油加热到四、五成熟（100℃～110℃）时，将材料放入，油温升高，纸包浮起变成金黄色时即成。

实例21　纸包鸡

·材料　鸡脯（鸡胸肉）或鸡腿500克，火腿50克，植物油500克（消耗100克），盐，麻油5克，葱花，香菇少许，玻璃纸一大张（剪成正方形备用）。

·作法　①将鸡脯和火腿切成薄片（丁亦可）。香菇切碎。

②鸡肉、火腿、香菇上加入葱花及少量的盐和麻油，搅拌均匀后，将鸡肉火腿一片或二片及香菇、葱花放在玻璃纸中，包成长方形（鸡肉和火腿排好，不要靠在一起）。然后将包好的东西放入温油的锅中（油温 70℃～100℃），等油温升高七至八成热（180℃～220℃）时，取出（不可使纸包变焦）。吃时打开纸包，其味芬芳脆嫩。

(6)上述各种炸法之外，尚有脆炸、松炸、油浸、油发等特别炸法。

• 脆炸　带皮的材料（整只鸡、鸭）用热水煮，使其外皮缩小，表面涂上麦芽糖，晾干后，放入热油锅（油温 110～170 度）中，不断翻转油炸。等炸成金黄色时，将锅子离火口，均匀炸透后取出即成。这种炸法，一般称为脆炸，外皮非常脆，气味芬芳。

• 松炸　生的材料去骨，切薄或切块，调味后用起泡的蛋挂糊，以油温（70℃～100℃）慢慢炸。这种炸法通常叫做松炸，因为炸好后松脆膨胀，非常嫩。

• 油浸（油淋）　新鲜柔嫩的材料浸入调味品中，入味后，放入九成热（220℃以上）的油锅，锅离火口，慢慢炸，这种炸法就是油浸或油淋，炸好的东西非常味美嫩软，而且可维持材料本来的颜色。

• 油发　新鲜柔嫩而小型的材料浸于调味料后，放入漏勺。锅中油加热至冒青烟时，用铁勺不断舀油注烧材料，这种方法称为油发。

2. 溜

溜一般分为两个步骤，第一个步骤是炸材料（不炸的要煮或蒸），第二个步骤是将材料从锅中取出，作浇汁（浇汁也有不用油而用汤作的），将汁注浇于材料，或将材料放入汁中搅拌皆有。

溜菜的材料加工一般依照第一步骤的材料要求进行。以炸为主的材料大部分是块、片、丁、丝等。溜，因为以强火快速作成，所以能保持香、脆、鲜、嫩。依使用的材料及作法，可分为脆溜、滑溜、软溜、醋溜、糟溜。

(1)脆溜

也叫炸溜、焦溜。先将材料用湿太白粉挂糊，或涂面粉，油炸后，浇上煮汁的烹调法。炸时，使用大的油锅，油量多，以强火炸到变成金黄色时取出。然后，将油放入炒锅（油量依浇汁之多少而定），油热时，先将葱、姜放入，次将绍兴酒、糖、盐放入，再用调水太白粉做勾芡，最后加麻油、蒜泥、醋，作成浇汁，将此浇汁注浇于刚炸好的材料上即成。

浇汁基本上以油作底汁。炸材料和作卤汁必须同时进行。也就是说，材料在油锅中时，同时作浇汁，材料出锅时，浇汁已作好，将熟的浇汁浇在热的材料上，味道才好。此法的特色是，菜肴外酥内嫩，且有香气。

实例22　糖醋溜黄鱼

•材料　大的黄鱼一条（净重 500 克），上浆过的虾仁 25 克，青豆少许，海参丁 50 克，竹笋丁 25 克，火腿丁 25 克，香菇丁 15 克，蹄筋丁 50 克，油 115 克，酱油 25 克，盐

1.5克，糖 60 克，调水太白粉 60 克，干太白粉 25 克，葱段少许，白浊汤 75 克。

• 作法 ①先将黄鱼洗净，从头到尾，以 3 厘米左右的间隔在两面切纹至骨。将干太粉扑满全鱼（切纹中间亦须扑粉），然后抓住鱼尾振摇，将多余的粉振落。

②油入锅，用强火热到八至九成热（220℃以上）时，将黄鱼放入。油温维持七成熟（180℃），到八成热间，炸熟后，用漏勺取出，等到油温再上升到八至九成热时，再炸第二次，使外皮变脆。

③将另外一个炒锅加热，涂油后，放入半勺油，等六成熟（170℃左右）时，先炒虾仁，沥油后，加上列副材料。用酱油、盐、糖煮过后，加米醋和调水太白粉做勾芡，用铁勺翻搅，等煮汁出泡时，加葱。用漏勺捞取油锅中的黄鱼，放入盘中，再将浇汁遍浇鱼的全身即可上桌。

(2)滑溜

滑溜的材料，以去骨的切片、切碎、切条、切丁、切丝等小型的材料为主。作时，先将材料涂上调味品后，用蛋白或太白粉上浆。以强火将锅中油热到五成熟（110℃）时，将材料入锅，八成热时取出（如果是大块肉未炸熟，可稍后再炸第二次）

此法亦需同时作浇汁（作法与脆溜的浇汁相同），出锅的材料放入浇汁中旋搅，使浇汁平均亲和材料即可。其特点是：滑溜、柔嫩、有鲜味且芬芳。

实例 23 滑溜羊里脊

• 材料 羊里脊肉 250 克，植物油 500 克，蛋白一个，太白粉、盐、味精、绍兴酒，调水太白粉、葱段、蒜末、姜汁少许。

177

• 作法　①将羊里脊肉切成二寸长的片，加蛋白及太白粉，搅拌上浆。用绍兴酒、盐、味精、调水太白粉、葱段、蒜末、姜汁及一小勺汤调成芡汁。

②植物油入锅，以强火热到五成热（110℃）时，将羊肉放入，用竹板子搅和2～3秒，使肉分散后，立即与油一起倒入漏勺将油沥干。用另外一个小油锅以搅拌好的芡汁作调味汁，再将炸过的羊肉放入其中稍微翻炒即成。

另一法是将炸过材料，浇上用甜醋或糟汁作成的浇汁，这叫做醋溜或糟溜（作法与滑溜相同）。醋溜在味道的分配上酸味稍多于甜味。

实例24　醋溜羊肉片

• 材料　羊里脊肉200克，冬笋50克，葱丝25克，蒜末5克，湿太白粉20克，酱油50克，醋25克，绍兴酒15克，麻油15克，花生油500克。

• 作法　①将羊里脊肉去筋，与纤维成斜角切成二分之一厚度的片（过薄肉易破，所以不可过薄。如果使用后腿肉，则对肉纤维横着直切），以湿太白粉5克搅拌上浆。冬笋切成一寸长的棱形，越薄越好。葱末、姜末、蒜末一起放入碗中，加醋、酱油、绍兴酒及湿太白粉15克、水15克，调成芡汁。

②锅子置于强火上，倒入花生油，至四至五成热（100℃～110℃），将肉和笋放入，搅翻着炸6～7秒，倒进漏勺中，将油沥干。锅子再度放到强火上，将炸过的肉和笋放入，加调合好的汁，上下翻转，让调味汁包裹住肉后，浇上麻油即成。

实例25　糟溜鱼片

• 材料　梭鱼肉125克，鸡汤100克，泡过的木耳15

克，蛋白 25 克，湿太白粉 10 克，香糟酒 20 克，糖 10 克，姜汁 5 克，盐 0.5 克，猪油 750 克。

• 作法 ①鱼泡在水中约 2 小时（肉会变成白色），取出，沥干水分，用菜刀切成长宽各 3 厘米，厚 0.2 厘米的大小，和以蛋白及湿太白粉 6 克，完成上浆。

②锅子放在微火上，猪油 750 克入锅，四成热时（刚冒白泡时），将鱼一块一块放入（不致黏在一起），五至六成热时，倒在漏勺中，将油沥干。泡过的木耳用热水煮，取出后散置于汤碗中。

③鸡汤、姜汁、盐、糖放入汤锅中，用强火煮沸，将鱼放入，除掉浮泡，加香糟酒。将 4 克湿太白粉和 5 克水拌合后，慢慢滴入汤中，使太白粉和汤融和。然后将猪油 5 克入锅，翻搅之后再加猪油 5 克，注入盛有木耳的碗中即成。

(3)软 溜

软溜，一般是将整个（以鱼类为多）材料先蒸，或放入热水锅中（加葱、姜、酒），煮到 9 分熟时取出材料，将刚作好的热汁浇上即成。（材料出锅时，水分要沥干）

浇汁时油要少，如果油过多，味道不好。浇汁用油或汤均可。软溜的特色是柔嫩、爽口。

实例 26 软溜草鱼（西湖醋鱼）

• 材料 活草鱼一条（重 600 克左右），酱油、绍兴酒、湿太白粉、姜末、糖、醋少许。

• 作法 ①草鱼去鳞、鳃、内脏，洗净后，用菜刀沿着背骨切成两半。头也切成两半，将鱼分成雌与雄二枚（带背骨的一半叫做雄，另一半叫做雌）。从雄的喉咙 5 厘米的下面每隔 5 厘米做斜的切口（深 1 厘米）；雌的则从鱼尾直向喉咙做切口（深 3 厘米），切口要斜向背部。

②水 1000 克入锅，以强火煮沸，将鱼放入，盖好锅盖，煮到沸腾后，再用微火煮 3～4 分钟。用筷子刺鱼肉，能轻轻刺入时，就算煮熟。留下约 400 克水，其余舍弃。

加酱油、绍兴酒、姜末，将鱼取出，皮向上，背对背整齐排列盘中。锅中的原汁加糖、湿太白粉、醋，以铁勺旋搅作成浇汁后，浇至鱼身即成。

3．爆

爆，是将煮过或炸过的材料，以强火高温，快速炒、翻锅、出锅的一种烹调方法。使用这种方法的材料大部分是小型无骨、厚薄粗细一定的材料。烹调前要先作好调味汁，调味后快速操作，均等调味，使菜肴有光泽。爆菜的特色是脆、嫩，食后，盘中的浇汁不会剩下。

(1)油　爆

油爆，是将整齐的小型材料以热水煮到四分熟后取出，将水沥干，立刻放入八至九成熟（220℃以上）的油中炸至七分熟后捞出，将油沥干，然后用小油锅热油，将炸过的材料放入，再将准备好的芡汁倒入，摇动锅子即成。

调味芡汁是加了太白粉的浇汁，也叫做混汁。油爆用的浇汁，一般是调和葱末、姜末、蒜末、酱油、盐、绍兴酒、味精、水、太白粉等作成。

其他的油爆方法是将材料薄薄地挂糊或上浆，不经煮过而直接放入温油中，炸到六至七分熟，再准备另一小锅，重复炸一次的方法。油爆方法适用于小型新鲜的材料，例如鸡丁、肉丝、虾仁、鸡肫等。

实例 27　油爆肚仁

180

•材料　羊肚领（羊肚正中比较厚的部分）2个（约250克）植物油250克，湿太白粉、绍粉酒、葱、姜、蒜、盐。

•作法　①将羊肚领的皮和肥肉剁去。洗后切成2厘米的方块。葱、姜、蒜切碎。然后，将太白粉30克放入碗中，加水15克，和适量的盐、绍兴酒、葱碎、姜碎、蒜碎，作成芡汁。

②准备一个放有热水的锅子，同时准备另一油锅，放入油250克以强火加热。洗切过的肚块放在漏勺中，先放入热水的锅中烫过，等肚块开始卷曲时立即取出，再放入热油锅中炸，立刻用漏勺取出肚块，将油沥干。然后将肚块放入锅中，倒入预先搅拌好的芡汁，以铁勺搅拌即成。

实例28　爆鸡肫

•材料　鸡肫五个，鸡肉75克，植物油250克，太白粉、盐、绍兴酒、蛋白、葱、姜、蒜、酱油、味精、醋、高汤（上等汤）。

•作法　①鸡肉切成2厘米方块，将蛋白1/4个和太白粉20克拌合后上浆。剥掉鸡肫里面的皮，外皮除去，每个都切成八小块。葱切成1厘米长的葱段，姜切碎，蒜切薄片。将适量的酱油、盐、味精、绍兴酒、醋、葱、姜、蒜和汤50克，搅和成汁。

②植物油250克倒入锅子，以弱火热到五成热（110℃）时，放入鸡丁，炸五秒立刻捞出（炸时用筷子搅开，使不致黏在一起）。将鸡肫放入九成热的油锅中（220℃）约炸五秒即熟，立刻捞起。然后，将植物油50克入锅，以强火加热，鸡肫和鸡丁一次放入，将调好的汁搅拌后倒进去，摇锅2~3次，立刻盛于盘中即成。

(2)酱爆、盐爆、葱爆

依调味品及调味过程的不同，另有几种爆的方法。

酱爆通常是将主材料挂糊，用温油锅炸后，再用甜面酱等调味而爆，并浇汁。

盐爆的烹调过程通常与油爆相同，但不用出锅前拌合好的调味芡汁，而使用调味清汁作成，调味清汁是不加太白粉的调味汁，盐爆所用的调味清汁通常是将香菜段、葱丝、蒜末、盐、绍兴酒等拌合而成。

葱爆通常将材料炸好后，另备小油锅，将大葱段和炸好的材料一起爆。其余烹调过程与爆相同。

实例 29　酱爆墨鱼

• 材料　墨鱼净重 300 克，黄酱（面粉米酱）25 克，盐 0.5 克，绍兴酒 25 克，糖 30 克，味精 15 克，葱花 1 克，姜末 1 克，麻油 10 克，清洁的猪油 500 克，太白粉 10 克。

• 作法　①墨鱼用水洗净，以直刀切成菊花形花纹，再切成长方块，用布擦去水分。

②墨鱼块先拌以少量的盐，撒上太白粉后拌合。炒锅中放入猪油 500 克，六成热（170℃）时，将墨鱼放入，用铁勺推开，炸到黑鱼卷起为止，用漏勺捞起，将油沥干。

锅中留下油 25 克，先将黄酱、葱花、姜末放入，炒到发出香味后，加绍兴酒、糖、味精拌合，将墨鱼回锅炒将黄酱裹住墨鱼卷，将热油从锅边加入，摇动锅子使之拌合，并加麻油即成。

实例 30　盐爆鸭肠

• 材料　鸭肠 6 条，猪油 25 克，葱、蒜、盐、酱油、醋、绍兴酒、香菜、味精、麻油。

作法　①洗净鸭肠的污物，用麻绳绑住鸭肠，放入热水锅中，用筷子搅拌，沸腾后立刻取出，切成约3厘米长的段。然后用热水烫3～4秒，取出备用。香菜切成小段，葱切成细丝，蒜切成薄片，和适量的绍兴酒、酱油、盐、味精、醋搅拌，作成调味清汁。

②铁锅中放猪油25克，以强火加热，调味清汁放入后，立刻将汤过的肠段放入，搅拌5～6秒，加麻油即成。

实例31 葱爆羊肉

• 材料 羊肉（五花肉）200克，大葱，酱油15克，植物油30克，盐、糖、绍兴酒、麻油。

• 作法 ①羊肉切成约5厘米平方的片，大葱切成3厘米长的斜（斜切）条，放入碗中，加酱油15克、盐、糖少许搅拌之。

②铁锅中放入植物油30克，以强火热到冒青烟时，将搅拌好的羊肉片、葱段、调味汁一起倒入，葱变软，肉熟后，加适量绍兴酒煮沸，然后注入少许麻油即成。

4．炒

炒是最广泛的烹调方法之一。适用于炒的材料大多是用菜刀处理过的小型丁、丝、条、片等。用小的油锅炒，油量的多少视材料而定。

先将锅子烧热，再将油放入。一般使用强火和高温的油，但火力的大小和油温的高低依材料而定。锅子先要滑油，将材料依序放入，用铁勺或铁铲搅拌。动作要迅速，一熟即可取出。特色是脆、嫩、滑。具体地说，可分为生炒（煸炒）、熟炒、滑炒（软炒）、干炒四种。

(1)生　炒

生炒也叫做煽炒、生煽。材料不挂糊，也不上浆，烹调时，先将主材料在九成熟（220℃以上）的油温中炒到五至六分熟，然后将副材料放入。（易熟的材料较后放亦可，不易熟的副材料和主材料一起放入）加调味料后，快速翻炒数次，一熟即可取出。这种炒法，汁少，材料新鲜而柔嫩。

实例 32　炒肉丝

•材料　瘦猪肉或五花肉 100 克，白菜（或韭菜、蒜台、洋葱均可）100 克，植物 50 克，酱油 15 克，葱段、花椒油。

•作法　①肉切成粗 0.5 厘米，长 5 厘米的丝，白菜切成 3 厘米长的丝。

②炒锅中放入油 50 克，用强火加热后，将预先切好的肉丝、葱段一次加入。炒到七分熟（肉丝颜色会变）后，加酱油 10 克、白菜丝放入略炒后再加酱油 5 克，白菜一熟立刻加花椒油，锅子离火即可盛出。

(2)熟　炒

熟炒，一般而言是先将切成大块的材料烹成半熟或全熟（煮、烧、蒸或炸），然后切成片或块，放入热油锅中煽炒，再依序将副材料、调味品及少量汤汁加入，翻炒数次即成。

熟炒的材料大多不挂糊，锅子离火时，可勾芡，亦可不勾芡。熟炒菜的特色在于味美且有少许卤汁。

实例 33　回锅肉

•材料　猪腿肉 250 克，蒜苗 125 克，猪油 15 克，豆瓣辣酱 10 克，豆豉 5 克，甜酱 5 克、酱油、绍兴酒。

•作法　①猪腿肉洗净后，放入水锅中煮 20 分钟，肉皮变软时立刻捞出，稍微沥干，切成 0.3 厘米厚、3 厘米见方肥肉瘦肉相连的薄片。蒜苗切成 3 厘米长的段。豆瓣辣酱和豆豉剁碎，弄软。

②炒锅中放入猪油，加热到冒青烟，将肉放入，炒到肉卷起为止。将拌和好的豆瓣辣酱、豆豉、甜酱、酱油、绍兴酒放入，接着将蒜苗放入炒之即成。

(3)滑　炒

滑炒也叫软炒。将形状整齐的小型动物性材料，用蛋、盐、太白粉拌和的糊上浆后（植物性材料则不上浆），放入以强火加热的油锅中，快速以铁铲拌和，炒熟后（植物性材料则变柔软为止），倒入漏勺中，将油沥干，然后，锅底留油，以强火加热，将卤汁和材料放入，快速摇锅即成。

可作滑炒的材料颇多，但作型却有一定的规则，即是材料必需去掉皮、骨、壳，然后切成薄片或丝、条、丁、粒、末等形状。小型的原型材料（例如虾仁之类）亦适用此法。

配菜的方法，有配净料（单一主材料），有配主材料、副材料，也有两种以上都配成主材料的。这些材料必须上浆。滑炒的调味通常与爆的作法相似。

滑炒的特色是滑溜、柔嫩、卤汁裹覆材料，味美芳香。

实例 34　蚝油牛肉

•材料　牛肉片 300 克，蚝油 12.5 克，蒜泥 0.5 克，姜片 2.5 克，葱段 5 克，味精 1 克，胡椒粉 0.05 克，深色酱油 5 克，浅色酱油，绍兴酒 2.5 克，干太白粉，重苏打粉，湿太白粉 5 克，麻油 0.5 克，清汤 25 克，花生油 750 克。

•作法　①将牛肉片与浅色酱油、重苏打粉、太白粉、花生油拌和上浆。用蚝油、味精、酱油、麻油、胡椒粉、湿太白粉、清汤作芡汁。

②以强火加热炒锅，将花生油放入；四成热（110℃）

185

时，将牛肉片放入，炸到九成熟时倒入漏勺，将油沥干。炒锅回到炉上，将蒜、姜、葱放入，炒到散出香气时，放入牛肉片，将绍兴酒倒入煮沸，用芡汁勾芡，然后，放入10克油，均匀地炒过之后，迅速盛入盘中即成。

实例35　炒腰花

• 材料　猪腰200克，泡过的笋干30克，泡过的木耳30克，鲜嫩青菜25克，植物油250克，水状太白粉15克，荸荠50克，醋、葱、姜、蒜、酱油、清汤、盐。

• 作法　①剥掉猪腰的皮，切开成两半，清除尿腺。洗后切0.3厘米宽的斜十子花刀，然后切成0.5厘米宽、3厘米长的小块，加水状太白粉12.5克和盐少许拌和。

将泡胀的木耳去根，将荸荠去皮，切片，青菜用热水烫过，切成3厘米长的段。葱、姜、蒜切碎。

②以强火热油，将猪腰放入。炸熟后立刻捞出（动作要快速，使猪腰不致黏住），然后，油15克入锅热之，葱、姜、蒜的碎末入锅稍微炒过后，将荸荠片、笋片、木耳、青菜放入，立刻加醋、酱油、清汤、水状太白粉2.5克，好好拌和，再滴上猪油即成。

⑷干　炒

干炒，也叫做干熏。将没有挂糊的小型材料和调味品拌和，放入八成熟（220℃）的油锅中快速翻炒。到外侧焦成黄褐色时，加副材料及调味品（大半是含有辣味的豆瓣辣酱、花椒、胡椒等），炒至全部卤汁被主材料吸收时，立刻从锅中取出。干炒菜的特征是香脆，并带有一点麻辣味。

实例36　干熏牛肉丝

• 材料　瘦嫩牛肉500克，芹菜50克，辣豆瓣酱30克，糖7.5克，青蒜段25克，辣椒粉5克，酱油10克，醋

5克，盐1.5克，绍兴酒15克，味精25克，姜丝（去皮）5克，花椒粉1克，花生油125克。

•作法　①将牛肉的筋削去，切成二分之一厚的薄片，再横对纤维纹路切成5厘米长的丝。将芹菜去根和叶，洗净，切成3厘米长的段。辣豆瓣酱磨成细泥。

②炒锅放在强火上加热，先用少量的润油锅子，次将花生油放入，六成热（170℃）时，将牛肉丝快速熏炒一分钟，加盐后继续熏炒2分钟。肉丝炒熟（变成枣红色）时，立即将辣豆瓣酱和辣椒粉放入，翻炒数次即成。

依序将酱油、糖、绍兴酒、味精加入，再将青蒜段和姜丝加入，约炒30秒（芹菜要熟要嫩）加醋，翻炒数次，盛入盘中，撒上花椒粉即成。

5．烹

烹，通常是将挂糊过的材料或未挂糊的小型材料，用强火热油炸成金黄色后，立即将锅中的油滤出（留下少量），再加调味料（一般是将各种调味品混合起来作成调味汁，不加太白粉）翻炒数次，出锅，即成。

材料挂糊的叫做炸熟，未挂糊的叫做清烹。适合于烹的东西有小型的段、块及带有小骨或薄壳者，例如明虾的段、鸡的块、鱼的块等。

实例37　烹虾段

•材料　明虾六条，植物油250克，醋、酱油、盐、糖、味精、绍兴酒、葱、姜。

•作法　①将带壳的明虾洗净（在背部切开虾壳，取出肠子），每条切成四段，葱和姜切丝。将酱油、醋、味精、盐、糖、绍兴酒拌和作清汁。

②以强火热油后，将虾段放入，炸成金黄色。立刻将锅中的油滤出，放入葱丝和姜丝，再加拌合好的清汁，煮沸，翻炒数次，取出，即成。

实例38　烹带鱼背

• 材料　大带鱼 500 克，绍兴酒 10 克，酱油 20 克，糖 20 克，米醋 20 克，干太白粉 50 克，葱花，姜末，蒜泥各 5 克，盐、麻油、植物油。

• 作法　用菜刀除去带鱼的鳞，再除去鳃、肠、背翅，用水洗净，切断鱼头。用菜刀从头到尾开成两半，去掉背骨，将鱼身切成 10 厘米长的段，再切成 10 厘米宽的条，放入盆中，加绍兴酒 5 克、盐少许，用手好好拌合，沾好后放置 10 分钟。

然后，拍上太白粉，挥动鱼条，将多余的太白粉挥掉（要拍粉必须在烹调时进行，否则材料内部的水分会被太白粉吸收，肉质变干燥）。炸熟后肉质会硬，同时，太白粉吸收了水分，会形成颗粒，油炸后材料特色是脆、嫩、畅。

在这数种方法中，炒用油量最少。大半材料都是以刀工处理后再炒，由于上述理由，炒被用于较广的范围。炒菜，如果材料不同，则火的大小和调味也必须各有不同。其特色是味鲜、柔嫩、脆酥、滑溜。

烹，也以油煎为基础，再以调了味的汁调理，要求快速的操作。与溜不同的是，烹所用的调味汁通常是清汁（不加太白粉）。但，溜的菜肴大半使用混汁（加了太白粉）。同时，烹的材料必须先用热油炸成金黄色。即所谓"逢烹必炸"，吃起来外侧脆酥，内侧柔嫩。溜的材料有的先炸，有的先烫、煮或蒸。

第五节 煎、煸、贴

1. 煎

煎，一般是以弱火热锅后，在锅底均匀洒上少量的油，将处理成扁平的材料放入，仍用弱火，先煎一面，再翻转煎另一面。等两面都变成金黄色后，加调味品，翻锅数次即成。

煎的材料，一般必须在煎前调好味，有时也挂糊，煎后，立刻出锅，不另用调味品调理，但可于吃时再沾调味品。煎菜的特色是外香内嫩。

实例39 煎鸡脯

·材料 带皮的嫩鸡肉300克，龙虾片15克，蛋白两个，猪油250克，干太白粉35克，酱油、绍兴酒、蕃茄汁、麻油、辣酱油、味精、糖。

·作法 ①鸡肉带皮，切成长2厘米、宽1.5厘米的块，与酱油、蛋白、干太白粉拌合。

热锅后，离火，将猪油放入，轻摇锅子，使油遍布锅底后，将多余的油倒出，加绍兴酒、蕃茄汁、味精、辣酱油、糖、麻油等调味料，再煎一分钟后，盛于大盘中。再将龙虾片用油速炸后放在大盘的周围即成。

2．煸

煸，一般是将挂糊过的材料，先用少量油及弱火煎到两面变成金黄色（也有用强火及热油快速炸的），然后，加调味料及少量汤汁。再用文火将汤汁煮干。一般而言，煸菜和煎菜一样颜色鲜明，但比煎菜更柔嫩，味道也更浓厚。

实例 40　锅煸鳜鱼

• 材料　鳜鱼净重 200 克，蛋一个，面粉 3.5 克，鸡汤 200 克，姜 7.5 克，绍兴酒 5 克，盐 0.25 克，味精 3 克，糊葱油 15 克，猪油 250 克，酱油 7.5 克。

• 作法　①将处理成 0.5 厘米厚的鳜鱼切成两片（每片重 100 克），用刀腹打软，在鱼片两面涂上酱油（约 2.5 克），再涂面粉。蛋一个打开放入锅中，将涂了面粉的鱼片放在蛋中沾满。

②将猪油放入煎锅，用强火热到八成热（220℃），将鱼片放入，炸约 30 秒，变成金黄色时取出。

③将汤用的单手锅放在强火上，放入鸡汤、盐、味精、绍兴酒、酱油 5 克、姜汁及鱼片。盖上锅盖，等汤沸后，改用微火，直到汤煮干时，加糊葱油即成。

3．贴

贴和煎大致相同，但贴在入锅后只煎一面，不翻转。贴菜是一面煎成香脆，一而保持柔嫩。一般是将两种以上的材料贴合，大多数要挂糊。特色是香、嫩。

实例 41　锅贴鱼

•材料　鳜鱼切片 150 克，肥膘猪肉 200 克，青菜叶数张，蛋白两个，面粉 50 克，干太白粉 50 克，猪油 500 克，香葱粒、姜末、盐、糖、花椒粉、味精、绍兴酒。

•作法　①将鱼切成厚 3 厘米、长 3 厘米的厚片。肥膘猪肉放入沸腾的水中，煮到七分熟时取出，切成宽 0.3 厘米、长 3 厘米的大小。青菜用沸腾的水煮过，切成同样长短。蛋白一个、太白粉 25 克，加花椒粉、香葱粒、姜末、盐、糖、味精，好好搅拌后，将鱼及肥膘猪肉，放入其中，整面挂糊，以猪肉片为底，其次为鱼、最上为青菜，叠成三层的片。

将蛋白一个、太白粉 25 克、面粉 50 克、水少许，拌和，将叠片放入挂糊。

②猪油入锅，热后倒出。将上述叠片排列在锅中（猪肉在下，青菜在上），将油及酒少量注入锅中周围。盖锅，直到肥膘猪肉贴成金黄色时，取出即成。

4. 煎、熻、贴三种烹调方法的比较

煎、熻、贴都是以少量油传热的烹调方法。共同的特色是作成的菜肴都呈金黄色，外香酥，内侧软嫩，有浓厚的油香味，冷热都能吃。材料是扁平状或厚片形，因为这种形状容易调味。

第六节　蒸

蒸，是用蒸气加热的烹调方法。在各种烹调方法中，蒸

是用得比较多的一种，不但用于制作菜肴，也用于材料的初步加工和菜肴的保温。

准备好蒸的材料（未加工的东西或已初步加工的半制品），加上适合的调味品、汤汁或水（有的东西不必加汤汁或水），再用蒸笼蒸之。蒸菜的火候，依材料的性质及调理的要求，各有不同。

一般而言，只要蒸熟而不要蒸烂的菜肴，以强火使锅水滚沸，以蒸笼蒸之，蒸熟后立刻取出，可保持美味及柔嫩。要费工夫加工的各种花色菜，则依其需要，以中火徐徐的蒸之（如果以强火蒸，则稍打开蒸笼的盖子），以使形状不致溃烂，并保持其色及美。

蒸的菜肴，如同以水加热的情形，材料本身的汁不会轻易溶于水中，同时，由于蒸笼中的水蒸气达到饱和点，所以菜肴的汤汁不会如用油加热的情形那样大量蒸发。因此，一般精工细致的菜肴多用蒸法制成。

蒸的菜肴有清蒸和粉蒸两种。

实例 42　清蒸鲥鱼

•材料　带鳞的鲥鱼 750 克，火腿 30 克，竹笋 60 克，泡过的香菇 15 克，猪网油（生）75 克，姜，葱各 15 克，绍兴酒 30 克，鸡汤 100 克，盐、糖、虾干、胡椒、猪油、味精。

•作法　①带鳞的鲥鱼一整块（鱼的中间部分）用菜刀切成两半。在切开面，沿着背脊肉厚处斜切 2~条切口，不可伤及鱼皮和鱼鳞。用清水将血洗去，再用干抹布将水擦干。

②将鱼块在沸腾的水中一烫，除掉腥味和鳞上的污物，再用清水清洗一次，放入鱼盘中。（合成原形，横放，鳞面

向上）。

其次，将火腿片、香菇、竹笋片，以花形排在鱼上，加猪油、绍兴酒、糖、盐、虾干、鸡汤，用猪网油掩盖，猪网油上面放姜、葱。放入蒸笼，以强火蒸10分钟（放入蒸笼前，蒸笼必须以充分的蒸气蒸着，蒸的途中也必须保持一定的强火，如此就不会有腥味）。

③从蒸笼取出时，姜、葱要用筷子夹出。将鱼的蒸汁滴在另一个碗中，加味精和胡椒，好好拌合后，再浇在鱼上即可。

实例43　粉蒸肉

• 材料　带皮猪肋条肉500克，糯米粉、粳米粉各125克，甜面酱50克，酱油、绍与酒、糖、葱、姜、五香粉。

• 作法　①肋条肉切成长5厘米、厚0.5厘米，仍带皮。糯米粉和粳米粉炒到变成黄色。

②将肉浸在甜面酱、酱油、绍兴酒、糖、葱、姜、五香粉等调成的调味汁中，短时间即取出立刻涂上炒米粉。然后，带皮的一面向下，整齐地排在碗中。上蒸笼蒸约2小时，当皮变膨胀而柔软，肉变柔嫩时，将碗伏在盛盘上将肉扣出，盛于盛盘即成。

第七节　烤、盐焗、煨烤、熏

1. 烤

烤，是将生材料腌渍或加工成半成品后，放入烤炉中，使用柴、木炭、煤或瓦斯等燃料，利用辐射热直接烤熟的方法。依烤炉的设备及操作方法，烤可分为暗烤炉及明烤炉两种。

(1)暗炉烤

暗烤炉，是将材料挂在烤钩（针）或烤叉或放入烤盘中，然后关闭烤炉烤熟食物。一般生的材料多半用烤钩或烤叉，半加工品含卤汁者，用烤盘。暗炉的特点是能保持炉内的高温，材料的周围均等受热，容易熟到内部。暗烤炉的菜肴特别多，例如北京"烤鸭"、广东"叉烧"等都是。

实例44　叉烧·材料　去皮瘦肥各半猪肉5千克，盐75克，糖315克，豆酱75克，汾酒150克，深色酱油50克，浅色酱油150克，糖浆（麦牙糖、熏腊、绍粉酒、太白粉拌合而成）500克。

·作法　①将猪肉切成长40厘米、宽4厘米、厚0.2厘米的块状，放入素烧桶中，加盐、糖、浅色酱油、深色酱油、豆酱、汾酒，搅拌，放置45分钟左右，再将肉穿于叉烧环上，整齐排列。

②将肉放入烤炉，用中火烤约30分钟（烤时，要移动使其两面都烤到。瘦肉部分有澄清的液汁出来时，即表已烤熟）。取出，冷置约三分钟，均匀浇上糖浆，再入烤炉，烤二分钟即成。

实例45　烤大肠

·材料　猪大肠1千克，猪油30克，味精1克，植物油500克，深色酱油30克，鸡汤200克，葱、姜、盐、醋。

·作法　①将大肠里外翻过来洗涤，用盐和醋擦洗干净，再用细绳绑住肠的两端（防止肠油流出，同时防止污物进入）。放入沸水锅中，煮软后取出，切成两半。

②用强火热锅。将刚才浸在酱油中的大肠，放入热油中，炸到变成金黄色时，取出，然后，放入烤盘中，加味精、酱油、猪油、烫及葱、姜，将烤盘放入烤炉中，烤约七分钟取出。切宽 0.5 厘米，长 3 厘米的大小，盛于盘中即成。

(2)明炉烤

明炉烤普通用广口的火炉或火盆，将铁架放在炉（盆）上，烤时必须用烤叉刺入材料或将材料放在烤盘上，再将其放在铁架上，一面翻转一面烤即成。

明炉烤的特色是设备简单，火的大小非常容易掌握。但，因为火力分散，火很难平均通过材料，所以时间相当长。总之，在烤小型的扁平材料或以大型材料的一部分烤烧的情形时，都比暗炉烤（密闭烤）效果良好。例如北京的烤牛肉；扬州的烤方（烤方肉）等，全都用明炉烤。

实例46　烤肉

• 材料　羊肉（或牛肉）500 克，葱 150 克，香菜（洗净并消毒）50 克，绍兴酒 10 克，酱油 75 克，姜汁 40 克，味精 5 克，糖 25 克，麻油 30 克，羊尾油。

• 作法　①羊肉的选择法和润羊肉基本上相同。羊肉的筋、肉枣（肥肉中形成的椭圆形结节）、骨底筋膜等必须除去。然后放入冷藏库或冰箱冷冻（使肉的组织变硬，易切）。

将肉切成薄片（烤肉的烤盘温度极高，所以肉片不可切得太薄）。500 克的肉可切成 50 片左右，然后将肉片横切二次，切成三段，香菜切成 1.5 厘米左右的长度。葱切成 3 厘米长的斜丝。

②烤盘（铁制烤网）烧热后，很快涂上生的羊尾油。将酱油、绍兴酒、姜汁、糖、味精、麻油（有时加蛋）等一起

195

放入碗中，好好搅拌。肉片稍微浸一下调味料。接着将葱丝放入烤盘，把浸好的肉放在葱丝上面。

一面烤，一面用特制的竹制大筷子（长5分米）搅拌。葱丝烤软时，将肉和葱丝摊匀。加香菜，继续翻转，直到肉呈白色（牛肉则呈紫色）时，盛于大盘即成。

2. 盐焗

盐焗，是将生的或半生的材料盐渍、阴干，用薄纸包里，埋入炒热的盐中焗热的一种烹调方法。盐焗菜是广东菜的独特风味之一，其特色是皮脆、肉滑、骨香、味浓。

实例47　盐局鸡

• 材料　肥嫩母鸡1只（约1.4千克），姜片4克，葱丝10克，香菜（消毒过的）2.5克，花生油15克，砂纸2张。

• 作法　①炒锅以小火加热，将精盐4克放入，盐热后，将沙姜末放入，好好搅合后取出，分盛在三个碟子中。每个碟子放入溶解的猪油15克，作成沙姜末油盐，将猪油75克、精制盐5克、麻油、味精调合作成佐料汁。一张砂纸涂上花生油备用。

②鸡洗净，吊起来阴干，把趾爪和嘴的硬部除去，翅膀的两旁切一下，头骨稍切一下（不可切断），将精制盐3.5克均等涂入鸡的腹腔。加姜、葱、八角末，先用未涂油的纸好好裹住，再用涂油的砂纸包裹。

③炒锅以强火加热，将粗盐入锅煎成热盐（盐稍呈红色程度），将其四分之一取出放入炒锅。鸡放在盐上，然后将剩下的3/4盐盖在鸡的表面上。盖上锅盖，以文火焗之（约

196

20 分钟）。

将鸡取出，除掉砂纸，剥皮，肉揪成块状，拔掉骨头，放入佐料汁中，搅拌后，放入碟子中（骨在下，肉在中，皮盖在表面），堆成鸡形，香菜放在鸡的两旁，再加上沙姜末油盐即成。

3．煨烤

煨烤是一种独特的烧烤方法，又叫做泥烤。烤时，先将材料盐渍，用猪网油、莲叶等包住表面，再用黏土密封，牢牢包装之后放入火中烤熟。因为是将材料密封而烤，所以作成的菜肴味美而芬芳扑鼻，具有独特的风味。

实例 48　杭州煨鸡（叫化鸡）

•材料　嫩母鸡 1 只（重约 1.5 千克）、猪腿肉（肥瘦各半）75 克，猪网油 250 克，冬菜 25 克，大葱 100 克，葱段 5 克，姜丝 5 克，山奈 2 克，八角茴香 1 克，绍兴酒 75 克，酱油 25 克，辣酱油 25 克，糖 7.5 克，盐 175 克，花椒盐 10 克，味精 4 克，猪油 25 克，莲叶四张，粽子用大竹叶 2 张，透明纸大的一张，旧报纸一张，细麻绳 4 米，酒坛泥（酒坛封口用泥）3 千克，绍兴脚（绍兴酒的沉淀物）100 克。

•作法　①选未产卵的嫩鸡一只，去头后，以 70℃左右的热水烫过，拔毛，洗净后，在左肋下切一寸的切口，取出内脏，用水洗净后，切掉脚趾，拔掉翅膀前端的主骨和上腿骨。用菜刀背敲打翅膀前端数次。

腿肉的内侧切纵口（使调味料能从切口渗入肉中）。头骨根部下面的颈骨用菜刀背敲打数次，将颈骨打碎（皮不可弄破，煨时皮要能包住肉）。

②腌制……山奈、八角磨成粉状，放入陶碗中，加绍兴酒 50 克，酱油、盐、糖 15 克，味精 1.5 克，葱段、姜丝好好拌和。将鸡腌入其中 15 分钟（其间翻转二、三次），让调味料沁入。

③炒辅料……猪腿肉和大葱切丝。炒锅用强火加热，用油使锅子滑润后，将猪油放入，将葱丝和肉丝放入。炒至半熟，再加冬菜、绍兴酒 25 克，味精 2.5 克，炒熟后移到盘中。

④包扎……将炒熟的辅料用筷子挟起，从肋下的切口塞入腹中，同时将渍汁注入腹中。脚弯到胸部，头折入其间（紧贴住胸部）。翅膀向下折曲，抱住头和脚。用猪网油包住整只鸡。然后，进行四层包装。第一层、用两张荷叶包住（最好是新鲜的荷叶，用时以水洗净，浸热水，使其柔软），第二层，用一张透明纸包住（使卤汁不致渗出），第三层，用两张荷叶包住（以保护透明纸），第四层，用两张竹叶包住。然后，用麻绳绑两个十字，缠成线团，绑成鸭蛋形。

⑤涂泥……酒坛泥弄成粉状，箍掉不纯物。加绍兴酒、盐 110 克、水 500 克，揉合，平放在湿布上，将包好的鸡放在泥的中央，提起布的四角紧包起来，（涂泥要均一，各处都厚 3 厘米。如厚度不均一，则会煨焦或半熟）。用沾水的手敲打布的周围，使泥紧贴住麻绳，然后拿掉湿布，用报纸包住，使煨烤时泥土不致掉落。

⑥煨烤……用柴或炭作成炭火堆，中间挖下，鸡放入凹处，上面加炭火，掩盖住鸡。再在其上用旧铁锅盖住，以微火烧约 4 小时即熟。煨烤时，要常常翻转里外，便煨烤平均。发现泥包破裂时，立刻修补，以防止漏气、漏油或烧焦

（用炉灶或炉子煨烤亦可）。

吃时，煨鸡放在盘子上，另外放一个椭圆盘在桌上。敲落泥巴后，剥掉荷叶，将透明纸轻轻拿掉，鸡和汁移到椭圆盘中即成。上桌时，另备花椒盐、辣酱油各一碟，沾着吃。

4. 熏

熏有生熏和熟熏两种。生熏是将洗过的材料放在调味料中经一定时间后放进熏锅中，以熏料（例如锯末、茶叶、甘蔗皮、糖等）燃烧时所生的烟熏制。熟熏大多是经过蒸、煮、炸的熟料处理。

在材料的选择方面，生熏要选新鲜、柔嫩、易熟者，例如扁平而薄的鱼等。熟熏的材料是家畜的一部分，如整只鸡鸭、蛋或油炸过的鱼。熏菜的特色在其香气和色泽。

实例49　生熏白鱼

•材料　白鱼750克，绍兴酒15克，酱油40克，盐5克，糖20克，味精1.5克，麻油10克，姜少许，葱数支，青菜。

•作法　①白鱼洗净，沿着鱼腹和脊椎用菜刀切上下两条切口，使调味能沁入。鱼切成两半，头的那半稍长，尾的那半稍短。然后加绍兴酒、盐、酱油、糖、味精、葱、姜（切碎片），浸上2～3小时。

②准备一个锅子，将锯末100～150克和水一杓放入锅子，搅拌好。圆形金属网一张放在锅中，青菜排在金属网上，以防止鱼熟后黏附金属网。葱数条排在青菜上，再把渍好的白鱼放在其上，盖紧锅子，使烟不致漏出。

锅子放在火上，先放水和锯末使沸腾发出热气，直到锯末的水分快干掉时，白鱼大致已熟。然后将锅子烧红（约4～5分钟），锯末冒烟时，一只手抓糖10克，一只手打开锅盖，立刻将糖撒到锅子周围，快速盖上，锅中冒出浓烟，用此烟熏鱼，1～2分钟就可取出。鱼放在盘子上，撒上麻油即成（通常放冷后才吃）。

实例50　熏蛋

• 材料　大鸭蛋25个，湿过的红茶叶50克，红糖50克，香葱200克，麻油、椒盐。

• 作法　①鸭蛋用水洗净，放在装满水的锅中（蛋不可露出水面），用文火将水未煮沸后，锅子离火，蛋在锅中暖五分钟，使蛋白熟硬，蛋黄未硬，然后移到盛满冷水的器皿中冷却，轻轻敲破，剥掉蛋壳（蛋黄未硬，所以不可打破蛋白）。

②准备一个大铁锅，将湿茶叶和糖放在锅边。锅中放一张粗眼的铁网，其上排列葱、再其上放鸭蛋，锅盖盖上，用微火蒸，锅中的糖和茶叶冒浓烟时，离火，暖1～2分钟后取出，沾上麻油后，切成两半，椒盐撒在切口即成。

第八节　卤、酱、拌、炝、腌

1.卤

卤，是先作卤汁，将材料放进卤汁中，用微火慢慢煮，使卤汁渗入，而材料软嫩欲溶。卤过的老卤，有贮起来的必要。卤汁减少时，每次都要补充调味料和水。卤汁的保存期间越长，香气越浓，味道越深。

卤汁的材料配方因地而异，例如广州的作卤，分红、白二种。

红卤的配方是热水5克，良质酱油1千克，绍兴酒500克，冰糖750克，盐75克八角茴香，甘草，桂皮，草叶各25～30克，沙姜、花椒、丁香冬15克。

白卤的配方是热水鸡5克加盐约250克，其他香料及药材（汉药）与红卤相同，但一般而言，不加冰糖亦可。

江浙和北方作卤所用的药料相当少，但葱、姜、红曲的份量加多。其配方的内容是热水5千克，上好酱油1千克，盐125克，精制细糖1千克，绍兴酒750克，葱250克，姜125克，八角茴香，桂皮各75克，红曲200克。

卤汁的作法是香料用纱布带包住，袋口缚紧，放入热水中，加酱油、酒、盐、糖等调味料（如果使用红曲，要浸炎2次，包在袋子中），用中火煮沸。香气出，红卤的颜色变成紫酱色即成。将此用于各种食品的卤味。

第一次制卤，用鸡肉或猪肉调各的新鲜汁和香料、调味料一起煮成，但是，以后要增加卤量时，不必再制新鲜的汁。卤汁顺利制好后，有常常保持清洁的必要。要除油、滤过、煮熟放冷等等。贮藏时，不可摇动容器，更不能加冷水。

实例51　卤鸭

·材料　肥鸭二只（每只重约1.5千克）卤汁2千克，糖、味精。

·作法　鸭头切掉，羽毛拔光，用水洗净，取出内脏。在汤锅（作汤的桶子）中煮到6分熟捞出，移到卤汁的锅中。用微火煮熟后捞出，除掉浮灰汁。然后，在鸭子的表面涂上很浓的卤汁（汁的原液加味精和糖，煮到卤汁变浓为止，酿出浓厚的甜、咸、鲜香味）。鸭肉切块后，再排成原来的鸭子形状即成。

2. 酱（渍后熬）

酱的制法大致和卤相似，不同的是，酱的材料盐渍后，再渍在酱油或豆瓣酱中，或渍后在酱油、糖、酒、香料等调合制成的卤汁中熬，而将卤汁用微火熬干。酱的卤汁大多是每次作成，一般不预先贮存（卤汁熬浓，涂在食物表面）。

实例 52　五香酱牛肉

•材料　牛腿肉 2.5 千克，盐 250 克，酱油 300 克，糖 150 克，芹菜 125 克，八角茴香，桂皮各 30 克，硝，五香粉，姜片，食红。

•作法　①沿着牛肉的筋将两端不整齐的肉切掉，切成一个长方形块，撒上硝和盐，在木板上将其周围反复力揉后，渍在缸中（渍的时间，天气暖和时约 1 日，寒冷时约 2 日）。

②渍完的牛肉用水洗濯，浸入沸水中数分钟。洗去血糊，切成较大的块。

③牛肉放入锅中，加冷水（约 2 千克）、酱油、糖及芹菜（绑成一束），再加用布包裹的八角和桂皮、五香粉、姜等，一起煮到沸腾。捞掉浮泡，加食红，使汤汁变成玫瑰色，移到文火上，熬 30 分钟后，取出芥菜，再熬约 2 小时（每小时翻转牛肉一次。老牛肉则多熬一小时，使其变嫩），直到卤汁熬干即成。

3．拌

拌菜，一般是将生的材料或煮过放冷的材料切成丝、条、片、块后，再加调味料搅拌而成。调味料主要是酱油、醋和麻油。因各人喜好，亦有加糖、蒜末、姜汁、辣椒酱、花椒面、芝麻酱等调味料者。但无论放何种调味料全都是为了获得其芳香和清爽的味道。

拌菜之中荤料（动物性材料）多半先煮或烫过，放冷后拌和。但是，也有热时拌和，放冷后吃的作法，例如"拌肚丝"、"拌虾片"就是。拌素菜（植物性材料的拌菜）除了使用熟料以外，也可以使用生料。作生料时，材料全部要用热开水或消毒水消毒后，切小再拌和。

实例53　拌黄瓜

·材料　黄瓜250克，虾米5克，香菜5克，酱油、醋、麻油、味调。

·作法　①黄瓜用热开水洗清或用过锰酸钾消毒后，切丝。香菜切段（切成适当长度），虾米用热开水浸泡。

②黄瓜丝放入大碗中，加虾米、香菜、酱油、麻油，拌和即成。

4．炝

炝菜，一般是将切成丝、条、片、块的材料，在沸水中轻煮或用温油（100℃）很快炸过后，将水分或油分沥干，乘热（或放冷后亦可，但乘热调味料比较容易渗入，视烹调上的需要而定。）和花椒油、花椒面或鲜花椒为主的调味料拌合，放置一会儿，等调味料渗入材料即成。

炝菜的特色是新鲜柔嫩，味道畅快。

炝菜和拌菜不同点是拌菜要加很多酱油、醋、麻油（通常叫做三合油）等调味料拌合，炝菜则加很多花椒油等调味料拌合。又，拌菜大部分用生材料或熟材料放冷后作成，而炝菜大多将熟料剩热或放冷后拌合。有几样拌菜，为了消除臭味有必要拌和花椒面。

又，有几样炝菜也使用生的材料，例如"炝黄瓜"、"炝茭白"、"炝虾"等。所以，有些地方将拌菜和炝菜当作同一调理法。

实例 54　虾子炝芹菜

•材料　芹菜 250 克，虾米 2.5 克，玉兰片（笋干）50克，花椒油、盐、味精。

•作法　①芹菜去根和叶，洗净，切成段。笋干切成小象眼状（棱形），虾米用开水泡过，沥干，在热花椒油中很快炸过。

②芹菜和笋干放在热开水锅中，煮到八分熟时捞出，浸在水中冷却，沥干，将炸过的虾米和花椒油倒在芹菜和笋干上，加盐和味精，放置一会儿即成。

5．腌

腌的方法很多，有盐腌、醉腌、糟腌等。兹简单介绍腌后立即可吃的作法。

(1)盐腌

盐腌是将盐搓入材料，或将材料浸在盐水中的腌制法，是制法中最基本的方法。其他腌制方法，也都要经过盐的过程。盐腌的食品。水分渗出，盐分沁入，很脆，能保持素材的柔嫩和整洁。

实例55 辣白菜

•材料 白菜 500 克，酱油 15 克，盐 15 克，糖 10 克，醋 10 克，麻油 50 克，干辣椒 花椒、姜、泡辣椒。

•作法 ①白菜洗净，切成 1.5 厘米长，姜和泡辣椒切成细丝。

②切好的白菜腌在 3% 的食盐水中，2 小时后取出，沥干盐水，放在盘中。将姜丝，泡辣椒加于其上。然后加麻油、干辣椒、花椒等拌和，煮沸后浇于其上，再加糖、醋、酱油搅拌即成。

⑵醉 腌

醉腌是以酒和盐为主要材料的一种腌制法。将活的东西用酒腌死，不烹煮，立即可食。醉腌从材料上可分为红醉（用酱油）和白醉（用盐）两种，从材料加工过程则可分为生醉和熟醉两种。生醉是将活的东西直接腌制，熟醉是将经过初步加工的半制品腌制。但是，生醉的制造过程，必须严防病原菌的污染。

实例56 醉蟹

•材料 活的雌毛蟹 5 千克，盐 1 千克，花雕绍兴酒 500 克，花椒 10 克，冰糖屑（碎冰糖）200 克，香葱 150 克，老姜 150 克，陈皮五个。

•作法 ①活毛蟹洗净，放入竹笼中，捆紧，使不能动，在阴凉处放置半日，让蟹腹中的水分吐出。移到干燥清洁的平底瓶中，用竹篓紧紧盖住，使不能动或跳。加淡盐水，放在阴凉处。

②锅中置水 5 千克和盐、葱、冰糖屑、花椒、陈皮拌和

煮沸后，离火，完全冷却后，加绍兴酒，好好搅拌，再注入瓶中（要将蟹全部浸到）。2~3小时候后，将冷的盐水注满瓶子，盖起来，腌三日即成。

腌在瓶中时，除了上述做法外，将葱、碎姜和花椒放入瓶底，然后将盐少许、丁香一粒放入蟹腹中，其后与上述作法一样，将瓶子倒过来，放置5~6小时，让蟹腹中的水吐出来，将瓶子扶正，加绍兴酒和冰糖屑等，再度盖上，七日后即成。用此法醉制后的蟹肉呈金黄色，香醇，超越一般白醉。

(3)糟　腌

糟腌是以盐和香糟卤为主要调味料的腌制法。一般是材料用盐腌制后，再用糟卤腌着。冷菜类中的糟制品大多在夏天吃，其味清新而畅快。

实例57　红糟鸡

·材料　重1千克的嫩雌鸡一只，萝卜400克，盐2.5克，红糟7.5克，高粱酒50克，鲜辣椒1个，糖45克，白醋50克，味精、五香粉等各少许。

·作法　①鸡颈切开，除去内脏，用水洗净，脚爪切掉，放入热开水锅中煮约20分钟，等鸡腿部分的肉露出时，即熟，将鸡取出冷却，然后将鸡头、翅膀、腿切断、鸡身拉裂成四块，头切成两半，翅膀和腿各切成两段。

萝卜洗净，剥皮，切成四块，两面切十字花刀。

②鸡皮放入大碗中，加盐15克、高粱酒、味精少许，搅拌后密封，腌上2小时（其间要上下搅动一次），然后，加红糟、盐各10克、冷开水125克和五香粉、糖、味精各少许，再腌一小时。然后取出，轻轻擦去红糟，鸡肉切成长2厘米、宽1厘米的柳叶状小片，排在盘子上。

③萝卜的小块先用 3% 的盐水腌 20 分钟后，用水洗净，沥干，放在碗中。将切丝的辣椒和糖 40 克、白醋放在萝卜的碗中腌上约 20 分钟即成（糖醋萝卜），吃时，取出萝卜，用手撕成小块，夹鸡肉一起吃。

第九节　拔丝、挂霜、蜜汁

1．拔丝

　　拔丝（亦叫做拉丝），主要是将糖放入锅中加热溶解成有黏性的糖，然后和材料拌合，做成拉丝似的一种甜菜。材料多使用水果、果干根菜、茎菜类，作成小块、片或丸子。

　　一般是将材料涂粉或挂糊后，放入热油锅中炸到内嫩外脆且硬的状态（或用蒸、煮）。然后，在糖里加水（水拔）或油（油拔），热至能拉丝为止（此时糖变成黄色），将刚刚炸好（或煮熟、或蒸熟）的材料放入糖中，沾上糖浆即成。拔丝的特色是脆、香、嫩。

　　实例 58　拔丝蜜橘

　　•材料　无核蜜橘约 300 克，蛋两个，糖桂花 1.5 克，芝麻 5 克，糖 150 克，湿太白粉 1.5 克，质佳的白面粉 60 克，麻油 10 克，猪油 1 千克。

　　•作法　①橘子剥皮，分成一瓣一瓣剥去薄皮，沾上面粉放着。芝麻煎好放着。蛋打入碗中，加面粉 50 克和湿太白粉，加水 25 克，搅拌，作成蛋糊。

　　②锅热后，将猪油入锅，以强火煎至六成熟（170℃）。

207

橘子一瓣一瓣挂糊，油炸至糊变成壳状，用漏勺捞出，备用。

③另备一个锅子，将猪油 10 克放人，加糖，放在中火上，不断搅拌地炒，让糖和油溶合。熬约一分钟，等糖汁有了黏性（以铁勺拉糖汁，要伸展成一条线状即可，但不可变焦），立刻将橘子放入强火的油锅中轻轻一炸。

然后，迅速地移到糖油锅中，翻转数次，使糖油包住橘子。以麻油涂盘子至盘缘，将芝麻一半撒上，再将橘子盛在盘中，将剩下的芝麻和糖桂花撒在其上即成（吃时，筷子须沾水，以免黏上糖汁）。

2. 挂霜

挂霜是将材料切成块、片或丸状，先油炸，后沾糖挂霜。挂霜有两种方法。

一种是刚刚炸好的材料放在盘中，将糖从上面直接撒下。另一种是糖加少量的水或油，熬到溶解后，将刚刚炸好的材料放进去，搅拌后取出。冷却后，在其表面撒上一层糖霜（有的是在冷前放在糖中，以搅拌使糖沾满全身）。

挂霜时，煮糖的火势大小，只要是拔丝完成前的状态即可，挂霜菜的特色是外侧白如霜雪，又脆又香。

实例 59　挂霜排骨

•材料　猪排骨 250 克，湿太白粉 100 克，蛋白二个，盐 0.5 克，糖 150 克，绍兴酒 15 克，金橘饼 5 克、糖桂花 0.35 克、猪油 500 克。

•作法　①金橘饼切碎，排骨切成长 2 厘米的块状，加绍兴酒和盐，搅拌后，加湿太白粉（除去水分）和蛋白。搅拌成滑溜溜状。

②炒锅放在强火上，将猪油放入，六成熟（170℃）后，将排骨放入，等排骨变成金黄色时，移到漏杓中，将油沥干。

③炸排骨的同时，将另外一个炒锅放在小火上，放入水50克，入糖，熬到糖冒泡时（不可拉线），放入排骨、金橘饼、桂花，锅离火，翻锅两次，以使糖汁均匀黏在排骨上，然后移至大盘。排骨一块一块分离放置，冷后即成。

实例60　挂霜蛋块

• 材料　蛋4个，植物油500克，干太白粉100克，糖150克，蛋白两个。

• 作法　①蛋打开，加太白粉50克，搅拌。以强火热锅后，加少许油，将搅拌好的蛋倒入，煎成0.3厘米厚的薄片，两面稍硬时出锅，切成长约3厘米的斜方形块（棱形）。

②蛋白和太白粉50克搅合作糊。

③锅中放植物油500克，六至七成熟（170℃～180℃）时，将挂了糊的蛋块放入，炸成金黄色时取出，放在盘中，撒上糖即成。

3．蜜汁

蜜汁是有汁的一种甜菜。一般有两种作法。

一种是先将糖少量用油炒，加水（加蜂蜜少许更佳）溶解。然后放入主材料，熬至主材料熟糖变浓（冒泡），即成。此种作法适合于熬后容易变软嫩的材料，例如香蕉、山芋。

另一种是将主材料和糖或冰糖屑（加蜂蜜更佳）一起蒸后，熬到糖汁变浓（有时亦加少许太白粉，予以上浆），将其浇在材料上即成。此法适合于熬干后仍很硬的材料，例如火腿、莲子等。蜜汁菜的特色是糖汁芳香，甜而黏糊糊。

实例61　蜜汁红芋

• 材料　红芋1千克，蜂蜜20克，冰糖125克。

• 作法　①红芋（窖藏后出"汗"，心为橘黄色的番薯，橘黄心红芋最佳）洗净，去皮，切成两端尖形的水果形小块。

②砂锅底铺上竹帘（防止红芋黏住锅底）放入水200克，放在中火上。加冰糖煮到溶解，将红芋、蜂蜜放入，煮沸。

除去灰水，移到小火上，焖二小时左右。汁变浓而有黏性时，先将红芋捞出，分开放在盘子上，排成花瓣形，浇上原汁即成。

实例62　蜜汁火方

• 材料　带皮熟火腿一块（约300克），莲子50克，糖，樱桃五个，糖青梅一个、糖桂花15克，绍兴酒50克，冰糖150克，干太白粉15克。

• 作法　①莲子用50度的温水浸一小时后去薄皮，用牙签剜掉其心，备用。

②用菜刀刮掉火腿皮上残留的毛和污物，从肉的另一面切入，切成12个小角（皮不切掉），放在碗中，加满水，再加酒25克、冰糖50克，放在蒸笼中用强火蒸1小时。蒸到八分熟时，将蒸汁滤去，加酒25克、莲子、冰糖75克、水100克，再用强火蒸90分钟，等莲子变成黏糊糊而柔软时，从蒸笼中取出。

先从碗中滤掉蒸汁后，将火方（方形火腿）倒入高脚汤盆中（皮在上）。

③炒锅放在强火上，加水 50 克、冰糖 25 克，并将蒸汁倒入（沉淀的糟粕不予使用），煮沸后捞掉糖的灰水。太白粉加水 25 克，拌合均匀，上一层薄浆，浇在火方上。莲子放在其上，摆上樱桃、青梅和糖桂花作装饰即成。

4. 拔丝、挂霜、蜜汁等烹调法比较

基本上都是将糖浆浇在主材料上熬或蒸。材料有水果、果干、根茎菜类、肉类、蛋类等。拔线或挂霜时，先将材料的皮、核、骨等除去，再切成片、块或作成丸子，然后进行烹调比较好。作蜜汁菜时，不一定要重新切过。

这三种烹调法，各要注意火的大小，糖卤（浆）必须适当地熬，不可熬过度，也不可熬不够。例如拔丝时，如果熬过度或熬不够，就不能拔丝，挂霜和蜜汁的糖汁如果熬过度，会带苦味，颜色也变坏。这三种甜菜各有特色。拔丝要趁热吃，挂霜要冷后吃。蜜汁菜趁热吃或冷后吃均可。

第十节 装 盘

一、装盘的目的和食器的配合

1. 装盘的目的及意义

装盘是将已烹调妥当的菜肴，排在器皿中，这是一连串烹调过程中的最后一个步骤，装盘后即可上桌食用。装盘技术乍看之下似很简单，事实上如何使菜肴的形状、色调美观且合乎卫生却也是一门学问。装盘技术属烹调技术之一，绝不能草率。装盘要合于下列几个基本条件。

(1)注意清洁，考虑卫生。

菜肴因烹调而杀菌消毒。如果在装盘时，不重视清洁和卫生，让尘埃或细菌附着，则失去了烹调意义。为了菜肴的清洁和卫生，要实行以下各点：

· 菜肴必须装在消毒过的器皿中。

· 不可直接手触做好的菜肴。

· 装盘时，不可用勺子敲锅子。锅底不可接近盘子。否则，锅底的烟灰或油垢容易落到盘中。因此，装盘时，锅子和盘子要保持一定的距离，不可过于接近。

· 菜肴装盘时，尽可能避免让卤汁的糟粕或汤汁滴落在盘子的周围。更不可用未消毒的抹布擦拭盘子的周围。消毒过的器皿要避免污染。

⑵菜肴要装满盘子，且要使主材料醒目

装盘时，应该使盘中的菜肴丰满而有韵致（有几种菜肴，例如"生烟草头"、"炒鳝糊"等，在装盘时中央要凹下去，扒的菜肴要平坦）不可任意草率从事。要避免某处高而某处低或某处多而某处少的情形。

使主材料醒目也很重要。菜肴中如果有主材料和副材料，则装盘时，应该使材料显眼，让副材料衬托主材料。例如"回锅肉"，主材料是肉片，副材料是青椒和橄榄菜，装盘时如果让绿色的橄榄菜和青椒衬托金黄的肉片，使客人一看，便觉悦目万分。如果装盘时，盘子上只见青椒和橄榄菜，则本末倒置，无法使客人满意。

就是单一材料的菜肴，也应该注意使材料显眼。例如"清炒虾仁"，虽然盘中都是虾仁，但是，装盘时，要运用装盘的技术，让较大的虾仁放在上面，以提高菜肴的丰盛感。

⑶要注意菜肴色、形的美观

装盘时，应该运用装盘的技术，用心于主材料在盘中所占的位置，使材料色丽形美。例如"下巴划水"让划水（青鱼的尾部）在盘中交叉排列；"红烧肚裆"（青鱼的肚）则呈同方向排列，极为美观；又例如"南乳汁肉"要用绿叶围着周围和两端。如此，则色调鲜明而美观。

⑷菜肴分开装盘时，各盘必须平均

如果一锅菜要分成数盘装盘时，要先预测一盘的份量，使各盘份量大体相同。并使各盘的主材料和副材料的份量大约相同。如此，则不会影响菜肴的品质。

2. 装盘器皿的种类

菜肴装盘时的器皿样式非常多，大小尺寸各种各样，使用方法也因地不同，一般而言，有下列几个种类。

(1)腰　盘

也叫做长盘。椭圆形，形状像腰子（猪肾），所以叫做腰盘。有各种大小尺寸。小的可用于客饭，中的可装炒菜，大的常用于鸡、鸭、鱼、鱼翅及宴席冷菜等的装盘（圆盘有大小各种尺寸，用途全都与腰盘相同）。

(2)汤　盘

烫盘的底较深，主要用于装烩菜或有卤汁的菜肴。份量多的炒菜、"炒鳝糊"等也常用汤盘。

(3)汤　碗

汤碗用于装汤。有盖的汤碗，叫做"磁品锅"，用于装鸡鸭类的菜肴。

(4)扣　碗

扣碗专装扣肉、扣鸡、扣鸭。此外，有一种叫做扣钵的，用于装整只鸡、鸭或蹄。

(5)砂　锅

砂锅是加热工具，也可当上桌的盛具。特征是传热效果良好，所以适于炖、焖等需以小火加热的烹调法。煮熟后，可直接上桌，热不易散失，有保温效果，适于冬季使用。

(6)暖　锅

暖锅有铜、铝、锡等数种材料。圆形，中央有小炉室，适于装炭火，可保锅中的温度。有一种叫做"菊花锅"的，以甲醇为燃料，从四方出火，可以煮沸锅中的汁。暖锅可以放在桌上，一边将材料放入锅中煮，一边吃。一般用于冬季。

(7)品　锅

品锅也有铜和锡两种，具备各种大小尺寸，有盖。可将一只鸡和鸭及整个蹄一起放入锅中加热。由于三种材料可在锅中排成品字形，所以叫做品锅。可直接上桌。但现在已很少使用。

3．食器和菜肴的配合

菜肴作成后，各自装在盘、碗中上桌。不同的盘、碗，对菜肴有不同的影响。一道菜肴装在适当的盛具中，可增加菜肴的调和感与美感，使人望而垂涎，因此，菜肴装盘时，盛具的考虑是必要的。一般而言，盛具与菜肴的适当配合，要注意下列各项。

(1)盛具的大小要配合菜肴的份量

份量多的菜肴要用大些的盛具，份量少的菜肴要用小些的盛具。如果份量少的菜肴放在大的盘、碗中，则菜肴只占盛具的一部份，令人感到份量不足。如果份量多的菜肴装在小的盘、碗中，则会使人觉得拥挤压迫，甚至溢出卤汁，不但难看，而且影响清洁和卫生。

因此，盛具的大小要适合菜肴的份量。一般而言，装盘时，不要把菜肴装得达到盘的边缘，要装在盘的中心圈内。装碗时，要使菜肴占碗全容积的 $80\% \sim 90\%$。

(2)盛具的种类要配合菜肴的种类

盛具的种类非常多，各有各的用途，所以要使用得当。如果乱用，不但有损美感，而且食用时也不方便。

例如，一般的炒菜和冷菜，多用腰盘和圆盘，整条鱼则多用腰盘。烩菜和多汤的菜肴，如"煮干丝"、"炒鳝糊"等，最好使用汤盘。汤菜宜用汤碗。砂锅菜连同砂锅上桌，全鸡和全鸭，则最好用磁品锅。

(3)盛具的色调要和菜肴的颜色调和

盛具的色调如果与菜肴的颜色很调和，可以使菜肴的颜色更鲜明更美丽。一般而言，全白的盛具用途最广，但若要求高水准，则应选择有色彩或图案的适当盛具，更能显出菜肴的特色。例如"糟溜鱼片"、"芙蓉鸡片"、"炒虾仁"等，如果装在全白色的盘中，则稍显单调，如果配以边缘有淡绿色或淡红色花边的盘子，就显得鲜明美观多了。

此外，一桌菜肴之中，还需要注意盛具与盛具间形状和色调的配合。例如，高级的宴席，要使用和菜肴的颜色相配合的一整套食器。

二、热菜的装盘

1. 炸、溜、爆、炒的装盘法

炸、溜、爆、炒的菜肴性质相类似，要求较富变化的装盘。菜肴要配合盘的形状，使用圆盘，菜肴要装成圆形；使用腰盘，菜肴要装成椭圆形，切不可装达盘缘。

两种味道不同的菜肴，装在一个盘中时，要尽量考虑份量的相称，而不使混杂。如果一种有卤汁，一种无卤或少卤汁，则要将有卤汁的先装盘，无卤汁或少卤汁的后装盘。

例如"蕃茄鱼片"和"酱爆鸡丁"要装在同一盘中时，因为前者有卤，后者无卤，所以要先装前者，即"蕃茄鱼片"的卤流到盘底后，再将"酱爆鸡丁"放上去，在形状和颜色方面，不会有太大的影响。如果反过来装，则对形状和颜色有很大的影响。

炸、溜、爆、炒的装盘法各有异同，兹叙述如下：

(1)炸的装盘法

炸菜的特征是没有浆或汁，可一个一个分开装。装盘时必须注意下列两点：

•油沥干后再装盘　菜肴先倒进漏勺（或用漏勺捞出），油沥干后移到盘中。移到盘中时，要把筷子抵在漏勺的边缘，防止菜肴跳出盘外。

•注意卫生　装盘后，如果发现难看的地方，要用筷子整一整，使菜肴给人均匀丰实的感觉。为了防止污染，绝对不可用手抓。

(2)溜、爆、炒的装盘法

•左右交叉轮拉法（用勺子拉的装盘法）　一般而言，适用于形状较小、不加调味汁的菜肴，其方法是，在装盘前，摇动炒锅，先将大的或主材料放在上面，小的或副材料放在下面，然后，用勺子将菜肴拉到盘中。让形小的或副材料铺在盘底，形大的或主材料覆于上面。拉时，一般是左一捞、右一捞地左右交互拉。这是最普通的方法之一。

•倒入法（从锅子倒入盘子）此法分为下述两种：

一种是一次移入的方法，一般适用于柔嫩易碎，上了浆的菜肴，且为单一材料或主材料与副材料的区别不明显者。作法是在装盘前，先将锅子摇动，使全部翻转，顺着锅势迅速移动。锅子不可高离盘子。要使材料均一移到盘中。

例如"糟溜鱼片"，是非常柔嫩易裂的菜肴，所以不可用勺子翻捣，必须整个移动。因此，装盘时，要用一次移入的方法。

另外一种方法是分主次倒入法。一般适用于主材料与副材料的区别很明显，或上了浆的菜肴。作法是先将稍多的主材料用勺子捞起，再将剩下的部分移到盘中，然后将勺子中的菜肴放到最上面，例如进行"滑溜里脊肉"的装盘时，一般是将里脊片的大部分用勺子捞起后，将锅中剩下的移到盘中，然后才将勺子中的覆盖在上面，以使主材料显眼。

(3)覆盖法

此法原则上适用于没有卤汁或上了浓浆的爆菜

作法是在装盘前，数次翻锅，使锅中的菜肴靠拢一处，趁最后一次翻锅之时将一部分菜肴装在勺子中，再移到盘中。此时，将勺子向下轻按，使菜肴成为圆而丰实的形状。"油爆肚"、"葱爆羊肉"等菜肴，一般使用此法。这些菜肴因为汁浓，黏性强，很难使用倒或拉的方法。使用覆盖法，可以形成圆形予人丰实的感觉。

2. 烧、炖、焖、蒸的装盘法

烧、炖、焖、蒸等菜肴的烹调法，一般用于整只的材料，除了几道炖、焖、煨的菜肴是以砂锅原锅上桌以外，其装盘法大致相同。一般而言，有下列数种方法：

• 脱入法 一般适用于整条（只）的材料（尤其是鱼）。其方法是先轻摇锅子，乘其势，将勺子迅速插入菜肴下面，将锅子拿到盘子近处，再将锅子倾斜，用勺子使菜肴滑入盘中（此时锅子不宜高离盘子）。

"红烧黄鱼"装盘时，即以此种手法，乘势将勺子插入鱼头下，将锅子拿到盘子上方，让锅子向前倾斜，一面增加其倾斜度，一面用勺子将鱼体从鱼头那端拉引过来，并迅速装入盘中（拉时，锅子不宜高离盘子）。

• 盛入法　一般适用于很难碎散的块状菜肴，作法是用勺子将菜肴盛到盘中，小而形状不整齐的先盛，然后才盛大而形状好的。盛时要注意防止勺子的边缘弄破材料。挂在锅底的汤汁可在锅缘擦落，以避免汤汁挂在盘上，破坏美观。例如"红烧肉"、"剥皮大烤"、"炒三鲜"菜肴都是用这种方法。

• 扣入法　一般适用于需要将主材料预先在碗中排成图案的情形或需要排成整齐圆形的情形。

其作法时先将熟了的材料一个一个整齐地排列在扣碗中（排列时，形好而大者先排，形差而小者排在其上。主材料先排，副材料后排）。不宜排得过多或过少，以排到碗缘为限。放入蒸笼中蒸好后，将盛盘盖在碗上，迅速将碗和盘颠倒过来，将碗拿掉，即成。例如"栗子黄焖鸡"、"扣肉"等，就是使用扣入法装盘。

• 扒入法　一般适用于在锅中将材料排列平坦整齐，装盘后形状不变的菜肴。其作法如下：

装盘前，在锅缘周围加油，摇锅一次，使油绕倒锅底和菜肴下面。装盘时，让锅子不高离盘子而倾斜，一面迅速将锅子向左移动，使菜肴不翻转而平移到盘中（动作要迅速，不可弄乱图案的排例）。

例如"扒鱼翅"、"扒三样"、"扒菜心"等就是使用此种装盘法。有时在装盘前加油，让油使锅子滑溜，方便菜肴的移动。同时，此等菜肴的卤汁比较浓，所以必须乘热装盘。

若稍为放冷，则卤汁易黏锅底，很难出锅，并会影响图案的整齐。

3. 烩菜的装盘法

烩菜装盘时，羹汤一般占盛具容积的90％左右，过多则容易溢出，上桌时，手指容易触及汤汁而影响卫生。但亦不可过少，过少则不丰实。同时，有几种菜肴，必须注意使主材料显现在上面。有几种菜肴，必须有油面（即菜肴上面浮着油）。如此装盘时，就需先将主材料或油装在勺子中，再将其他东西移到盘中，然后将勺子中的主材料或油放在其上。

4. 汤菜的装盘法

汤菜装盘时，汤在碗中的量，通常应该在离碗缘约1厘米处为限。大型的菜肴，应先将菜肴漂亮地排在碗中，然后沿着碗缘将汤慢慢注入碗中，要避免摇动菜肴，使形态发生影响，并要防止汤汁流到碗外。

对于小而易碎散的材料，装碗时，要用勺子轻盖菜肴，让汤汁从勺子上流入。例如"扣三丝"、"扣三鲜"等属材料细小者，只有用此法，才能保持菜肴形状的美丽。

此外，整只（条）或大块的菜肴装盘时，对装盘的形式有用心的必要。例如整只鸡或鸭等装盘时，要腹上背下，头和颈要紧贴在身体上。又整条鱼放在盘子中央时，有切口的腹部要向下。

两条鱼放在同一盘中时，要大小长短一样，同时，腹部要同向盘的中央，互相靠拢。装盘后需要浇汁者，应从头浇到尾。如此，才可使菜肴的外观美丽。

三、冷菜的装盘

冷菜的装盘是菜肴经烹调后，对其形态予以美化、整理的加工之一。

冷菜在切配装盘后，直接可吃，所以其装盘与品质有密切关系。冷菜的装盘，除了要求形状美丽、色调鲜明外，并应重视清洁及卫生。同时要以保证品质为前提，重视材料的节约，讲求形式的美观，避免浪费。

1．冷菜装盘法的种类

(1)从内容方面分，冷盘（亦叫做冷盆）有单盘、拼盘、花色冷盘三种。

• 单盘 一个盘子装一种菜肴，叫做单盘。这是最普遍的装盘法。单盘的装盘，有两端低，中间高的桥形，又有馒头形和角形。

• 拼盘 一个盘子装两种以上的菜肴，叫做拼盘。拼盘有双拼、三色冷盘、四色冷盘和什锦冷盘。这些拼盘不仅要注意装得整齐，而且要注意形及色的调和，刀工也要相当精细。

• 花色冷盘 使用各种烹熟了的材料，摆成花、鸟等栩栩如生的形状及种种美丽图案的冷盘菜，叫做花色冷盘。花色冷盘可以吃，又可供观赏，大多用于宴席。

221

制作上，技术性和艺术性都必须是高水准的。当然，烹调、刀工和配色，也必须事前考虑周到，如此，上桌时才可使菜肴生动逼真，色彩悦目。

(2)从形式方面分，有不拘形式的装盘法、排列整齐的装盘法、图案形式的装盘法、装饰的装盘法四种。

• 不拘形式的装盘（又称乱刀盘）　是将食物任意装盘的方法。需要注意全体均一，块或片的大小厚薄一样。

• 排列整齐的装盘（又称刀面盘）　是将食物整齐排列在盘中的方法。例如白鸡、卤肚等，线要齐一，形要整齐，排法必须匀称。

• 图案的装盘　是将煮熟的材料装饰成各种式样的图案或形状的方法。例如"花篮冷盘"、"蝴蝶冷盘"、"凤穿牡丹"等，可供食用，亦可供观赏。

• 加装饰的装盘　这是在盘边或菜肴上面排列豆苗、香菜、樱桃者。例如在"白鸡"肋部加上一些香菜，为菜肴增添色彩。但是，饰物要适当安放。

2．冷菜的装盘法

大致有排、堆、围、摆、覆六种。各自的装盘形式及方法皆与完成加工的材料形状（条、片、块、段等）有密切的关连。因此，冷菜的装盘，有赖于厨师的装盘技术。

(1)排

排是将已烹调的材料切好后，排在盛具上。排菜的材料大体比较厚而呈长方形，或椭圆形的块，有各种不同的排法。例如，火腿易排成锯齿形。一块一块加着排，可以排成多种形状。"油爆虾"和"盐水虾"将头部的壳剥掉后，两只两只虾合排成椭圆形，然后再排成各种形状。

(2)堆

堆是将已烹调的材料切好，堆在盘上。一般用于单盘。例如"卤肫肝"、"酱牛肉"、"叉烧"、"油爆虾"、"拌干丝"、"卤汁面粉""拌双笋"等。堆时可以配色，可以作成各种花样。有的菜肴可以堆成美观的宝塔形。

(3)叠

叠是将已烹调的材料一块一块整齐排列（稍微错开重叠排列）。一般多排成梯形，切一块排一块。叠排后，附在刀腹上，放在盘中已烹调的其他材料的上面。例如"火腿片"、"白切肉片"、"猪舌"、"牛肉"、"羊羹"、"盐水肫"、"卤腰"、"如意蛋卷"等均用此种装盘法。此外，还有叠成砖瓦状者。

(4)围

围是将已烹调的材料切好，在盘上排成轮环形，作成好几层轮环，排在一盘中。此种装盘法，可将冷盘作成各种花样。在排好的主材料周围用副材料围成，以使主材料显目，叫做围边。

将主材料围成花形，将另一种副材料放在中央当花心，叫做排围。例如，将皮蛋切排成放射状，当作花形；中央放上碎火腿或肉松，当作花心，形状极美。

(5)摆

摆是将形状不同的材料用各种切法切好，在盘子上排成各式各样的物形或图案。此法需要熟练的技术，有了技术，才能排成栩栩如生的图案。

第五章 宴席知识与食物调饰

第一节 宴席的知识

宴席上的菜肴，一般由冷盘、热炒、大菜、甜菜、点心等组成，有其一定的架构（大纲），即菜肴与菜肴之间需具有密切的关系。配菜时，不仅要将每道菜依照所需的技巧巧妙地配合，而且必须严密注意菜肴与菜肴间色、香、味、形的配合，也需顾及菜肴与盛具间的调和。因此，这是一个极复杂的组合作业。除了材料的选定、刀工、烹调方法必须讲究外，更要使菜肴本身在颜色上的搭配显出特色。所以为了使一桌宴席达到完美的境地，必须切实掌握菜单的选定、准备及菜肴上桌的顺序等几个要点。

一、宴席菜单的决定

菜单是宴席排菜、上菜的具体根据，只要菜单的安排妥当，就能按照所需调配菜肴的材料，做好事前的准备工作。

决定宴席的菜单，是一个非常重要而精密的作业，宴席一切准备工作都依照菜单进行，它对宴席的成败具有决定性影响。

1. 决定菜单必备的几个条件

(1)宴席的对象

出席者各有其不同的生活习惯，对于味道的选择，也有不同的爱好。如果具体了解宴请对象的爱好，则有助于菜肴种类及材料的确定。特别是在招待外国朋友或友邦民族时，这点就显得特别重要了。

(2)宴会的形式

宴会的形式不同，配菜时菜肴种类的比重也随之不同，所以必须把握宴会的形式，才能据以确定菜单的内容。

(3)价格的商定

宴席菜肴的估价，具体表现于菜单上。有时必须与预订宴席的客户商定价格后，才能确定菜单的品目。

(4)与宴者的人数

明确的与宴者人数每桌为 8 人、10 人或 12 人，这是具体确定每道菜的菜量和品目的依据。

(5)货源与技术条件

必须了解货源状况、厨师的技术水平及设备条件等。

2. 宴席菜肴的组合搭配

了解了上述几个层面的状况后，就能具体决定宴席的菜单。

(1)宴席菜肴的内容

• 冷菜　习惯上叫做冷盆（冷盘、冷碟），宴席上所用的冷菜可用什锦大拼盘或四双拼盘，高级宴席则除了花色拼盘外，通常再以小冷碟包围花色拼盘。

• 热炒菜　一般用滑炒、炳炒、干炒、炸、溜、爆、烩、等烹调方法，作出味道多样化的菜肴。

• 大菜　主要使用大型的材料，例如整只（鸡、鸭）、整条（鱼）、整块（肉）的材料，烹调后，装在大盘、大盆或大汤碗中上桌，故称大菜。一般以炖、焖、蒸、烤、炸、脆溜等烹调法作成。

• 甜菜　基本上属于热菜肴，夏季则有部分冷菜上桌。甜菜在一席菜肴中所占比例比较小，一般而言，只有一、二道，大多用蜜汁、拔丝、挂霜等烹调方法作成。

• 点心　宴席中有糕、面、酥、包、饺等甜点。高级宴席上，也有各种花色点心，有的宴席甚至准备水果或果干。

(2)宴席菜肴的配料

配料必须把握以下两点：

• 在配料过程中必须掌握冷菜、热炒菜、大菜、甜菜、点心等在整个宴席中所占的比例。一般而言，冷菜占整个宴席价格约 15%，热炒菜占 20～25%，大菜和甜菜占 45～50%，调味料占 15%。菜肴间的品质差别也必须注意，相互间必须适当配合。冷盘好而热炒菜差，或热炒菜好，其他都差的现象必须避免。

• 掌握菜肴的道数。一般而言，一桌宴席应有 12～20 道菜，但道数的多少主要依价格而定。

价格便宜的一桌宴席如果配成 12 道菜，则很困难；如果勉强配上，不是变成便饭菜，便是赔本；配 10～12 道菜，大体适当。又，一桌高级宴席，如果只配 12 道菜（除了客人指定使用特殊材料或特殊品质者外），一般而言，则嫌道数过少。

宴席菜肴的道数，必须与每盘菜肴的量成反比。道数少，则每盘量要多；道数多，则每盘量要少。

各菜肴具体的材料用量，如以 12 道菜为一桌的宴席来说，则冷盘的材料用料是 1000～1500 克；热炒菜每道的用量是 300～400 克；大菜是 750～1250 克。亦即宴会的与会者每人平均能吃到 400～500 克净重的材料。否则，菜肴的量，不是太少而不够，就是太多而浪费。

(3)宴席菜肴的品质

宴席菜肴的品质好坏，决定于宴席菜肴价格的高低，亦即价格决定品质。宴席菜肴的品质，主要表现于菜肴主副材料的组配和材料性质的优劣。

菜肴主副材料的组配可表现菜肴的品质。品质好、价格高的冷盘，必须排上许多高级的材料，例如火腿、鲍鱼、油爆虾等，尽可能少排素菜。如果为了配色及配味，则必须使用品质和价格都相称的素菜，如芦笋、香菇，以及当季的新鲜蔬菜等。

热炒菜，在高级菜肴中，必须使用除去骨头的净剩材料。例如鸡丁、虾仁、鸡茸等。用清炒的方式或加入少量颜色调合的副材料亦可。

中等的菜肴，可以使用混炒的方法，亦可组配适量的副材料，例如青豆虾仁等。大菜也一样，高级菜肴应使用净剩（无骨）材料，例如"白汁扒翅"、"一品海参"等。中等者可加适当的副材料，亦可减少主材料的用量。

菜肴的品质可表现宴席水准的高低，同种材料，往往因产地、饲料、加工的不同，而有很大的差别。例如北京填鸭，比一般未填食的白鸭和草鸭肥嫩。刺参比玉参或香参肉厚而实密。所以，高级的宴席必须选择品质优秀的材料。

(4)宴席菜肴色、香、味、形以及盛器的配合

宴席的菜肴必须注意各道形菜肴的色、香、味、形和使用器皿的调配，而且要注意宴席的整体性。为了使一桌宴席的色彩调和，丰富多变，使用猪、羊、牛、鸡、鸭、蛋、鱼、虾、蟹、野味（山野的鸟兽）和各种各样当季的蔬菜。

又，必须使用各种刀法，作成丁、丝、条、块、茸、粒等各种形状，运用炸、溜、炒、蒸、烧、烤等各种烹调方法，使每道各具独特的味道。如果在丰富美观的外形上，加上盛具的讲求，则一桌宴席将更增添其整体性及美观。

(5)宴席菜肴的艺术造形

每道宴席菜肴同样要求形态上的丰富与美观。或排成各种图案，或将材料雕刻成既可观赏又可食用的艺术品。例如，将冷盘作成孔雀、凤凰、蝴蝶、花篮等形状。

热炒菜可将材料切成松鼠、菊花或荔枝的形状。配料则可切成柳叶、兔子、蝴蝶等形，又在盛具的周围放置各种花的边饰，或配以食品雕刻，使整桌宴席有锦上添花的美感。

(6)宴席菜肴的季节性

宴席菜肴必须与季节密切配合，尽可能使用当时当令的材料，食用新上市的东西，给人新鲜、舒服的感觉。气候和季节的变化，对人的视觉和味觉也有影响，所以，夏秋宜用清蒸、白汁、拌、烩等味道清新、颜色浅淡的菜肴。寒冬以炖、焖、红烧等油腻味浓、色深的菜肴为宜。

二、宴席菜肴的准备作业

预约的宴席菜肴，一般而言，桌数相当多，使用的材料

品种也很多，有时还有特别预订者。因此，事前的充分准备对宴席菜肴的成功与否占很重要的地位。一般而言，必须做好下列几个层面的准备工作。

• 首先要泡好各种海味和干货。

• 要检查材料是不是全部备妥，如发现材料不足或品质不合要求，必须补充或调整。

• 按照需要，选择及分配材料。

• 根据菜肴的需要，注意色、香、味、形的选择及配合，认真安排材料。

• 烹调方法复杂的东西和加热时间需较长的菜肴，必须预先进行烹制。

• 必须将人员和工作妥为安排，作合理地分配，以便顺利进行作业。

• 检查炉子，好好进行各种所需炉子的准备工作。

三、宴席菜肴的出菜顺序

宴席菜肴上桌的顺序，各地的习惯不同，但一般的作法是先冷菜，后热菜；先菜肴，后糕饭；先咸、后甜；先炒，后烧；先味道清纯，后味浓油腻；先好的，后普通的。

但也有先出冷盘，再出热炒大菜，而将点心放在热炒大菜之间的。有些则先出高级而价昂的燕窝、鱼翅、八珍之类的菜肴，称之为"头菜"。

宴席菜肴丰富多变，所以吃的时间较长。种类不同的冷盘同时上桌是可以的，但其他菜肴及点心则必须依次上桌，而菜肴上桌的速度必须紧密配合主桌用食的进行情形。如果不能好好掌握菜肴上桌的速度，则会发生菜肴过度集中，或脱节的现象，势将影响宴会的气氛。所以，菜肴上桌的时间必须根据当时的情况，切实掌握。

四、宴席菜单实例

实例 1

(1)冷盘

什锦拼盘。

(2)五热炒

笋炒虾仁

酱爆猪肝

鲜茄鱼丁

鸡油豆瓣

鲜菇黄瓜

(3)四大菜

应时鲜鱼

雪花鱼肚

红烧元蹄

清汤鸭

(4)二点心

花色大包

玫瑰酥饼

实例 2

(1)冷盘

锦锈全盘

(2)五热炒

　　清炒虾仁

　　鲜茄鱼丁

　　芙蓉鲜菇

　　爆炒腰花

　　炸双味

(3)五大菜

　　三丝海参

　　应时鲜鱼

　　香葱扒鸭

　　五香手拉鸡

　　清汤元蹄

(4)二点心

　　酿枇杷

　　桃色酥饼

实例3

(1)冷盘

　　孔雀冷盘

　　随三荤一素四小碟

(2)五热炒

　　清炒虾仁

　　茄汁鸡球

　　油爆双脆

　　火夹鱼排

　　鸡米烩豌豆

(3)五大菜

　　蝴蝶海参

　　　清蒸鲥鱼

　　　香酥肥鸭

　　　符离全鸡

　　　蓬蓬元蹄

(4)甜菜

　　　拔丝苹果

(5)二点心

　　　寿桃

　　　虾仁伊府面

第二节　食物的雕饰

　　菜肴在切配及烹调之时，除了特别用心于其色、香、味、形外，有时必须使用雕刻技术，谋求其造形的美化，使菜肴的外观更加美丽。以下分别说明食物雕饰的特征、材料、工具及方法等。

1．食物雕饰的特色

　　食物雕饰是将食物材料，平面地或立体地雕成人物、花卉、鸟兽、山水等造形，使其具备技巧性及艺术性。一般而言，食物雕饰有四个特色。

　　•使用的刀具及其他作业方法全部类似木雕。

　　•通常可分为两种类型。一种是供观赏而不食用者。另一种是既供观赏，又供食用者。制作供食用的雕刻食品，当然要特别留意食物的卫生。即使不供食用的雕刻食物，因为要放在供食用的菜肴旁边，当然也必须注意卫生。

•雕刻食物必须是一个独立实物的艺术造形，主题明确，构造整齐，造形美观。

•使用的材料都是食物，含有很多水分，容易干萎，不能耐久，所以只能供一时的观赏。

2．食物雕饰的材料

食物雕饰的材料，一般使用硬脆的瓜、果及根茎类的蔬菜。按雕刻上的实际需要，选择脆嫩但不瘫软、有皮无筋、肉质充实、色泽美现、形态漂亮的材料。一般而言，有以下数种材料可供雕刻。

(1)萝　卜

萝卜的品种很多，形、色也各不相同，表皮与肉质颜色不同的也有。通常，以表皮红而肉质白的红萝卜及表皮青而肉质稍红的青萝卜最适于作雕刻的材料。

(2)薯　类

薯类之中可作雕刻用的主要为马铃薯、蕃薯和凉薯。其肉质纯白者用途最广；肉质白中带黄者，可作各种花的材料；红心蕃薯，可作人物雕刻的材料。

凉薯主要在外侧雕花，内部全部挖空，加入豆沙和饀，作为甜味食物。

(3)大头菜

大头菜根大，有圆锥形和圆筒形两种，适合作立体及鸟兽的雕刻材料。

(4)萝蓝（球茎甘蓝）

萝蓝形状似球，稍微扁圆，淡绿色，肉质脆嫩，用途和大头菜大致相同，夏季可作青萝卜的代用品。

(5)甜　菜

甜菜的主根是肉质块状，有圆锥形、纺锤形、楔形。表皮是红、紫、白或浅黄色。适合于雕成有色彩的花。

(6)瓜　类

瓜类中可作雕刻材料者有：冬瓜、西瓜、南瓜、黄瓜等。瓜可以去掉果肉，以表面浮雕的方式做成各种花样，内部填充材料。

3．食物的雕刻刀

食物的雕刻刀尚无一定的形式。现在使用的雕刻刀一般是圆口刀及斜口刀两种，按照其不同的用途使用及口径的大小将这两类刻刀分成几个类型。

(1)圆口刀

两端都有刀刃，刃面成凹状的半圆形，依刀刃的大小分为四种。

•一号圆口刀　刀刃长度最小，一端大小约2毫米，用于雕刻很细的花蕊、鸟兽的花瓣及鸟的翅膀、尾巴等。

•二号圆口刀　刀口比一号圆口刀稍大，一端约4.5毫米，另一端约6毫米，都用于雕小圆形的花瓣、花及鸟翅、鸟尾。

•三号圆口刀　刀口稍大于二号圆口刀，一端约8毫米，另一端约1厘米，用于雕刻稍大的圆形花蕊及花瓣等。

•双圆口刀

(2)斜口刀

刀头尖，刀面倾斜。依刃面的长度及刀刃的高度（即刃面的倾斜度）分为以下三种：

一号斜口刀　刀面的倾斜度最小。刃长约 4.3 厘米，高度约 3 厘米。用于剥皮、切底、除块。

二号斜口刀　刀面倾斜度极大，刃长约 3 厘米，高度约 1.2 厘米，用于雕刻花的叶、茎或动物的轮廓。

三号斜口刀　刀面的倾斜度最大，头部非常尖，刀面柔软，刃长约 4 厘米，高度约 8 毫米。用于雕刻极纤细的线。

以上各种雕刻刀的规格，都是现在比较常用的，所以使用它们时，必须按照被雕刻的需要，适当选择其规格及式样。

雕刻刀使用后的整理工作很重要。食物材料有极多粘液，雕刻刀使用后，要立刻用干的布好好擦拭，收藏时，一支支分别包好，以避免生锈，并不可损伤刀刃。

1. 食物雕刻的表现方法

⑴整　雕

整雕是按照实物的特征独立表现其完整的形态，所以不需要其他物体的陪衬或支持。易言之，整雕因为要表现物体的整体性，所以，完全的作品不论从上下、左右或前后各个角度观看，都是一个完整的物体模型。

⑵凸　雕

凸雕是在食物的表面浮雕物体的形象。凸雕又依突出程度的高低，分成高雕、中雕、低雕三种。三者之间决无明确的界限，一般而言，其高度为物体全体的一半以上，只在其背部作支持者，叫做高雕；高度未达物体全体的一半者，叫做中雕；仅稍略地雕刻材料，使图案上的线条稍呈凸状者，

235

叫做低雕。

(3)凹　雕

凹雕是将图案的线条雕出凹状的沟，以平面上的凹状线条表示物体形态的一种表现方法。

(4)镂　空

镂空是将材料剜出各种透空的图案。

5．食物雕刻的作业程序

食物的雕刻作业必须按照一定的程度进行。如此，雕刻出来的物体才能合乎主题明确、外形美观的要求。

一般而言，食物雕刻的程序，可分为以下几个步骤。

(1)选　题

作品的主题必须最先决定，为了选题的适当，必须注意是否合乎其使用的场合，是否合于季节，尤其是雕刻花卉，因春夏秋冬各有不同的品种，所以必须合于各个时令。

(2)定　型

要按照主题的需要及使用场所，决定以整雕、凸雕、凹雕，或其他形式进行。

(3)材料的选择

按照已决定的作品形态，选择适当材料。

(4)布　局

按照主题的构想、形态及材料的大小，安排雕刻的划配。布局时，要先决定主题部分，再布署补充部分。然后以补充部分衬托主题部分，使主题更加明显。

(5)落　刀

骨架决定后，开始落刀。雕刻时，先雕轮廓，然后再雕具体的实体，又，先雕大致的线条，再进行精密的加工。

6．食物雕刻的刀法

食物的雕刻与木雕刀法相似。但是，木雕所用的材料是木材，而食雕的材料是多样的蔬菜和水果，而且目的仅供暂时的观赏而已。因此，食物雕刻的刀法比木雕简单，而且颇为豁达自在。但是，食物雕刻往往容易受到作品的各种需要及材料性质的影响，为了确保雕刻的成绩，必须把握材料的性质，充分掌握各种刀法。如此，才能随心所欲下刀。

(1)尖槽雕法

一般用三号斜口刀作业。雕出的沟状切口成 V 字形，作业时需要二刀，一刀向左倾斜，另一刀向右倾斜，两刀交叉，取出两刀之间的材料，所以切口成为凹下的 V 字型尖沟状。

如果是凸雕，则在线条图案的两端，各雕一个 V 字形沟状，中间留下的材料即形成一条突出而尖的线条。

(2)斜槽雕法

一般用三号斜口刀作业。雕出来的沟状切断面是半 V 字形，作业时还是用两刀雕刻。一刀将刀身垂直雕成一条线，另一刀以适当的偏斜角度，向此线条的末端下刀。两刀相交，将两刀之间的材料取出，所以形成斜沟。凸雕时，要在线条的图案两端各雕一条斜沟。

(3)圆槽雕法

用各种圆口刀作业。使用的圆口刀的大小依雕刻图案的大小而定。雕出来的沟型截断面是半圆形。此种圆槽雕法用途极广，各种手法都被采用，富有变化。一般用于雕刻花卉及鸟的羽毛。以下说明数种常用的刀法。

• 叠片刻　叠片刻一般用于雕刻花卉或叶子。例如雕刻一朵五瓣的花时，分为三个步骤。

第一步骤雕花蕊。先将圆口刀垂直立定，插入材料的适当位置，旋转一次，雕一个圆轮，作为花蕊。

第二步骤雕花瓣的沟。刀身倾斜，在花蕊周围，距离花适当的地方，向着花心雕五个半圆凹沟，刀口与花心以圆轮相交。将其中间被截断的材料取出，形成五个花瓣的沟。

第三步骤雕花瓣。雕花瓣的第一刀要与其表面刚雕出的花瓣沟对立。然后刀子向后稍退，刀身稍微垂直使雕刻动作前进。不可将花瓣雕落，如此方能作成一整朵花。但是，花的完全形状尚未完成。等待第二层花瓣沟雕成后，从第一层花瓣的适当位置稍微离开使雕刻动作前进。和第一刀相交，将两刀中间的材料挖出。如此，第一层花瓣就完全完成，第二层花瓣的沟亦已完成。

• 细条刻　细条刻一般用于细长线条的花瓣或鸟的羽毛雕刻。花瓣的雕刻法，基本上与叠片刻的刀法相似。但是，雕刻花瓣时（即第三步骤），第一刀作成花瓣的形态，第二刀在与花瓣对立的地方不进行雕刻，而在与花瓣成斜偏向的一半地方进行雕刻。如此雕出的花瓣，可将粗大的薄片改成宽度仅半片左右的细线状。

• 一般而言，花瓣细长的花，例如菊花等，均用此法。鸟羽毛的雕刻方法亦与上述雕刻花瓣的刀法完全相同。

• 平刻　平刻也用于定型的东西。亦即先将材料作成长方形、圆形及半圆形等形状，将其两端整平，使形状均等，然后切成薄片即成。

• 翻刀刻　翻刀刻一般用于雕刻含苞待放的花或竖立的

鸟类羽毛。这些花瓣或羽毛，全都要使其向外侧翻转，具体的刀法也分翘刀翻和隔层翻二种。

•翘刀翻　一般用于雕刻翻转的细线花瓣或鸟的羽毛上。

雕法基本上与细条刻的刀法很相似。但在雕花瓣（或鸟的羽毛）的第二刀，必须将刀柄慢慢上提，将瓣的前端雕薄，瓣的底部雕厚。最后必须使刀深入材料中，然后轻轻向上弹起，这时才将刀拔出。雕好后，将花瓣（或鸟的羽毛）浸在明矾水中，则呈翻立的形状。

•隔层翻　一般用于雕刻大型的半开花瓣。

先用叠片刻的方法，将内层的花瓣雕上二卷或三卷，然后在花瓣的周围再雕进一卷，使内侧的花瓣浮起。这时才用稍大型的圆口刀在外层雕一层大的花瓣。如此就形成完全开放的花了。

(4)镂空雕法

镂空雕法大都用 3 号斜口刀作业。一般而言，大都用雕饰板上的图案。材料主要是蕃薯、萝卜及其他薯类。方法是先将材料切成平坦的薄片，然后按照图案，将该花样以外的不必要材料剁掉，作成各种透空的图案。

作镂空雕时，必须将雕刻刀的前端刺入材料。因此，材料下面必须以若干切得薄而平的萝卜、蕃薯等为垫子，以免刀尖碰到工作板。作镂空雕时，一般以从左到右的雕刻顺序前进。

7. 材料及完成品的保存方法

雕刻的食物材料，必须严格斟酌，也必须专心一意地雕刻。因此，这些半成品或完成品必须经充分而适当地贮藏。尤其雕刻用的食物材料如果含有极多的水分，则容易变色及变形，所以对其贮藏必须特别细心注意，尽可能延长其可用时间。

一般贮藏方法如下：

(1)材料的贮藏

材料的贮藏，例如萝卜、菌类、甜菜等要排列放进缸中或水箱中，在材料的各层之间，夹一层干燥化了的黄沙，防止变质，使其耐久。例如春季（立春以后）必须常常翻转材料，以防止材料发芽变质。

(2)半成品的贮藏

雕刻作业时，切菜板上必须铺上清洁的布，以防止切菜板损伤雕成的花样。如果是精致的雕刻，不能一无完成者，必须注意防止半成品干燥变色；或失去新鲜艳丽的色彩；或吸收过多水分而变软以致不能继续雕刻，因此不可将材料泡在水中而要用扭干的湿抹布轻轻包住半成品。

(3)完成品的贮藏

雕好的完成品，必须浸在浓度千分之一的明矾水中（5000 克水加 5 克明矾）。如此，完成品就能长久保持柔嫩及鲜度。如果明矾水混浊时，应换水，并放在阴凉的地方，以防止其腐烂或变质。

但，决不可加盐水或碱水。盐水会使材料的品质变软，碱水会使材料容易腐烂。

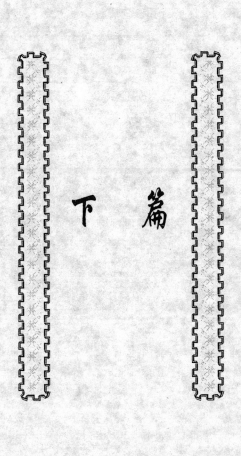

下　篇

第一章　八大菜系简介

一、广东菜

广东菜简称粤菜，是中国著名八大菜系之一。广东菜由广州、潮州、东江客家菜三种地方菜构成。而三支地方菜又有各自不同的特色。

广州菜是粤菜的主要组成部分，以味美色鲜、菜式丰盛而赢得"食在广州"的美誉。广州菜有三大特点：一是鸟兽虫鱼均为原料，烹调成形态各异的野味佳肴；二是即剀、即烹和即席烹制，独具一格，吃起来新鲜火热；三是夏秋清淡、冬春香浓，深受大众的喜爱。

潮州菜在广东菜中占有重要的位置。潮菜主要以海味、河鲜和畜禽为原料，擅烹以蔬果为原料的素菜，制作精妙，加工多样。可分为炒、烹、炸、焖、炖、烧、烤、焗、卤、熏、扣、泡、滚、拌，刀工讲究，汤菜功夫尤深，其中以清炖、红烧、汤泡最具特色。

东江菜又称客家菜，用料以肉类为主，原汁原味，讲求酥、软、香、浓。注重火功，以炖、烤、煲、焗见称，尤以砂锅菜见长。做法上仍保留一些奇巧的烹饪技艺，具有古代中原的风貌。

二、四川菜

四川菜简称川菜，是中国著名的八大菜系之一，历史悠久、风味独特，驰名中外。

随着生产的发展和经济的繁荣，川菜在原有的基础上，吸收南北菜肴之长及官、商家宴菜品的优点，形成了北菜川烹、南菜川味的特点，烹有"食在中国，味在四川"的美誉。

川菜讲究色、香、味、形，在"味"字上下功夫，以味的多、广、厚著称。川菜口味的组成，主要有"麻、辣、咸、甜、酸、苦、香"7种味道，巧妙搭配，灵活多变，创制出麻辣、酸辣、红油、白油等几十种各具特色的复合味。味别之多，调制之妙，堪称中外菜肴之首。从而赢得了"一菜一格，百菜百味"的称誉。

川菜在烹调方法上，善于根据原料、气候和食者的要求，具体掌握、灵活运用。38种川菜烹调方法中，现在流行的乃有炒、煎、炸、烧、腌、卤、煸、泡等30多种。在烹调方法中，特别以小煎小炒、干烧干煸见长。川菜与四川风景名胜一样闻名于世，扬名天下。

三、山东菜

山东菜简称鲁菜，是中国著名的八大菜系之一，也是黄河流域烹饪文化的代表。

山东菜可分为济南风味菜、胶东风味菜、孔府菜和其他地区风味菜，并以济南菜为典型，有煎炒烹炸、烧烩蒸扒、煮汆熏拌、溜炝酱腌等有 50 多种烹饪方法。

济南菜以清香、脆嫩、味厚而纯正著称。特别精于制汤，清浊分明，堪称一绝。胶东风味亦称福山风味，包括烟台、青岛等胶东沿海地方风味菜。该菜精于海味，善做海鲜，珍馐佳品，肴多海味，且少用佐料提味。此外，胶东菜在花色冷拼的拼制和花色热菜的烹制中，独具特色。孔腐菜做工精细，烹调技法全面，尤以烧、炒、煨、炸、扒见长，而且制作过程复杂。以煨、烧、扒等技法烹制的菜肴，往往要经过三四道程序方能完成。"美食不如美器"，孔府历来十分讲究盛器，银、铜、玛瑙等名质餐具俱备。此外，孔府菜的命名也极为讲究，寓意深远。

四、江苏菜

江苏菜简称苏菜，以苏州和扬州菜为代表，是中国著名的八大菜系之一。

江苏的历代名厨造就了苏菜风格的传统佳肴。自古有"帝王洲"之称的南京、"天堂"美誉的苏州及被史家叹为"富甲天下"的扬州，则是名厨美馔的摇篮。江苏菜系正是以这三方风味为主汇合而成的。

概括起来，江苏菜有如下几个特点：一是选料严谨，制作精细，因材施艺，按时治肴；二是擅长炖、焖、煨、焐、蒸、烧、炒等烹饪方法，且精于泥煨、叉烤；三是口味清鲜。咸甜得宜，浓而不腻，淡而不薄；四是注重调汤，保持原汁。其中南京菜刀工细腻，火工纯熟，菜肴滋味醇，兼有四方之美，适应八方口味，尤以鲜香酥嫩取胜；苏州菜口味趋甜，以烹制四季佳蔬、江河湖鲜见长；扬州菜史称淮扬风味，刀工精细，火候精微，色调清新，造型别致，突出主料，强调本味，清淡可口，适应面宽，尤以擅长制汤而著称。

五、浙江菜

浙江菜，简称浙菜，是浙江地方风味菜系。

浙江是江南的鱼米之乡。浙菜发展到现代，是精品迭出，日臻完善，自成一统，有"佳肴美点三千种"之盛誉。归纳起来，浙菜有如下几大特征：一是用料广博，配伍严谨。主料注重时令和品种，配料、调料的选择旨在突出主料、增益鲜香、去除腥腻；二是刀工精细，形状别致；三是火候调味，最重适度；四是清鲜嫩爽，滋、味兼得；五是浙菜三支，风韵各具。

浙江菜主要由杭州、宁波、绍兴三支地方风味菜组成，携手联袂，并驾齐驱。杭州素有"天堂"之称。杭州菜制作精细，清秀隽美，擅长爆、炒、烩、炸等烹调技法，具清鲜、爽嫩、精致、醇和等特点；宁波地方厨师尤善制海鲜，技法以炖、烤、蒸著称，口味鲜咸适度，菜品讲究鲜嫩爽滑，注重本味，用鱼干制品烹调菜肴更有独到之处；绍兴菜品香酥绵糯，汤浓味醇，富有水乡古城之淳朴风格。

六、福建菜

福建菜俗称"闽菜"，以福州菜为代表，素以制作细巧、色调美观，调味清鲜著称。

福建菜以海鲜类为主，口味方面则咸、甜、酸、辣俱备，咸的调味品有虾酱、虾油、豉油等；酸的有白醋、蘸等；甜的有红糖、冰糖等；辣的有胡椒、介末等；香的有五香粉、八角、桂皮等。福建菜对清汤的调制特别讲究，一般都以油鸡、火腿、蹄膀为用料。方法是先用小温火将油鸡、火腿、蹄膀等熬出汤汁，并过滤；另将生鸡骨斩碎，加水和盐调和，放入汤内，继续用小温火边烧边搅匀（又称吊汤），然后再过滤一次；便成为莹洁鲜美的清汤，用来调制菜肴，对色、香、味均有帮助。

福建菜也有煎、炸、焗（如煮）、烤、炖、拌、醉、卤、扒、糟、煨、扣、溜、炒、熏、焖、扛、腌、炝等，其中最具特色的是糟，有扛糟、炝糟、爆糟、炸糟之分。

七、湖南菜

湖南菜又称湘菜，由于湖南民丰物博，向称鱼米之乡。

湖南菜以腴滑肥润为主，多将辣椒当主菜食用，不仅有北方的咸，也有南方的甜，更有本地特色之辣与酸。香、嫩、清、脆是其特色，所用材料以新鲜、价廉物美为原则。

湖南菜特别讲究原料的入味，技法多样，有烧、炒、蒸、熏等方法，尤以"蒸"菜见长，最为精湛的是煨爆，原汁原味，且刀功精妙，形味兼美，菜肴千姿百态，变化无穷。

湖南菜的特殊料有豆豉、茶油、辣油、辣酱、花椒、茴香、桂皮等，使湖南菜增色不少。

湖南菜以辛辣著称。特别值得一提的是湖南辣椒。湖南人对辣椒"宠爱有加"，几乎吃什么都放辣椒。湖南的辣椒也特别辣。

八、安徽菜

徽菜是安徽菜的简称，又叫皖菜，是中国八大菜系之一。

安徽风味，主要由皖南、沿江和沿淮三方菜式组成，其中以皖南菜为代表，皖南菜源于古徽州府，即今世界闻名的旅游胜地黄山脚下歙县一带；沿江菜系指合肥、芜湖、安庆一带的地方菜；而沿淮菜则由蚌埠、宿县、阜阳等地方风味构成。三支徽菜各有千秋，丰富多彩，但归纳起来，它主要有四个方面的基本特征：

一是就地取材，以鲜制胜。徽地盛产山珍野味河鲜家禽，就地取材使菜肴地方特色突出并保证鲜活。二是善用火候，火功独到，根据不同原料的质地特点，成品菜的风味要求，分别采用大火、中火、小火烹调。三是娴于烧炖，浓淡相宜。除爆、炒、熘、炸、烩、煮、烤、焐等技法各有千秋外，尤以烧、炖及熏、蒸菜品而闻名。四是注重天然，以食养身。徽菜继承了祖国医食同源的传统，讲究食补，这是徽菜的一大特点。

248

第二章 八大菜系精选

一、水产海鲜

红烧大鲍翅(广东菜)

[用料]

水发鲍翅600克,淡上汤10杯,淡二汤9杯,熟火腿丝10克,银针(豆芽)400克,深色酱油、绍酒、生粉、胡椒粉、火腿汁、生粉、葱条、猪油各适量。

[做法]

①将鲍翅排在竹笪上并夹好。烧热锅,下油,放入葱条爆香,加入绍酒,加入二汤和盐,把鲍翅煨过,取出滤干水。再把鲍翅排在碗里,加入绍酒、淡上汤、猪油、味精,放进锅内蒸透,取出倒去原汁,用干净毛巾将鲍翅上的水分吸干。

②烧热锅,下猪油、银针、盐,炒至八成熟时盛起。再烧热锅,下猪油,放入银针,用部分生粉水勾芡分盛于两小碟,把熟火腿丝少许洒在面上。

③烧热锅,下猪油,加入绍酒,加入剩下的淡上汤、火腿汁,调入味精、胡椒粉、酱油,烧至欲滚时推入剩下的生粉水,拌匀即为金黄芡。

④将部分芡汁淋于蒸透的鲍翅上,再把鲍翅覆转在碟中,用竹筷子把鲍翅挑起,把剩下的芡汁淋在鲍翅上,取出筷子,洒上火腿丝,然后与炒银针2小碟同时食用。

鱼翅羹(广东菜)

[用料]

水发鱼翅50克,虾仁150克,金针菇(或银针,即豆芽)25克,竹笋1/2支,香菇3朵,乌醋1小匙,胡椒粉、糖、生粉各少许。

[做法]

①将虾仁、鱼翅洗净,竹笋去壳切丝,香菇泡软后切丝备用。虾仁沾上生粉,用滚水略烫捞起备用。

②烧热油锅,爆香香菇,然后把金针菇、竹笋加入后,再放2杯清水煮滚,加入鱼翅,再煮熟。

③依次加入虾仁、乌醋、糖、味精于锅内,用生粉水勾芡,最后洒上胡椒粉即可。

清汤鲍鱼丸(广东菜)

[用料]

罐头鲍鱼300克,虾肉3000克,火腿茸25克,肥肉幼丁50克,蛋清2只,芹菜茎75克,胡椒粉、酱油各少许,上汤10杯。

[做法]

250

①把鲍鱼切成 2×2 毫米、长度不超过 3 厘米的丝状,用白毛巾吸干水,碟盛起备用,将虾肉洗净,用白毛巾吸干水,用刀把虾肉先拍扁后剁细,用碗盛起。

②加盐、味精适量,蛋清搅匀打入虾胶,再加入肥肉幼丁,轻力搅匀再加鲍鱼丝,再搅匀,将馅料做成 24 粒圆形鲍鱼丸,每粒约 5 克重,放于抹上一层薄油的碟内。

③芹菜茎用滚水拖过,过冷水,用布吸干水。将芹菜剁为茸状,与火腿茸分别酿在丸上面(一撮红茸,一撮绿茸),上笼蒸 5 分钟即熟。

④用干净炒锅加入上汤、味精、盐、酱油,调味后,去净汤泡,下胡椒粉。鲍鱼丸从蒸笼取出,放在大汤碗中,将上汤轻轻加入即可。

什锦海参(广东菜)

[用料]

水发海参 2 条,鸡肫 2 个,鸟蛋 6 只,小黄瓜 1/2 条,竹笋 1/2 条,葱 2 条,红辣椒 1 只,红萝卜 6 片,乌醋、胡椒粉、生粉各少许。

[做法]

①将海参、鸡肫用盐洗净,海参、鸡肫、小黄瓜、竹笋、红萝卜各切片。葱切段,蒜仁拍碎,红辣椒去籽切丝备用。

②烧热油锅,爆香蒜仁,再把鸡肫、海参轻炒数下起锅。再烧热油锅,把辣椒、红萝卜、竹笋炒数下,放入 3/2 杯水续煮。

③煮熟后把海参、鸡肫、鸟蛋、小黄瓜放入锅内,加入乌

醋、盐、味精、胡椒粉调味,用生粉水勾芡,最后将葱段洒在面
上即可。

鲍油鱼锦(四川菜)

[用料]

鲍鱼 1/2 罐,笋片 20 片,鸭肫(煮熟)2 个,水发鱿鱼 1 条,
葱 2 条,冬菇(泡软)5 朵,姜 2 片,火腿 200 克,酒 1 汤匙,熟猪
肚 1/4 个,上汤 3 杯,水发蹄筋 200 克,酱油 4 汤匙,糖、酱色
各 1 茶匙。

[做法]

①将鲍鱼切成大薄片,鸭肫直切厚片,鱿鱼在内面切斜刀
交叉花纹后,切成 1 寸多长的菱角块,用滚水烫熟,冬菇每个
切半,火腿切片,猪肚切宽条状备用。

②蹄筋切成两段(每段长约 5/2 寸),用滚水烫煮 10 秒
钟,捞出冲洗一下备用。

③将油 5 汤匙烧热炸黄葱姜后,放入鱿鱼及鲍鱼以外的
用料炒数秒钟并淋酒爆香,注入酱油与鸡汤,加糖及酱色,用
大火烧滚再改小火煮七八分钟,至汤汁将被收干为止。

④放下鱿鱼及鲍鱼,再烧 30 秒钟,淋下热油 1 汤匙即可。

五味明虾片(四川菜)

[用料]

明虾 700 克,葱姜少许,酒 1 汤匙,粉皮 10 张,姜醋汁、芥

辣汁、红油汁、沙拉酱汁、糖醋汁各 1/2 小碗。

[做法]

①将虾背上之肠沙抽出后即放在锅内加入 3 杯开水及葱、姜、酒,用大火煮熟(约 5 分钟),待冷后取出,去头剥壳,将每只虾肉由背部下刀,横切成 4 大片。

②将粉皮全切成 1/2 寸宽条后,烫一下滚水(约 5 秒钟)捞出后冲冷水并沥干,铺在大碟的中间部分,再将虾片一片片平排成美丽图案。

③附上 5 种不同的味汁,由食者自行沾食即可。

味汁调法:姜醋汁——酱油、姜茸及醋各 2 汤匙,糖 1 汤匙,香油、味精少许。

芥辣汁——芥末粉 1 粉匙加温开水 3 汤匙,香油 1 汤匙,酱油、醋各 1/2 汤匙,味精少许。

红油汁——芝麻酱各 2 汤匙,加入甜酱油 3 汤匙,醋 1/2 汤匙,蒜泥 1 汤匙及辣椒油 2 汤匙。

沙拉酱汁——沙拉酱 2 汤匙半加入牛奶 1 汤匙、柠檬汁 1 茶匙调匀便可。

糖醋汁——糖醋各 2 汤匙,蕃茄酱 1 汤匙,加香油、盐少许煮滚,冷后便可。

麻辣汁——酱油 2 汤匙,醋 1/2 汤匙,香油、辣油各 1 汤匙,糖、味精、花椒粉各少许。

家常海参(四川菜)

[用料]

水发海参 500 克,猪瘦肉 100 克,熟猪油 120 克,郫县豆瓣

50 克,蒜苗 25 克,鲜菜心 250 克,上汤 250 克,酱油、料油各 1 茶匙,香油适量。

[做法]

①将水发海参(选用肉质厚、体长的水发海参)片成"斧轮片"(4～10 厘米长、横切面为平行四边形的片)。猪瘦肉剁细,豆瓣剁细,蒜苗切成细花,菜心洗净滤干水备用。

②烧热锅,放入一部分上汤、料酒及海参片煨一次,烧滚时捞出海参,锅内的汤不用,再放入上汤,下海参,再煨一次,捞入碗内(汤留用)。

③烧热锅,下熟猪油烧到四成熟时,倒入剁细的猪肉,煸散后下酱油、料酒,煸出香味后装碟。再放入熟猪油,将鲜菜心煸炒片刻,加少许盐,装碟。

④将熟猪油放入锅内,烧至五成热下豆瓣,煸出红色,放入上汤烧开,除去豆瓣渣,将海参、煸炒的肉一同倒入锅内,加酱油、味精、料酒、蒜苗花,烧至亮油,生粉水收汁,淋入香油,倒在鲜菜心面上即可。

泡椒河鳗(四川菜)

[用料]

河鳗 1 条 600 克,淡色酱油 1 大匙,上汤 1 杯,泡红椒 5 只,糖 1 小匙,大蒜料 20 粒,辣豆瓣酱 1/2 大匙,酒 1 大匙,生粉、香油各适量。

[做法]

①将 8 杯水烧滚后加入 1 杯冷水,马上将已杀好之鳗鱼下锅烫 5 秒钟,见外层变白即取出,用棕刷子或丝瓜布搓刷,

将白色粉状之鱼鳞洗净,切成2寸长段状,沾上生粉用热油炸30秒钟。

②取一只中型蒸碗或小盆,先铺下泡椒(整只红辣椒在泡菜中泡过,并剖开去除椒籽)然后将鳗鱼段排列在碗底,内部塞放炸软了的大蒜头。

③起油锅(用炸过大蒜之油),炒香辣豆瓣酱,并加入上汤及糖、盐、酒、酱油等调味,煮滚便倒进碗内鳗鱼中,上锅蒸约30分钟。

④将上项已蒸过的碗中汤汁倒在炒锅内,淋下少许生粉水勾芡,并滴下香油浇到扣覆在碟中的鳗鱼上即可。

白扒通天鱼翅(山东菜)

[用料]

水发鱼翅600克,鸡油40克,上汤1杯,料酒2茶匙,白糖3克,葱、姜、生粉各适量。

[做法]

①大葱片两半切段,姜切片。将鱼翅放入滚水内烫一下,捞出沥干水分,整齐的摆在碟内,好面朝下,保持原形。

②烧热油锅,放入葱、姜爆出香味,加上上汤,去掉葱姜,下盐、料酒、白糖,再把摆好的鱼翅慢慢地推入勺内,用小火扒透,待勺内汤约剩1/2杯时,加上味精,用生粉水勾芡,淋下鸡油即可。

扒三白（山东菜）

[用料]

水发鲍鱼150克,鸡脯肉150克,罐头芦笋约150克,鸡蛋清3只,料酒1茶匙,鸡油1/2汤匙,上汤1杯,葱油1汤匙,生粉水适量。

[做法]

①将鲍鱼洗净,片成0.5厘米厚的斜片,按原形摆好,光面朝下摆在碟的一边,芦笋削去外皮,放在碟子中央。鸡脯肉片成5厘米长、3厘米宽的薄片,放入碗内,加鸡蛋清、生粉腌渍拌匀。

②烧热锅,下油,烧至五成熟,放入鸡片滑开,捞出沥干油,整齐地摆在鲍鱼碟的另一边,即为"三白"。

③净锅置火上,放入上汤,加料酒、盐,用大火煮滚,将"三白"按原形推入锅内,用小火煨3分钟左右,随即下葱油,用生粉水勾芡,将炒锅端起转动,接着采用大翻锅技巧将整菜翻过来,再转动几下,淋上鸡油即可。

扒原壳鲍鱼（山东菜）

[用料]

带壳鲜鲍鱼12个,火腿25克,冬菇12朵,菜心25克,鱼泥100克,水发银耳1朵,上汤1杯,鸡蛋清1只,花椒10粒,葱段、姜片、生粉、胡椒面各适量。

[做法]

①将鲍鱼洗净,取下肉,刷洗净外壳,肉上的内脏去掉,洗净放碟内,加上汤、葱(割开夹上花椒)、姜片,隔水蒸至熟烂,片成6片。火腿、冬菇切小象眼片。菜心烫过拔凉,切磨刀片。

②鱼泥加凉汤、鸡蛋清、盐、味精、料酒、胡椒面调匀,倒在平碟内摊平(不要摊至碟边),再将鲍鱼壳围碟周摆两圈成环状按稳,碟中央放上用盐、味精浸过和的银耳点缀成花芯。上笼内蒸至鲍鱼壳固定碟内取出。

③蒸鲍鱼的原汤滗入锅内,放葱、姜、盐、料酒煮滚,除去葱、姜不要,投入火腿,冬菇、菜心烫熟,用漏勺捞起,均匀分放在鲍壳内。

④原汤中放入鲍鱼肉,用小火煨透,捞起,整齐地摆地壳内,成原鲍状。除去汤内浮沫,下味精,用生粉勾上米汤芡浇在鲍鱼上,淋上香油即可。

芙蓉燕菜(山东菜)

[用料]

燕窝15克,火腿25克(切茸),鹌鹑蛋10只,芫荽2棵,上汤3杯。

[做法]

①将滚水冲入燕窝泡透,再摘净燕毛,用碱粉提质,漂去碱味,用热水浸泡。

②鹌鹑蛋磕入小羹匙内,摆上火腿茸和芫荽叶,上笼隔水蒸透,取出鹌鹑蛋,摆在碟子周围,中间放入热汤滚过的燕窝。

③锅内放入上汤,调好口味,倒入大汤碗中,同燕菜一同上席,然后将燕菜推入汤中即可。

纸包三鲜(山东菜)

[用料]

水发刺参 100 克,对虾肉 100 克,嫩母鸡脯肉 100 克,上汤 200 克,10 厘米见方玻璃纸 14 张,料酒 1 茶匙,香油、姜茸、葱各适量。

[做法]

①鸡脯肉批成 5 厘米长的薄片。对虾肉从脊背中间批开,去其虾肠,斜刀批成片。刺参批成 5 厘米长的片。

②锅内放入上汤,煮滚后放入刺参、料酒(1/2 茶匙),略煮,捞出沥干水分。

③将刺参、鸡脯肉、对虾肉放入碗内,加上葱、姜茸、盐、味精、料酒、蚝油、香油拌匀。

④玻璃纸平铺,调好口味的馅料分 14 等份放入玻璃纸内,包成长约 6 厘米、宽约 2.8 厘米的长方形。包的具体方法是,先将玻璃纸的一角向里折叠盖在馅的上面,再将馅向前叠一次,约 2.8 厘米,然后将两边的纸箱折进,将纸的最后一角夹在纸包内,要外露一点,便于食时用筷子夹住抖开。

⑤净勺内加花生油烧至三成熟时将纸包放入,慢火炸制,纸包上浮后即熟,捞出控净余油,摆入碟内即可。

蟹肉扒翅 (江苏菜)

[用料]

水发鱼翅 300 克,葱 4 条,姜 4 片,新鲜蟹肉 100 克,酒 2 汤匙,鸡汤 9 杯,酱油(淡色)1 汤匙,糖 1/4 茶匙,胡椒粉 1/4 茶匙,生粉 4 汤匙,鸡油、猪油各适量。

[做法]

①水发之鱼翅盛在小锅内,加入葱 2 条、姜条 2 片及鸡汤 3 杯,用小火煮 30 分钟,至鱼翅够软为止,捞出留用。

②烧热锅,下猪油煎黄葱条与姜片,倒下蟹肉略炒,再淋入酒爆炒后加入鸡汤和酱油、盐、糖、胡椒粉,待煮滚后捞出葱姜,放下鱼翅,改用小火烧煮 5 分钟左右。

③将生粉用水调溶,慢慢淋入锅内勾芡,熄火后盛入大碟内,滴下鸡油即可。

油爆虾 (江苏菜)

[用料]

大活鲜虾 500 克,料酒 25 克,酱油、白糖、葱花、姜末、五香粉各适量。

[做法]

①将虾的头须和脚剪去,用水洗净后沥干。

②烧热锅,下油,烧至九成熟时(冒青烟),将虾倒入炸至虾头、虾内脚裂开,略浮,用漏勺捞出,沥去油。

③将炒锅中的余油倒掉,将葱花、姜末爆香即加酒、盐、糖、酱油和少许汤,待卤汁稠后,将爆好的虾倒入卤汁中,并不断翻炒,使卤汁均地包在虾壳上,洒上五香粉即可。

一品鲜虾菜(江苏菜)

[用料]

鲜虾仁 200 克,熟鸡丝 100 克,青豆 100 克,饭锅粑 150 克,鸡蛋清 1/2 只,料酒 20 克,白糖 100 克,番茄酱 250 克,白醋 20 克,菱粉(或生粉)适量。

[做法]

①将虾仁洗净漂清,沥干水放入盛器中,加盐、鸡蛋清搅和,再加干菱粉拌匀。

②烧热锅,倒入熟猪油,至四成热时放入虾仁,用铁勺轻轻拔散,溜熟后倒入漏勺。原锅置火上,倒入熟鸡丝、虾仁、盐、料酒、番茄酱、白醋、白糖、上汤、味精煮滚,用菱粉水勾芡,倒入汤碗内。

③再烧热锅,倒入素油,烧至冒青烟,放入饭锅粑,炸至发脆,迅捞出,装入另一大汤碗内,迅速将两碗同时上席,并将虾仁鸡丝的卤汁倒在锅粑碗中即可。

清炖鱼翅(浙江菜)

[用料]

水发鱼翅 500 克,光老母鸡 1 只,火腿 300 克,料酒 300

克,葱姜少许。

[做法]

①将鱼翅放入肉汤内略煮,除去海咸味。把鸡去头去脚,洗净,一开两片。火腿洗净沥干。

②用瓷质一品锅,将鱼翅放入锅底,用1/2只鸡盖在鱼翅上,再将火腿放在鸡面,加葱、姜、酒、盐和适当的水,隔水蒸约5~6小时,至鱼翅酥烂时,除去葱、姜、火腿、鸡,只留鱼翅和汤汁。

③将剩下的老母鸡放入砂锅,用小火炖汁(约一大碗即可),除去鸡肉不要,把汤撇清,倒入装鱼翅的一品锅内。

④另外炒一小碟绿豆芽菜,与鱼翅同时食用即可。

绍式虾球(浙江菜)

[用料]

浆虾仁 100 克,鸡蛋 4 只,葱 3 条,甜面酱 20 克,生粉、芫荽各适量。

[做法]

①将鸡蛋打入碗内,放入生粉、盐、味精,用筷子搅透,倒入浆虾仁拌匀。葱洗净,切 1 寸长的段,段白留用。

②烧热锅,下猪油,至七成热时,一边用铁筷在油锅中溜划,一边慢慢地将虾仁蛋糊倒入油锅,至起丝后,迅速用漏勺捞起沥去油,用筷拔松装碟,围上洗净的芫荽即可。用葱白段,甜面酱各一碟蘸食。

三色明虾片(浙江菜)

[用料]

明虾(或鱼片、鸡片)15 只,腌虾料(蛋白 1 只,生粉 3/2 汤匙,盐、酒各 1/2 汤匙),葱粒 2 汤匙,姜茸 1/2 汤匙,豆苗或芥蓝菜 250 克,酒 1 汤匙,香油 1 茶匙,上汤 2 汤匙,生粉 1 茶匙,番茄酱 3 汤匙,咖哩粉 1 汤匙。

[做法]

①将虾头与虾壳剥除后,取肉用盐抓洗一次,洗净并拭干水分,每只虾横面片切成 4 片,全部盛在大碗内,加入腌虾料拌匀,腌 30 分钟。

②用 3 汤匙油及盐将豆苗炒熟,用漏勺沥干菜汁,放在大碟内排成一个"人"字形。

③将油在锅内烧成八分热后,倒入虾片,大火爆炸约 10 分钟,见虾变白即行捞出沥干。

④另用 3 汤匙油爆炒葱姜末后,将虾片重放回锅中,并放入酒、香油、上汤及生粉、盐,大火拌炒 5 秒钟即可,先盛出 2/3 的虾片,在锅内留下的 1/3 虾片中,加入番茄酱拌炒均匀,淋 1/2 汤匙油即可盛在大碟中一个三角形空位中。

⑤另在锅内放 1 汤匙油,倒入咖哩粉(用 3 匙水先调匀),小火炒香后,将另 1/3 虾片放入拌炒至颜色均匀即盛在大碟中另一个空位内,所剩下之空位放剩下之虾片(白色)便成为三色明虾片。

262

龙井虾仁(浙江菜)

[用料]

大河虾 1000 克,龙井新茶 1 克,鸡蛋清 1 只,绍酒 1 汤匙,生粉适量。

[做法]

①将大河虾去壳挤出虾肉,用清水反复搅洗至虾仁雪白,沥干水后,盛入碟内,放盐和蛋清,用筷子搅拌至有粘性时,加入生粉、味精拌匀腌 2 小时。

②将龙井新茶用滚水 50 克泡开约 1 分钟,滗出茶叶 30 克,余下的茶叶和茶汁备用。

③烧热锅,下油,至四成热时,放入虾仁,并迅速用筷划散,至虾仁呈玉白色时,倒入漏勺沥去油。下葱炝锅,将虾仁倒入锅中,迅即将茶叶连汁倒入,淋入绍酒,翻炒片刻即可。

海鲜鱼翅(福建菜)

[用料]

水发排翅 500 克,虾仁 15 只,新鲜墨鱼 1 条,海参 2 条,蛤蜊肉 1/2 杯,香菇 4 朵,胡萝卜片 20 片,小青梗菜 10 支,笋丝 1 杯,上汤 5 杯,酒 2 汤匙,酱油 1 汤匙,生粉 3 汤匙,葱 2 条,姜 3 片,胡椒粉适量。

[做法]

①将排翅(已发好)整齐的排列在小盆(或深碟)内,加入

葱姜及清水 2 杯,上锅蒸 1 小时,倒弃小盆中之水,另放 2 杯清水再续蒸 1 小时,再将上汤倒出不用,将笋丝放下塞满。

②起油锅爆香葱后,淋下酒并注入上汤 2 杯及酱油 1 汤匙,煮滚后便倾入①项之小盆内再上锅蒸 1 小时。

③将小盆内之汤汁倾入锅中,并另加入 3 杯清汤同煮,然后放下各种配料(虾仁留尾壳背上切一刀口,黑鱼切双飞片,海参切大斜片,香菇也切片,胡萝卜片煮熟,青梗菜烫熟),煮滚后加入盐调味,并用调水的生粉勾芡,盛入碟中时需将排翅先扣在中间,四周围放青梗菜和其他用料,洒下胡椒粉即可。

苔菜明虾(福建菜)

[用料]

明虾 12 只(用酒 1 汤匙、盐 1 茶匙、香油 1 茶匙、葱 2 条、姜 3 片制成腌虾料),苔菜 25 克(用鸡蛋 1 只、酒 1/2 汤匙制成蛋汁),花椒盐或番茄酱适量。

[做法]

①将明虾洗净,只剥下中间一段之虾壳(头摘下,尾部仍保留皮壳),抽出砂肠并在虾壳腹部划开一刀。

②葱姜拍碎,放入大碗中,加入酒、盐、香油拌匀,再将虾放进,腌约 10 分钟。

③苔菜沥去泥砂,用刀剁碎,蛋在小碗中打散备用。

④每一只虾的中间(剥去虾壳部分)先在干面粉中沾敷一下之后,再放入蛋汁中蘸匀,最后裹满苔菜屑(头及尾部可不必裹上),放入已烧至八分热之油中炸熟,盛在碟上即可,虾头也炸熟排列碟中。食时沾花椒盐或蕃茄酱。

西汁虾仁（福建菜）

[用料]

净虾肉 250 克,青豆仁 150 克,鸭蛋清 1/2 只,葱 2 条,水发香菇 5 朵,西汁 50 克,上汤 50 克,绍酒、香油、糖、生粉各适量。

[做法]

①将虾洗净。鸭蛋清、干生粉搅拌成蛋糊,放进虾肉内拌匀。香菇洗净切片。葱切马蹄形。

②西汁、糖、盐、味精、绍酒、香油、上汤、湿生粉、香菇、葱调拌成卤汁备用。

③烧热锅,下油,至五成热时,将虾肉下锅拨散,放入青豆稍炸,滗去油后倒进卤汁翻炒几下即可。

八宝蟹饭（福建菜）

[用料]

蟹青蟹 2 只,糯米饭 4 杯,香菇丁、虾米、笋丁、火腿丁各 2 汤匙,酒 1 大匙,酱油 1 汤匙,上汤 5 杯,生花生米(去皮)3 汤匙,葱 2 支,葱料 1 大匙,姜 4 杯。

[做法]

①烧热油锅,爆炒切成小丁的香菇、虾米、笋丁、火腿、花生米等,并淋酒放入酱油与盐调味,再加入上汤 1 杯煮滚,熄火后将煮好之糯米饭加入,拌合均匀。

265

②将蟹刴好后,用冷水洗净,蟹身用厚刀斜切成 3 大片,蟹脚切除尖头,钳部拍碎一下后,仍旧排列成原来形状。

③将拌好的糯米饭放入 1 只大蒸碗中,再将切块之蟹按原形排列在糯米饭上,并将葱、姜散放在蟹块上,上锅用大火蒸熟(约 40 分钟)。

④蒸好的蟹饭端出后,捡出葱、姜,再注入 2 杯煮滚的上汤,洒下葱粒即可。

鱼翅鸡羹(湖南菜)

[用料]

水发鱼翅(散翅)500 克,鸡胸肉(或鸡里脊肉)150 克,猪油 3 汤匙,酒 1/2 汤匙,上汤 6 杯,蛋清 4 个,生粉 3 汤匙,葱姜少许,鸡油 1 汤匙。

[做法]

①将鸡肉用刀轻轻刮下后用刀背斩剁片刻,成为细绒状,放在大碗中加酒、盐及 1 个蛋白轻轻顺一方向搅拌,见已十分均匀时再放进另一个蛋白再搅,如此逐个将 4 个蛋白放完搅好为止,即成鸡绒。

②鱼翅放在锅里加水 5 杯,与葱姜用小火煮 15 分钟,捞出鱼翅,倒掉水另加入上汤 2 杯到锅内,放下鱼翅再以小火煮 20 分钟左右,至鱼翅够烂为止。

③将猪油(或其他油也可)烧热,淋下酒爆香,随即倒下上汤 4 杯,并将鱼翅下锅煮滚,加入盐调味后,用生粉水勾芡。

④将鸡绒慢慢淋下锅内(用汤勺速加搅动以免鸡绒结块),然后马上将火熄去,即可盛入大碟内淋下鸡油(可将熟蟹

黄或火腿切碎洒下）。

葱油凤尾虾(湖南菜)

[用料]

大活虾 500 克,芫荽 75 克,料酒 1 汤匙,味精少许,上汤少许,辣椒油 2 汤匙,香醋 100 克,胡椒粉、葱、姜、生粉、香油各适量。

[做法]

①将芫荽摘小朵,冲洗干净。葱和姜一半切成末,一半拍破。将虾洗一遍,挑去杂质,用手挤去头部脚须和前身的壳,留下尾部的壳,再洗一遍沥干水分。用汤、盐、味精、胡椒粉对成汁。

②锅内放入汤、葱、姜煮出香味,将虾放入,下酒,烫熟即捞出,装入碟内。

③烧热锅,下油,至六成热时,放入姜末、葱花炒出香味,随即倒入各汁收浓,浇盖在凤尾虾上,淋香油,洒入芫荽,附后上辣椒油、姜醋各两小碗即可。

兰花大虾(湖南菜)

[用料]

明虾(中型)12 只,酒 1 汤匙,葱 1 条,姜 2 片,鸡汤 2 杯,生粉 2 茶匙,青梗菜 12 棵。

[做法]

①将明虾头摘下,虾壳也剥下只留最后一节的尾壳。每只明虾由背部切入一刀至尾部(但不可切断)。抽出肠筋及抽断腹下的白筋,然后由靠近头部处反插出尾部,以使虾身可以直立。

②葱姜拍碎加盐及酒拌匀后淋在虾肉上腌5分钟。将全部明虾排列在碟中,用大火蒸5分钟左右,至熟为止。

③将鸡汤1杯煮滚加盐调味后用少许生粉勾芡,浇在虾身上。

④青梗菜用滚水烫1分钟后,泡在冷水中至凉,捞出挤干,用油略炒,加入上汤,略煮(约2分钟),用盐调味后沥干,排列在虾周围即可。

干贝无黄蛋(湖南菜)

[用料]

鸡蛋(大)7只,冬菇(大)2只,上汤(冷)1/3杯,小黄瓜2条,上汤2杯,干贝2个约25克,生粉1汤匙,胡萝卜1条,鸡油少许。

[做法]

①将鸡蛋洗干净后擦干,在尖头蛋壳上剥开一个如花生米大的小洞,慢慢将蛋清及蛋黄分别倒出在两个碗中。

②将蛋清部分用筷子打散并加入冷鸡汤及盐、味精调匀,然后再灌回每个蛋壳中,洞口用胶纸(或胶布)封住,插放在一盆米饭上(使成站立状)。

③放小盆在蒸锅上,蒸约20分钟蛋清表熟后取出,浸过冷水,便小心剥开蛋壳,每个无黄蛋横切成两半成为五角花

形,排列碟中再蒸热一次(约3分钟)。

④干贝用1/2杯水泡软,蒸30分钟后撕成细丝,黄瓜切成5厘米长的扇状。胡萝卜、香菇也各切成相同形状后用开水烫煮30分钟(水中放盐少许),捞出后排列碟边,中间放无黄蛋。

⑤将上汤煮滚加入干贝用盐调味后,勾成稀芡,浇到碟中,并淋少许鸡油即可。

乌龙吐珠(湖南菜)

[用料]

水发海参500克,鹌鹑蛋(或较小的鸡蛋)15只,熟鸡脯肉75克,口蘑75克,上汤4杯,生粉、葱、香油各适量。

[做法]

①将水发海参切成约5厘米长、1厘米宽的长条。鹌鹑蛋煮熟去壳。熟鸡脯肉切3厘米长、1厘米宽条状。口蘑切块,葱切段。

②烧滚适量水,将海参条下入锅内烫过捞出(重复一次),用布擦抹干水分,再换上汤烧滚,下入海参条调味,倒入漏勺内。

③烧热锅,下油,放入鹌鹑蛋,炸成淡黄色捞起。再烧热油锅,用葱炝锅后将葱结捞起,放入鸡脯肉、海参煸炒几下,下料酒、鸡汤,将鹌鹑蛋倒入并下口蘑,调味,用生粉水勾芡,淋香油,放入葱段即可。

香炸琵琶虾(安徽菜)

[用料]

虾仁 125 克,凤尾虾 20 只,鸡脯肉 75 克,猪肥膘肉 35 克,熟笋丝 50 克,冬菇丝 5 克,芝麻仁 50 克,鸡蛋清 3 只,面粉、绍酒各 2 茶匙,生粉、香油各适量。

[做法]

①虾仁、猪肥膘肉、鸡脯肉斩成茸,加蛋清(1 只)、生粉适量、盐、味精、胡椒粉、绍酒,搅拌均匀,倒入笋丝、冬菇丝,搅匀制成虾馅,取汤匙 20 个,抹少许熟油,把凤尾虾拍一拍放在汤匙里,虾尾露出匙把外,装上虾馅抹平,用大火蒸 5 分钟取出晾凉,脱出汤匙,放在碟中,蛋清、面粉、生粉、香油调制成酥糊。将蒸好的琵琶虾蘸上糊,粘上芝麻仁。

②烧热锅,下油,至七成热时,将琵琶虾放入炸至上皮酥脆捞起装碟即可。

玉板蟹(安徽菜)

[用料]

蟹肉 50 克,鸡蛋 5 只,鱼肉 50 克,青菜 250 克,水发香菇、熟火腿片、小葱叶段各 5 克,绍酒 2 茶匙,姜汁、生粉各适量,上汤 100 克,熟猪油 50 克。

[做法]

①将鸡蛋下冷水锅煮熟捞起,放冷水中略浸剥壳,每个鸡

蛋切成 4 块,去蛋黄放碟内摆好。青菜摘洗干净,沥水,将鱼肉剁成泥置碗中,加姜汁、盐、绍酒 1 茶匙和适量水拌匀成馅料。蟹肉放碗内,加盐和绍酒 1 茶匙调好味。

②在蛋白上叠上干淀粉,每个放鱼肉馅 1 份,再放上蟹肉一份在碟内排放好。碟中间的 1 份放上一点蟹黄,其余的上面分别放葱叶段、香菇片、火腿片,连碟上笼蒸熟取出。

③炒锅置中火上,放入熟猪油(35 克)烧至六成热,下青菜煸炒,加适量盐炒熟放在碟内滗去汁水,将蒸好的蟹移至菜碟中。炒锅中放入上汤加适量盐,用生粉水勾芡,淋入熟猪油,浇在上面即可。

火腿炖甲鱼(安徽菜)

[用料]

甲鱼 500 克,火腿骨 1/2 条,绍酒 1 汤匙,火腿 70 克,熟猪肉 10 克,清汤 3 杯,香油、小葱、姜各适量,冰糖、胡椒粉少许。

[做法]

①将甲鱼头引出齐甲盖处颈部宰杀,流尽血水,放在 80℃热水中浸烫,剥去皮膜,用刀沿甲壳四周划开,掀掉甲盖,去内脏(留下甲鱼蛋)、脚爪和尾,洗净,剁成 3.3 厘米长、2 厘米宽的条块,放入滚水锅内,煮至水再滚时捞出,再清洗一次。

②选用肥瘦相连的火腿切成 4 大块。火腿骨洗净沥干。

③取砂锅一只,先整齐地摆入甲鱼块,然后将火腿、葱(打结)、姜(拍松)和火腿骨围在甲鱼四周,加入清汤和绍酒,盖好盖,用大火煮滚撇去浮沫,放冰糖,改用小火炖 1 小时左右,去葱、姜和火腿骨不用,火腿取出切成片,放回锅中,淋上香油,

洒上胡椒粉即可。

清炒鳝糊（安徽菜）

[用料]

小鳝鱼 500 克,酱油 3 汤匙,熟火腿 15 克,绍酒 1 汤匙,肉汤 1 汤匙,香油、葱、姜、白糖、胡椒粉、生粉各适量。

[做法]

①将鳝鱼剀好,洗净,切成 5 厘米长的小段。姜一半切丝一半切茸。火腿切丝备用。

②烧热锅,下油,烧至五成热时,下鳝鱼煸约 30 秒钟,加入酱油、盐、白糖、姜茸、绍酒和上汤,等鳝鱼丝烧上色,用生粉水勾芡,翻炒片刻,见卤汁包住鳝丝时,淋上香油,拌匀后起锅装入碟中。随即将鳝鱼糊中处揿凹,周围洒糊椒粉,碟边缘分别照"品"字形放上姜丝、火腿丝和葱花。置净锅大火上,放入香油烧至冒青烟时倒入鳝糊凹处迅速上桌即可。

二、肉 类

糖醋咕噜肉（广东菜）

[用料]

去皮五花肉 500 克,竹笋肉 300 克,糖醋 500 克,葱 2 条,

272

蒜茸1茶匙,辣椒3只,鸡蛋3只,姜4片,汾酒、味精、生粉各适量。

[做法]

①将五花肉与笋肉切成榄核形。猪肉与盐、味精、姜片、葱条、汾酒拌匀,腌约30分钟。

②将猪肉先用生粉拌匀,然后加入鸡蛋拌匀,再粘上一层干生粉把姜葱去掉不用。

③烧热锅,下油烧至五成热,放入猪肉炸约3分钟至熟,把笋件也投入油锅里略炸,捞起沥干油。

④炒锅放回炉上,下蒜茸、辣椒、葱段、糖醋煮滚,用生粉水勾芡,再下炸肉块、笋肉拌匀即可。

白云猪手(广东菜)

[用料]

猪手4只约1250克,白醋1500克,白糖500克,红辣椒50克。

[做法]

①将猪手除去脚毛,去蹄甲,洗净后放进滚水锅内煮约30分钟捞起,用清水冲漂约2小时捞起,剖开切块,再用清水洗净。

②再将猪手块放入滚水锅中煮约30分钟,捞起用清水冲漂2小时取出。如是重复两次,冲漂冷却后备用。

③放白醋下锅,烧至微滚加入白糖、盐,溶解后盛在盆中,用洁布过滤,冷却后将猪手块放入浸约6小时(红辣椒也一起放进去),捞盛上碟即可。

蒜味爽肚（广东菜）

[用料]

猪肚 1 个（约 500 克），蒜子 100 克，汾酒、姜片各适量。

[做法]

①先用盐刷猪肚，再用生油、生粉混合洗刷，用水冲净，除去秽味。取肚尖部分切成薄片，用汾酒、姜片、生油腌 30 分钟。蒜子除皮全粒。

②肚尖大火走油，上碟备用。炒好蒜子以烩为宜，另盛小碟。然后将生油置铁锅内，大火把已走油的肚尖炒匀，再加炒烩蒜仁混炒均匀即可。

梅菜扣肉（广东菜）

[用料]

猪五花肉 1000 克，梅菜 150 克，豆豉 15 克，红腐乳 10 克，姜 5 片，蒜头 5 粒，白糖 3/2 汤匙，川椒酒 1 茶匙，深色酱油 1 汤匙，浅色酱油 1 茶匙，生粉适量。

[做法]

①将花肉刮洗干净，用清水煮至刚熟，取出，以深色酱油 1/3 汤匙涂匀肉皮。烧热炒锅，下油，烧至七成热，将肉放入油中，加盖炸至无响声，捞起，晾凉后改切成长 8 厘米、宽 4 厘米、厚 0.5 厘米的块状，排放在扣碗内，成风车形。

②将豆豉、蒜头、红腐乳压烂成茸，放入碗内，加入川椒

酒、盐、白糖1汤匙、深色酱油、姜片,调成味汁,倒入肉内,然后整碗放锅中蒸约40分钟取出。

③将梅菜心洗净,切成长3厘米、宽1厘米的片,用白糖、浅色酱油拌匀,放在肉上,再蒸5分钟取出,滗出原汁,然后将肉复扣在深碟中,将原汁烧滚,加生粉水勾稀芡淋入深碟中即可。

酱肉丝(四川菜)

[用料]

猪肉400克,甜酱40克,上汤30克,酱油2茶匙,生粉、葱丝各适量,白糖少许。

[做法]

①将猪肉(三成肥、七成瘦)洗净,去筋,片成约6厘米的粗丝,葱丝切成1.5寸长的细丝。

②将切好的肉丝装入碗内,加盐、酱油、生粉、水拌匀。将糖、酱油、生粉水、味精制成汁。

③烧热锅,下油烧至六成热时,下肉丝快速炒散,放入甜酱炒香,翻炒均匀后,加入制好的汁,色呈深褐色时,洒上葱丝即可。

干煸鲜笋(四川菜)

[用料]

小冬笋或小竹笋(去皮)500克,酱油1汤匙,绞猪肉100

克,姜茸2茶匙,糖2茶匙,虾米2汤匙,榨菜2汤匙,葱茸2汤匙,盐、香油各适量。

[做法]

①将每一支笋先对切开后,用刀面轻拍一下再切成条或厚片状,然后全部用烧热的油炸成金黄色(也可用少量的油煸炒10分钟至干黄),捞出沥干。

②烧热3汤匙油,先爆炒绞肉并放入姜茸及虾米(切碎)、榨菜(切碎)同炒,炒至香味透出后,淋下酱油并将笋条落锅,加入盐及糖调味,再用大火煸炒至干,最后下葱茸与香油即可。

鱼香肉丝(四川菜)

[用料]

肥瘦肉400克,木耳20克,泡辣椒40克,白糖1汤匙,醋1汤匙,酱油2茶匙,上汤60克,葱花、姜、蒜茸各适量。

[做法]

①选用猪前夹眉毛肉(北方称做前磨档,是猪前夹中一块形如眉毛,质嫩的瘦肉)或猪里脊肉,另加20%的肥肉用清水洗净,片成厚薄均匀的片,再切成"二粗丝"(6厘米长、0.3厘米见方的丝)。姜、蒜去皮剁细。泡辣椒去蒂,去籽,用刀剁细。木耳用温水发涨洗净切丝。

②将切好的肉丝放碗内,用盐和生粉水拌匀,把糖、酱油、醋、盐、味精、生粉加少许的上汤,在碗内制成鱼香汁。

③烧热锅,下油烧至六七成热时,下拌匀的肉丝快速炒散,即下泡辣椒、姜、蒜米、葱花,炒出香味,随即加入鱼香汁和

木耳丝,炒匀即可。

甜烧白(四川菜)

[用料]

带皮鲜保肋肉(猪中间部分,北方称硬肋肉,包括五花肉,皮薄、肥瘦相连)250 克,糯米 100 克,红糖 100 克,熟猪油 50 克,白糖 50 克,糖色 5 克,豆沙 35 克。

[做法]

①将保肋肉刮洗干净用清水煮热捞出,抹去皮上油水,趁热抹上一层红糖晾凉。

②将糯米淘洗干净,上笼蒸成糯米饭,趁热拌入红糖 50 克,同时放熟猪油 15 克拌匀。

③将豆沙(可用其他杂豆煮熟绞茸也可)在锅内用熟猪油翻炒,下红糖再炒几下铲起,晾凉备用。

④将肉切成 5 厘米长、3 厘米宽、0.5 厘米厚的夹层片(第一刀切到皮上,不切断,第二刀切断),每片肉中间夹上一份炒熟的豆沙,装入蒸碗,4 片一组,成万字(卍)形,再填入糯米饭,隔水蒸至热稔。吃时翻扣入盘,洒上白糖即可。

肉丝拉皮(山东菜)

[用料]

猪瘦肉 150 克,葱头 150 克,水发木耳 30 克,熟蛋皮 30 克,黄瓜 30 克,水发海米 30 克,麻汁、醋各 1 汤匙,香油、生粉、酱油、蒜、芫荽各适量。

[做法]

①将猪肉先切成片,再顺纹切成丝。葱头切成丝。芫荽梗切成段。木耳、黄瓜、蛋皮均切成丝。蒜捣成泥。在碗内放入生粉、盐调成稀糊。

②将麻汁中加入盐、清水调成稀糊状,用酱油、醋、蒜泥、香油对成汁水。

③将热油锅,先放入肉丝、葱头翻炒,再加入酱油、盐、芫荽梗炒熟,淋上香油,盛入碟内,即为"炒肉丝"。

④锅内放清水煮滚,生粉糊倒入粉扇内,拉成粉皮。

⑤将粉皮切成5厘米长的条,放入另一碟中,周围顺序摆上肉丝、木耳、黄瓜、蛋皮,淋上麻汁水即可。

山东酥肉（山东菜）

[用料]

猪瘦肉400克,鸡蛋50克,熟蛋皮10克,水发海米10克,上汤1杯,酱油、料酒各2茶匙,花椒、大料各少许,葱、姜、香油、生粉、芫荽各适量。

[做法]

①将猪肉切成转刀块,用鸡蛋、生粉、酱油拌匀。葱、姜一半切丝,另一半切块。芫荽梗切成段。蛋皮切成丝。

②烧热锅,下油,至八成熟,放入肉块,炸至呈枣红色,捞出沥干油,放入碗内,加上汤、酱油、葱姜块、花椒、大料、味精,放锅内蒸熟取出,捡净葱、姜、花椒、大料、撇去浮沫,淋上香油,扣入汤碟内。

③净锅置火上,将原汤倒入锅内,加上汤、盐、料酒、葱姜丝、芫荽段、鸡蛋皮、味精、海米,煮滚后撇去浮沫,淋上香油,倒入汤碟内即可。

芙蓉黄管(山东菜)

[用料]

猪黄管 200 克,鸡泥 100 克,黄瓜皮、火腿、香菇、香菜各适量,鸡蛋清 5 只,上汤 300 克,料酒 1 茶匙,生粉、鸡油各少许。

[做法]

①将蛋清打入碗内,加凉上汤、盐,用筷子搅匀,除净浮沫,放锅内用小火蒸熟,成为"芙蓉"底。

②用清水把猪黄管洗净,放入锅内,煮滚,用小火煮至八成烂捞出,用清水洗过,摘净油筋用竹筷将其翻过来,用刀均匀地切成蜈蚣形花刀,然后将鸡泥均匀地抹在一部分黄管内。

③黄瓜皮、香菇、火腿切成粗丝,分别沾在黄管刀口的翻开处,然后放锅内蒸透取出,截成 4 厘米长的段,均匀地摆在"芙蓉"底中间,一部分不抹馅用水灼熟捞出,摆在芙蓉底四周。

④锅内放入上汤、盐、料酒,煮滚后撇去浮沫,用生粉水勾芡,浇在原料上,淋上鸡油即可。

雪丽蛋泊肉(山东菜)

[用料]

鲜鸡蛋清 6 只,肥猪肉 100 克,糖 125 克,味精少许,青红丝、生粉各适量。

[做法]

①将蛋清放入碗内,用筷子抽打至起沫,加入生粉搅匀,制成雪丽糊。

②将肥肉剁成泥,加白糖 25 克、少量青红丝、味精搅匀,做成指顶大小的丸子。

③烧热锅,下油,至五成热,将肉丸包上一层雪丽糊下入油中,用小火炸至涨发起来、色金黄、形如鸡蛋时,端锅离火。

④将锅置火上,加入清水,加白糖炒至糖变色,将出丝时,将炸好的蛋泊肉放入糖锅内,迅速炒匀,加青红丝、味精即可。食时外带冷水一碗。

镇江肴肉(江苏菜)

[用料]

猪前腿 750 克,硝 1 茶匙,花椒 1 汤匙,姜丝少许。

[做法]

①将蹄膀肉切开成一大片后,在肉面擦上硝和炒过的花椒与盐,放在冰箱中 3 天(需翻面两次)。

②将肉整块用开水烫一次(约 3 分钟),再放进卤汁用小

火煮两小时(如无卤汁可用上汤加适量八角、小茴、花椒等香料与盐熬煮也可)。

③将肉取出,平铺在一方碟中,再在肉上面放置砖头或其他重物紧紧压实(天热需放进冰箱中),约一天后,便成肴肉,取出后切下 1/3 量再切成 1 寸宽 2 寸长 1/2 寸厚的块状,排在碟中,配以姜丝即可(沾香醋食用则味道更佳)。

碧绿蹄筋(江苏菜)

[用料]

猪蹄 300 克,丝瓜 200 克,熟火腿片 50 克,料酒 25 克,熟猪油(或香油)、生粉、上汤各适量。

[做法]

①将蹄筋洗净后发至软呈乳白色,浸入清水漂清,再切成 2 寸长的段。丝瓜刮去表皮,切去两头,剖成两片,挖去瓜瓤洗净,切成长 3 厘米、宽 1 厘米的条。

②烧热锅,下油,烧至三成热时把丝瓜条放油锅中稍溜一下,捞起倒入漏勺。

③原锅置火上,放入鸡汤,下蹄筋、熟火腿片、料酒、盐、味精烧透,再将丝瓜条放入煮滚,用生粉水勾芡,淋上适量熟猪油,起锅装碟即可。

清炖狮子头(江苏菜)

[用料]

猪腿肉(肥瘦各半)500克,蟹肉100克,菜心100克,料酒75克,蟹黄25克,菜叶6张,葱粒、生粉、姜汁、上汤各适量。

[做法]

①将猪腿肉切成粒放入碟内,加葱粒、姜汁水、蟹肉、料酒、盐、味精拌匀。

②将菜心洗净,菜头用刀划成十字刀块,切去部分青叶,使菜心的长度均为约3寸长。

③烧热锅,下熟猪油,放入菜心煸至翠绿色,加盐、适量上汤和味精,煮滚离火取出,将菜心均匀地排列在大砂锅内,原汤倒入至砂锅下沿。

④将拌好的肉分成12份,做成光滑的肉丸子逐个排在菜心上面。再将蟹黄分嵌在每只肉丸上,上面盖菜叶,然后盖上盖,隔水蒸90分钟取出,去姜和菜叶即可。

无锡肉骨头(江苏菜)

[用料]

肋排500克,糖3汤匙,料酒2汤匙,酱油、葱结、姜块、八角、桂皮各适量。

[做法]

①将排骨斩成块,用盐拌匀,放入深碟内腌12小时左右。

②将腌渍的排骨取出用清水洗净,放入锅内加清水煮滚,再用滚水灼过捞出洗净。

③将锅洗净放入锅垫(竹算),将排骨整齐排在锅中。加料酒、葱结、姜块(拍松)、八角、桂皮,再加适量清水,盖上盖,用大火烧滚后加酱油、糖,再加盖用中小火煮透,装碟备用。

④用大火将酒、八角等汁料煮烩,将汁淋在碟内即可。

东坡肉(浙江菜)

[用料]

猪五花肋条肉 750 克,姜块 25 克,冰糖 50 克,绍酒 125 克,酱油 75 克,葱 25 克。

[做法]

①猪肋条肉刮净皮上余毛,洗净后放入滚水锅烫约 3~5 分钟,捞出切成 20 个小方块。

②将姜块去皮拍松,葱取少许制成葱结。

③取大砂锅一只,用小竹架垫底,铺上葱、姜块,将猪肉皮朝下排放在葱姜上,加入糖、酱油、绍酒,再放入葱结,加盖用大火烧滚,密封边缝,置小火上焖 2 小时左右。

④打开盖,将肉块翻身(皮朝上),继续加盖密封焖至酥熟,将砂锅端离火。启盖,将肉分装入两只特制的小陶罐中,撇去肉汁上的浮油,将汤汁分装入罐,用桃花纸密封罐盖四周,隔水用大火蒸 30 分钟左右,取出备用。食前将罐再放在大火上蒸 10 分钟左右即可。

干菜焖肉(浙江菜)

[用料]

猪五花肋条肉 400 克,干菜 60 克,红曲米 5 克,绍酒 10 克,酱油 25 克,糖 40 克,茴香、桂皮、葱段各适量。

[做法]

①将猪肋条肉切成 2 厘米见方的小块,放入滚水中烫约 1 分钟,用清水洗净。干菜洗净挤干水分,切成 0.5 厘米长的小段。

②锅中放适量清水,放入肉块,加酱油、绍酒、桂皮、茴香,加盖用大火煮至八成熟,下红曲米、糖和干菜,翻拌均匀,煮约 5 分钟,以吸干肉汁为度,然后加味精起锅。

③取扣碗一只,先放少量煮过的干菜垫底,然后将肉块皮朝下排放上面,盖上剩下的干菜,隔水用大火蒸 2 小时左右,至肉酥软时,覆入深碟中,放上葱段即可。

糖醋排骨(浙江菜)

[用料]

猪排 500 克,面粉 50 克,绍酒 60 克,酱油 50 克,糖 90 克,醋 80 克,葱段、生粉和香油各适量。

[做法]

①将猪排斩成约 1 寸长的小块,用绍酒 20 克和盐拌匀,再用适量生粉、面粉和水适量搅拌均匀。

②将酱油、糖、醋和绍酒 35 克,生粉加水调成汁备用。

③烧热锅,下油,至六成热时,把猪排逐块放入油锅炸至结壳捞出,拔开粘连,捡去碎末,油温升至七成时,再将排骨下锅复炸至外壳松脆捞出。

④原锅留油少许,放入葱段爆香后捞去,即将排骨下锅,迅速将调好的芡汁放入锅中,连续翻炒,淋下香油即可。

花式蒸饺(浙江菜)

[用料]

面粉 5/2 杯,淡色酱油 1 汤匙,绞猪肉 250 克,葱粒 2 汤匙,青菜屑 3 汤匙,姜茸 1/2 汤匙,熟胡萝卜屑 3 汤匙,香油适量。

[做法]

①将面粉盛在盆内,用滚水 2/3 杯冲烫,并用筷子拌匀,约 30 秒钟后,将冷水 1/3 杯慢慢加入,用手揉至光滑,盖上湿白布,放置 20 分钟左右。

②将绞肉放在大碗内,加入切碎的葱与姜,并放酱油、香油、盐、味精调味,拌匀。

③将面团再揉搓至光滑后,分成 40 小粒,每粒均加以压扁,擀成约 3 寸直径的圆形薄皮状,托在左手掌,加入 1 汤匙馅料在中间,用右手折合成"一"字开,再捏出两个小洞,分别塞入 2 色用料做点缀(青菜屑及胡萝卜屑)。

④将做好的饺子全部排入蒸笼中(需铺上湿布在笼底),用滚水大火蒸 15 分钟即可。

豆腐饺子(福建菜)

[用料]

嫩豆腐(2 寸见方)4 块,绞猪肉 150 克,香菇茸、虾米茸各 1 汤匙,酒 1 茶匙,上汤 3 杯,火腿片 6 片,青菜少许,生粉适量。

[做法]

①将绞猪肉加入适量水,剁过之后,放进碗中,再放香菇茸、虾米茸及盐、酒、生粉等调味料,拌为泥状,分成 20 小粒备用。

②将每块豆腐先切除其硬皮及四边后,再横面片成薄片(每片约 1/5 寸厚)。

③将一块洗净的方形湿白布摊开,将豆腐片往布角上放好,并放一粒肉馅在豆腐片中央,提起布角向前覆盖(使豆腐成三角形包住肉馅)然后再用两个食指用力按压三角形豆腐的两边以使豆腐边能粘合起来而成为饺子状。

④逐个做好后,轻轻放到涂过油的碟子上,全部做好,放锅中隔水蒸熟(约 8 分钟)。

⑤将上汤在锅内煮滚,加入火腿片、香菇片及青菜,并放盐调味,最后用生粉勾芡盛在大碟中,并将蒸熟的豆腐饺子小心的放入略拌即可(如有鸡油可淋下 1 茶匙)。

金钱肉(福建菜)

[用料]

猪瘦肉 400 克,猪肥朥肉 125 克,酱油、绍酒各 1 大茶匙,芫荽、糖、五香粉、花椒盐、生粉各适量。

[做法]

①将瘦肉洗净,切成银圆大(0.13 厘米厚)的片,每片再片成连接着的两片(即荷叶片)。芫荽洗净,摘成小朵。

②将猪肥朥肉切成比银圆略小些的片,每片厚 0.07 厘

286

米,共 12 片,和瘦肉一并放在碗内,加酱油、糖、五香粉、绍酒抓匀,腌约 3 分钟,然后把每片肥膘肉分别夹入连着的两片瘦肉之间,用筷子将夹好的瘦肉片从中穿成一串(不要串得过紧),均匀地涂上生粉。

③烧热锅,下油,至七成热时,将穿好的肉下入锅内,炸至呈金黄色时捞出,沥去油,将肉片逐片取下,整齐地摆在碟中,洒上花椒盐,在碟的周围摆上芫荽即可。

龙须燕丸(福建菜)

[用料]

燕皮 150 克,胡椒粉少许,绞猪肉 250 克,生粉 3/2 汤匙,冬菇茸 1 汤匙,虾米茸 1 汤匙,上汤 6 杯,葱茸 2 汤匙,芹菜茸 2 汤匙,蛋清 1 只,香油适量。

[做法]

①将燕皮用湿布略加敷盖后卷成筒状切成细丝,再切成 1 寸长的小段,放在碟中备用。

②将猪绞肉放大碗中,加入冬菇、虾米、1 汤匙葱、蛋清、盐、胡椒粉、生粉、香油和适量清水用力搅拌均匀。

③用手指将第二项的肉馅做成小丸子状(约 40 个)放到燕皮上滚动,使肉丸沾满燕皮丝,然后放在另一碟中,隔水用大火蒸 10 分钟。

④将上汤煮滚并加盐调味后盛入大碗,然后将燕丸放下,并洒下芹菜茸、葱茸及淋下香油和胡椒粉即可(燕皮是用打烂的瘦猪肉加入生粉,碾压制成薄片后晒干的福建著名食品)。

炝糟五花肉（福建菜）

[用料]

猪五花肋肉 500 克,红糟 25 克,葱 5 条,虾油 200 克,糖 25 克,酱油 10 克,绍酒 10 克,蒜茸、五香粉各适量。

[做法]

①将猪肋肉切成 8 块,放入锅内,加适量清水,下虾油,用中火烧至五成熟时,连汤装入钵中,加盖放 1 小时后取出,滗去汁(留用),每块肉切成 4 小片。

②葱洗净,将葱白切成马蹄片。

③烧热锅,下油,到五成热时,把红糟、蒜茸下锅,炒出香味,调入酱油、糖、绍酒、五香粉,再下肉、葱白即可。

富贵火腿（湖南菜）

[用料]

陈年火腿 750 克,玻璃纸(2.5 尺见方)1 张,黄砂糖 1 杯,荷叶或芋叶 4 张,肥猪肉(绞碎)1 杯,粘土 1500 克,桂花酱少许,土司面包 12 小片。

[做法]

①购买火腿上面之一段筒骨最细 瘦肉较多的部位(俗称雄片),削除表皮的污渍,并泡过温水刷洗干净后,放进大碗内加入清水浸着上锅蒸 1 小时左右。

②待稍凉后先剔去火腿皮,再逆丝切成 2.5 厘米宽、5 厘

米长的薄片(肥肉占 1/4 较好)。

③将切好的火腿片(20 片)瘦肉向下,铺排在玻璃纸中央,再将加了桂花酱与糖调拌过的绞肥肉平均淋在上面,提起相对之纸角卷折,并包成长方形,外面用荷叶再包好,并捆扎麻绳,最后将粘土(调过盐水)涂上做成如枕头状(也可将包了荷叶的火腿包直接放在一只铁托盘上,再用粘土封盖成半圆形)。

④放进烤箱中(火腿面在下方),用大火烤 4 个小时便可,上桌时敲开粘土打开叶子与纸,将已烤成深红色并有粘性的香火腿移到长碟中,另外配上切成半片的土司面包(由横面切入刀口使成活页状),由食者自行夹食即可。

东坡方肉(湖南菜)

[用料]

猪五花肉 1500 克,桂皮 12 克,冰糖 45 克,小圆馒头 16个,甜酒原汁约 2 汤匙,酱油约 2 汤匙,葱、姜各适量。

[做法]

①将五花肉放在火上燎过,用温水浸泡软,用小刀刮洗干净,放入锅中略煮,切成 4 厘米见方的块(计 10 块),在皮面上划上花刀,在肉的一面划上十字花刀,深度为肉的 2/3。将葱白切成花,余下葱和姜拍破。

②烧热油锅,放入葱、姜煸炒,再加入五花方肉,用温火煸出油,放入酱油煸上红色时,再加入甜酒原汁、冰糖、盐、桂皮和适量的水,煮滚后,将方肉放入垫好底算的砂钵内(皮朝下),倒入煸肉原汤,盖上盖,用小火煨 1 小时左右,待肉烂浓

香为止。

③食用时,将东坡方肉上火煮滚,再揭盖,倒去酱油,去掉葱、姜、桂皮,再手提起底算,将肉翻扑碟内,加味精把汁收浓,浇在肉面上,随上小圆馒头两碟,蘸肉汁食用。

凤尾腰花(湖南菜)

[用料]

猪腰 3 个约 300 克,净冬笋 50 克,水发香菇 10 朵,鲜红椒 25 克,酱油 1 汤匙,料酒 2 茶匙,香油、糊椒粉、葱、姜、生粉各适量,上汤少许。

[做法]

①将猪腰撕去皮膜,片成两半,再片去腰臊,用盐、生粉拌匀。

②先用斜刀法将猪腰划成一字花刀,再用直刀法切,每切 3 刀断成约 1 厘米宽的带花条形。

③冬笋、香菇、鲜红椒均匀切成小条,葱切成段。将酱油汤、味精、湿淀粉倒入碗内,调成汁备用。

④烧热锅,下油至滚,放入腰花炸至成熟时倒漏勺沥油。锅内留适量油,放入红椒、冬笋、香菇、葱段煸炒几下,随即倒入调好的汁,待汁稠时倒入滑熟的腰花,翻炒片刻,洒上花椒粉,淋入香油,装碟即可。

油爆肚尖（湖南菜）

[用料]

猪肚尖 4 个约 250 克, 净冬笋 50 克, 水发香菇 10 朵, 鲜红椒 25 克, 鸡蛋 1 只, 料酒 2 茶匙, 香油、葱、姜、蒜、上汤、生粉各适量。

[做法]

①将猪肚肚尖部位用刀剥下厚的一层肚尖头, 剔去两面的油和筋, 用清水洗净备用。

②在肚尖的内面, 用刀斜划十字交叉花刀, 切成约 2.5 厘米大的斜方块。冬笋、红椒(去蒂带籽)、香菇(去蒂)都切成略小于肚尖的块。姜切小片, 葱切段, 蒜切茸。

③将汤、味精、盐、香油、生粉放入碗内, 调成汁, 加入葱段备用。将肚尖花加入盐、味精拌匀, 再用蛋清、生粉拌匀。

④烧热油锅, 下肚尖花, 待肚尖散开卷起时, 即倒入漏勺沥油, 锅内留适量油, 放入冬笋、姜片、红椒、蒜泥、香菇煸炒片刻, 倒入调好的汁, 待汁稠时再倒入肚尖花翻炒片刻即可。

红煨牛肉（湖南菜）

[用料]

黄牛肋条肉 1000 克, 冰糖 10 克, 桂皮 1 克, 绍酒 2 汤匙, 上汤 8 杯, 酱油 1 汤匙, 葱结、姜片、青蒜各适量, 胡椒粉、生粉、香油各少许。

[做法]

①将牛肉冷水洗净,切成4大块放入锅中煮至五成熟捞出,再切成3厘米长、2厘米宽、2厘米厚的条。青蒜洗净,切成3厘米长的段。

②烧热锅,下油,烧至八成热,倒入牛肉煸炒约2分钟,下绍酒、酱油,续炒片刻盛起。

③取大瓦钵1只,用竹箅子垫底,将煸炒过的牛肉放在箅子上,再加葱结、姜片、桂皮、冰糖、盐和上汤(上面压盖瓷盘),用大火煮滚后,改用小火煨至软烂。

④软烂的牛肉去掉葱、姜、桂皮和原汁一直倒入炒锅,放入青蒜、味精、胡椒粉煮滚,用生粉勾芡,淋入香油即可。

香腿蹄鸡(安徽菜)

[用料]

猪蹄膀350克,老母鸡约500克,火腿二腕100克,水发香菇8朵,熟笋50克,冰糖少许。

[做法]

①将母鸡洗净,猪蹄洗净,放冷水锅中煮滚,捞起再洗一次。熟笋和香菇均切成片。

②将火腿二腕刮洗干净,放砂锅中,加适量水煮至五成烂时捞起横划几刀,再放回砂锅内,加入鸡、蹄膀和水(淹没为好),用大火煮滚,撇去浮沫,改用小火炖到鸡有五成烂时,放笋片、盐和冰糖,继续钝至香烂。

③将香菇片放入炖盅,用大火烧约1分钟取出鸡、蹄膀和火腿二碗,排放在汤碟内(分别排列,以突出三色),用香菇片

在上面摆成花瓣形,浇以锅中汤汁即可。

杨梅丸子(安徽菜)

[用料]

猪肉 600 克,鸡蛋 2 只,面包屑 80 克,杨梅汁 200 克,醋 2 汤匙,白糖 4 汤匙,香油、生粉适量。

[做法]

①选用三成肥七成瘦的猪腿肉,剁成肉泥,放在碗内将鸡蛋打入,加盐、适量水拌匀,再加面包屑拌匀成馅。

②烧热锅,下油,烧至五成熟时,将肉馅用手挤成象杨梅圆子大小的圆球,滚上面包屑,下锅炸至浮起,呈金黄色时,倒入漏勺沥干油。

③原锅中放入适量水,加白糖、醋、杨梅汁,在中火上溶化成卤汁,再用生粉水勾芡,随将炸好的肉丸倒入,翻炒片刻,淋上香油即可。

蛏干烧肉(安徽菜)

[用料]

猪五花肉 350 克,蛏干 150 克,熟笋片 50 克,小葱末、姜末各少许,酱油 1 汤匙,白糖约 1 汤匙,绍酒 3 茶匙,生粉适量。

[做法]

①将蛏干洗净置碗内,加入清水(淹没原料),上笼蒸熟取

出,把蛏干捞起放在清水中,用筷子搅动,淘净杂质。蒸蛏干的原汁,过滤后备用。

②选用带皮的猪五花肉刮洗净,切成 1 厘米厚的长方片放在锅中,加适量水,用大火煮滚,撇去浮沫,改用小火烧至五成烂时,加入姜末、白糖、绍酒、酱油、精盐、笋片、蛏干和原汁,继续烧至烂时,用生粉水勾芡,起锅装碟,洒上葱末即可。

鸡腿排骨(安徽菜)

[用料]

猪排(脆骨连小排)350 克,猪瘦肉 150 克,鸡蛋 1 只,面包屑 50 克,姜汁 1 汤匙,绍酒 2 茶匙,番茄酱 1 小碟,葱末适量。

[做法]

①将排骨(脆骨连小排)洗净,剁成 6 厘米长的小段,放于碗内,加盐、姜汁、绍酒、味精少许抹匀,放锅中蒸至骨膜离骨时取出,每根排骨留 1/2 肉。

②将猪肉剁成泥,加入味精、姜汁、葱末和清水少许,搅拌均匀,再打入鸡蛋,加味精少许拌匀。

③将排骨肉的部分裹上一层肉馅,理成鸡腿形,沾匀面包屑,即成"鸡腿"生坯。

④烧热油锅,下油,烧至六成热时,将"鸡腿"下锅炸至呈金黄色,捞起即可,蘸蕃茄酱佐食。

寸金肉（安徽菜）

[用料]

猪里脊肉 175 克,熟火腿 25 克,白芝麻仁 60 克,鸡蛋 1 只,面粉 30 克,小葱末 10 克,胡椒粉、味精各少许,绍酒 1 茶匙,葱姜汁 1 汤匙,香油、生粉各适量。

[做法]

①将猪里脊肉剔去筋膜,片成大薄片,用刀背轻轻排砸几下,使之松软,放在大碟里,加葱姜汁、白胡椒粉、绍酒、盐、味精,用手抓拌浆好。鸡蛋磕入碗内,加适量生粉调成蛋糊,抹在肉片上备用。

②火腿切成细末,加适量生粉和葱末一起放在碗里拌匀成馅料,用肉片将馅料卷成如手指粗的条状,外面涂上一层蛋糊,滚上一层麻仁,制成寸金肉生坯。

③锅放中火上,下油烧至五成热时,放入寸金肉生坯(注意火候,油温不能过高,否则芝麻易焦),炸至浮起,呈淡黄色时捞起,切成 10 厘米长的斜段,待油温升至六成热时,再将寸金肉下锅炸 15 秒钟左右捞起,每段切成 3 小块装碟即可。

徽州圆子（安徽菜）

[用料]

炒米 500 克,鸡蛋 1 只,熟猪肥膘肉 100 克,金桔 20 克,生猪肥膘肉 100 克,糖桂花 1 茶匙,白糖 300 克,蜜枣 25 克,青红

295

丝、香油、青梅、生粉各适量。

[做法]

①将熟猪肥膘肉、金桔、蜜枣、青梅分别切成绿豆大的丁,放在碗内,加入白糖(200克)、糖桂花拌匀,做成比杏核稍大的核心。另将生猪肥膘肉剁成泥,放在碗内打入鸡蛋,加生粉拌匀,再放入炒米拌匀,用手搓散成湿炒米。

②用手蘸冷水洒在一部分湿炒米上(用一点,洒一点,拌一点,如洒水面积过大,会影响炒米粘度),取一份湿炒米,放在手掌上,搓成一个直径约5厘米的薄饼,包入一个馅心,用手搓成圆子,放在碟里。

③烧热锅,下香油,烧至五、六成热时,下圆子,炸成金黄色时捞出装碟。

④在炸圆子的同时另用一炒锅,放入适量水、白糖、青红丝,用小火煮滚,淋上香油,均匀地浇在炸好的圆子上即可。(炒米:将糯米淘洗净,蒸成干饭晒干搓散,放在锅内,加上干净细沙炒至米粒膨胀,呈白色盛出,筛去细沙即成,也可用粳米代替。)

三、家禽野味

东江盐焗鸡(广东菜)

[用料]

光仔鸡1只约900克,粗盐2500克,葱3条,姜5片,纱纸

296

2张,净芫荽20克,八角2粒,沙姜粉、盐少许,香油适量,猪油约3汤匙,清水3汤匙。

[做法]

①将光鸡洗净,晾干,用刀斩去趾尖和嘴上硬壳,在鸡翼两边各划一刀,把翼筋割断,用刀背略捶鸡颈,敲断脚骨,将葱条、姜片和鸡脚插入鸡腹内,鸡头屈藏在鸡翼下,用纱纸包裹备用。

②烧热锅,下粗盐、八角炒至爆热时(有盐爆响声),取出500克放入砂锅,把鸡放在盐上,然后将余下的盐盖在鸡身上,加盖置炭火炉上用小火焗10分钟,将清水从砂锅盖边灌入(注意不可揭盖),再焗10分钟至熟,取起,去掉纱纸。

③将鸡的皮和肉分别撕成片状。鸡骨拆散,加入调料拌匀,以骨垫底,肉置中,皮铺面,拼砌成鸡形状,芫荽伴边即可。跟沙姜、盐、油2小碟佐食。

百花煎凤翼(广东菜)

[用料]

鸡翅15只,葱姜水、蛋清、生粉各2茶匙,酒1/2汤匙,虾仁250克,芫荽少许,肥肉(绞碎)100克,黑芝麻1茶匙,芥蓝菜300克,花椒粉、胡椒粉各少许。

[做法]

①将鸡翅膀中的两根细骨由反面切断其两头,再顺着细骨用刀尖划开,抽出骨头(但翅尖不必切下),全部用适量盐、酒、胡椒拌匀腌约20分钟。

②将虾仁用刀面全部压碎,再仔细剁成极烂的虾泥状,盛

大碗中,加入肥猪肉、适量盐、蛋清、葱姜水(葱1条,姜2片加适量水泡片刻而成)调拌均匀(需向同一方向搅),至有粘性后,再放生粉,继续拌匀。

③将腌过的鸡翅摆在碟中(需皮向下),在上面先洒少许干生粉,然后将第二项的虾料1汤匙放在上面,用手指沾水去抹光,使成为半球状,在每个虾球上放置1小片芫荽及少许黑芝麻做为装饰。

④在锅内烧热炸油,将做好的鸡翅逐个放下,用小火炸熟(有虾馅之一面向下),约2分钟后翻过一面炸1分钟便成。

⑤将芥蓝菜叶切丝,用油炸10秒钟捞出,沥干铺放在碟内,上面排列炸熟的凤翼即可。食时蘸花椒盐或番茄酱。

发菜扒大鸭(广东菜)

[用料]

净光鸭1只约1250克,湿发菜325克,绍酒1汤匙,白糖2茶匙,浅色酱油2茶匙,深色酱油3茶匙,八角1粒,花椒2克,陈皮2克,香油、生粉、姜葱各适量。

[做法]

①将发菜用清水浸约1小时洗净泥沙和杂质,捞起,放滚水中煮2次,每次约2分钟,捞起滤水。

②光鸭切去鸭掌、鸭翼、鸭嘴的一半及尾部,在背正中切一小"十字"刀口,敲断四肢骨。用深色酱油2茶匙涂匀表皮,放入八成滚的油锅中炸约1分钟,至皮色大红,捞起滤油,成为红鸭。

③将红鸭放于小汤锅中,加滚水浸没,下2/3的姜、葱、八

角、花椒、陈皮、绍酒(2/3 汤匙)、盐、味精、白糖、浅色酱油,用大火煮滚,下深色酱油改用小火爝约 90 分钟,至鸭身软熮能脱骨,取起晾凉。在鸭背刀口处下手取出全部鸭骨,将鸭身胸脯向下放在汤碗上,鸭骨拆碎放回鸭身内(锁喉骨不要),加回原汤浸没,回锅再蒸。

④倾出汤碗内原汤(留用),红鸭再放于碟中(胸脯向上),摆回鸭形。

⑤烧热锅下油少许,放入姜、葱爆香,下绍酒、滚水、湿发菜,加盐煨约 2 分钟,去掉姜葱,捞起压干水分,排在鸭身周围。再烧热炒锅,下油,加入原汤 400 克,调成好味道,加生粉水勾芡,淋入香油,浇在鸭身和发菜上即可。

鹊桥庆相逢(广东菜)

[用料]

乳鸽 2 只,葱 2 条,酱油 3 汤匙,姜 2 片,酒 1 汤匙,冬瓜500 克,上汤 5 杯,火腿 200 克。

[做法]

①将鸽子除掉内脏后洗净,擦干水分,涂上酱油及酒,用烧热的油炸过。冬瓜去皮除籽后,切成 2.5 厘米宽、5 厘米长的薄片(24 片),火腿蒸熟也切长薄片(共 12 片)。

②在一个蒸碗内将冬瓜 2 片夹放一片火腿(正面向下)排列整齐。鸽子两只压扁放在冬瓜两旁左右各 1 只(胸部向下),注入加过盐的清汤 3 杯,并放葱、姜片及酒,上锅大火蒸1 小时(挑出葱姜不要)。

③蒸好后扣在大汤碗内,再另加 2 杯煮滚的清汤,淋下鸡

油少许即可。

辣子鸡丁(四川菜)

[用料]

鸡脯肉(仔公鸡)200 克,茨菰 5 只,泡辣椒 6 只,料酒 1 茶匙,上汤、糖、醋、姜茸、蒜茸、生粉各适量,酱油少许。

[做法]

①将鸡肉洗净,去掉皮(如用鸡腿肉应去掉骨),用刀尖轻轻地扎几下,使其容易入味,然后用刀开成 1 厘米左右宽的条子,再横着肉纹切成 1 厘米大小的方丁。

②姜、蒜去皮切成片。葱白切成 1 厘米长的段。泡辣椒去蒂去籽,用刀剁细。茨菰洗净去皮,也切成 1 厘米大小的方丁。

③将切好的鸡丁用盐、料酒和生粉水拌匀。味精、盐、白糖、醋、料酒、生粉水和上汤调成汁。

④烧热锅,下油,烧至七成热时,速将鸡丁下入锅内,快速炒散,即加入剁细的泡辣椒急速翻炒,再将备好的姜、葱、蒜、茨菰丁倒入锅内炒匀后,下调味汁即可。

红油鸡块(四川菜)

[用料]

熟鸡肉 250 克,红油 30 克,白糖 1 茶匙,口蘑酱油 30 克,葱白适量。

[做法]

①将葱白斜切成马耳形,装入一圆碟垫底,再将鸡肉(选用煮熟的仔公鸡后腿肉或胸脯肉)斩成 3.5 厘米长、1 厘米宽的条块摆入碟中葱白上面。

②将口蘑酱油、白糖、味精、辣椒油调匀,淋于鸡块上面即可。

宫爆鸡丁(四川菜)

[用料]

鸡肉(鸡脯或鸡腿肉)200 克,花生米 50 克,干辣椒 4 只,花椒 20 粒,蒜、红白酱油、醋、料酒、鲜汤、姜、葱、酱油、糖、生粉各适量。

[做法]

①先把鸡肉拍松,再用刀改成 1 厘米见方的丁。花生米洗净,放入油锅炸脆,或用盐炒脆去皮。干辣椒去蒂去籽,切成 1 厘米长的节。姜、蒜去皮切片。葱白切成颗粒状。

②将切好的鸡丁用盐、酱油、生粉水拌匀。将盐、红白酱油、白糖、醋、味精、料酒、生粉水、上汤调成汁。

③烧热锅,下油,烧至六成热时,将干辣椒炒至棕红色,再下花椒,随即下拌好的鸡丁炒散,同时将姜、蒜片、葱粒下入,快速炒转,加入调味汁翻炒,起锅时将炸脆的花生米放入即可。

锅贴鸭方（四川菜）

[用料]

鸭半只约 750 克,蛋清 2 只,花椒 3/2 汤匙,面粉 1/2 杯,发泡粉 1 茶匙,土司面包 4 片,花椒盐少许,番茄片、生菜各适量。

[做法]

①将花椒与盐在锅内炒香(盐呈微黄色止),待冷后,全部擦在鸭身之里外,腌一天,再上锅蒸烂(约 2 小时)。待鸭冷却后,拆除全部骨头,鸭皮朝下将鸭肉撕开铺平,然后切成 3 厘米的 4 方块备用(共 12 块)。

②蛋清在碗中打得发泡而变硬后,加入面粉,发泡粉及盐轻轻拌成糊状,另用一只蛋黄加面粉少许,调成粘性的面糊。

③将面包切成 4 厘米直径圆薄片后,先涂上蛋黄糊,然后放上蛋清糊 1 汤匙及鸭肉 1 方(皮向上放)。

④将炸油烧热,放入全部鸭方,正面反面各炸 30 分钟即好,趁热排在铺了生菜叶以及番茄的碟中,与花椒盐一起食用。

发菜龙眼（山东菜）

[用料]

水发发菜 200 克,鸡脯肉 300 克,肥猪肉 50 克,料酒、生粉、上汤各适量,香油少许。

[做法]

①将鸡脯肉和猪肉剁成茸,合在一起,放入盐、料酒、生粉水顺一个方向搅匀,挤成扁圆形的丸子,将发菜围在每个鸡丸的边上,放锅内蒸熟取出。

②锅内放入上汤、盐、料酒、味精煮滚,用生粉水勾芡,淋上香油,浇在龙眼上即可。

香糟鸡片(山东菜)

[用料]

生鸡脯肉 200 克,鸡蛋清 1 只,香糟 50 克,水发海参 25克,水发冬菇 5 朵,青豆 20 粒,上汤 100 克,料酒 3 茶匙,鸡油、生粉、葱、姜各适量。

[做法]

①将鸡脯肉片切薄片,用鸡蛋清、生粉调匀。海参、冬菇均匀切成片,葱姜切成片。

②将香糟碾碎,加上汤 50 克调匀,放入洁净的纱布袋中,将袋悬挂,下面用碗接着控落下的糟汁。将盐、料酒、上汤放入碗内,调成汁水。

③烧热锅,下油,至六成热,放入鸡片滑散,捞出沥干油。

④锅内留适量油,下葱姜爆香,加入吊糟汁,随即放入鸡片、冬菇、海参、青豆炒匀,加入汁水浇滚,淋上鸡油即可。

烤小鸡(山东菜)

[用料]

剖杀好的小雏鸡 1 只 700 克,大葱 15 克,姜 15 克,生菜 50 克,酱油 3 汤匙,料酒 3 茶匙,大葱油 2 汤匙,上汤 5/2 杯。

[做法]

①将鸡从背部用刀片开,用刀平拍几下,全身抹上酱油。葱切成大段,姜拍松成块。生菜洗净待用。

②将鸡放入烤盘内,加上葱、姜、料酒、上汤、大葱油,入烤炉,大火烤 15 分钟左右,鸡熟呈金黄色时取出。

③将烤好的小鸡切成 3 厘米长、1.2 厘米宽的块,原样摆入碟内,再浇上烤小鸡的原汁即成,带生菜食用。

德州扒鸡(山东菜)

[用料]

活鸡约 2500 克,口蘑、大料各 5 克,酱油 375 克,饴糖 2 汤匙,丁香、桂元各 12 克,豆蔻、砂仁、玉果各 2.5 克,白芷 1.5 克,小茴香、草果各 1 克,姜块适量。

[做法]

①在鸡脖下割一小口,放净血。用 70℃左右的热水冲烫后去净毛,剥去爪上老皮。在鸡腹下近肛门处横割 3 厘米长的刀口,取出内脏、食管,割去肛门,洗净。将鸡的左翅自脖下刀口插入,从嘴内侧伸出,别在鸡背上,将鸡的右翅也别在鸡

背上。把两大腿骨用刀轻轻砸折,并起交叉,将两爪塞入鸡腹中,晾干水分。

②将丁香、砂仁、豆蔻、玉果、草果、白芷、大料、小茴香、肉桂研成细末,用洁净纱布包成药包。姜拍破。将饴糖加清水(250 克)调匀,均匀地抹在鸡身上。

③烧热锅,下油,至八成热,将鸡放入,炸至呈金黄色时,捞出沥干油。

④净锅置火上,放入鸡,加入清水(以漫过鸡为度),再放入药包、姜、盐、酱油,用铁箅将鸡压住,大火煮滚,撇去浮沫,改用小火焖煮(保持似开非开),至鸡烂时即可。

神仙鸭子(山东菜)

[用料]

雏鸭(母)一只约 1500 克,花椒 10 余粒,小茴香 1 克,料酒 2 汤匙,上汤 3 杯,葱段、姜片各适量。

[做法]

①将鸭子宰杀退毛,剀开取脏,冲洗干净,剁嘴留舌,去掉爪尖,放入滚水锅内灼透,沥干水分,腹内加入料酒 1 汤匙,盐腌泡 5 分钟。

②将鸭脯朝下放入蒸碟内,加入上汤、料酒、盐、葱、姜、花椒、小茴香(花椒、小茴香用净纱布包好),放锅内蒸 90 分钟取出,去掉葱、姜、料包,原汤倒入勺内,将鸡脯朝上放入鸭池内即可。

圆盅炖鸡(江苏菜)

[用料]

嫩母鸡1只约500克,料酒25克,葱结1个,生姜1片。

[做法]

①将鸡洗净斩成1寸长见方的块状,放滚水中烫过,断生后捞出洗净。

②将洗净的鸡块(皮朝上)排放在圆盅中(圆盅即盛器名),加酒、葱结、姜片、盐、味精。

③将灼鸡的原汤吊清倒入圆盅内,盖上盖隔水蒸至酥烂脱骨(约3小时左右),出笼去盖,拣出葱结、姜片即可。

一品汽锅鸡(江苏菜)

[用料]

嫩鸡(或鸭)1只约1000克,熟火腿150克,豆苗10条,葱2条,姜2片,酒2汤匙。

[做法]

①将鸡洗净,再灌开水到鸡肚内冲洗干净里面的血水,整只放入汽锅中。

②倒入5杯开水,放下葱、姜片及酒,盖好锅盖,隔水用大火蒸90分钟。

③夹出葱姜不要,将火腿切成1寸宽2寸长的大薄片后,排列在鸡胸旁,再续蒸15分钟,下盐调味,并放下豆苗,即可

端出食用。

红烧栗子鸡(江苏菜)

[用料]

嫩光鸡1只约500克,生板栗250克,料酒1汤匙,糖1汤匙,生粉、酱油、上汤各适量。

[做法]

①将鸡剖净后斩成3厘米见方的块,放在清水中漂洗沥干备用。

②将板栗劈成两片,放在开水锅中,煮至壳与肉能剥开,捞出后将栗子剥去壳、衣。

③烧热锅,下油,烧至七成热时,将鸡块过一下油,鸡皮呈金黄色时捞起,倒去余油。然后把栗子、鸡块倒在锅中,加入酒、酱油、盐、糖和适量的汤,盖上锅盖在大火上煮滚后,用小火焖酥。

④将焖酥的鸡块、栗子再加味精,用大火略煮,汁烩后加生粉水勾芡,在锅内翻炒片刻即可。

凤翼蒸花菇(江苏菜)

[用料]

鸡翼500克,花菇50克,酒2汤匙,明矾少许,姜1片。

[做法]

①将鸡翼斩去翅尖,用滚水烫过后捞出洗净,将明矾放入

汤内,加热撇去浮沫吊清备用。

②将花菇放在水中浸泡后,用指刮去花菇面上的泥沙、杂质,煎去脚梗漂清后,放入碟内,加酒、盐、味精和原汤(即沥清的泡花菇的水)隔水蒸 30 分钟后取出备用。

③将灼水后洗净的鸡翼整齐地排列在品锅中,加入酒、盐、味精和姜片,将吊清的原汤和花菇一并倒入品锅中(至品锅沿 1 厘米处),加盖隔水蒸 150 分钟,取出后拣去姜片,将花菇面只只朝上即可。

栗子炒仔鸡(浙江菜)

[用料]

鸡肉 250 克,栗子肉 100 克,绍酒 2 茶匙,酱油 1 汤匙,葱段、糖、醋、香油各适量。

[做法]

①将鸡肉皮朝下置干砧板上,拍平,用虚刀交叉在肉面上排剁几下(深约鸡肉的 2/3),然后切成 1.5 厘米见方的块,盛入深碟中,加盐、绍酒少许,再用生粉水调稀搅拌上浆。

②将绍酒、酱油、糖、味精、醋放入碟内,用生粉水调成芡汁备用。

③烧热锅,下油,至五成热时,放入浆好的鸡块,用筷划散,用漏勺捞起。油温升至七成熟时,将鸡块再放入锅中,倒入鲜栗子肉,滑至鸡肉转玉白色即倒入漏勺,沥去油。

④原锅留适量油,放入葱段煸至有香味,将鸡块和栗肉倒入锅,即将调味芡汁加适量水调匀倒入,不断翻炒,最后淋入香油即可。

醉大转弯(浙江菜)

[用料]

鸡翼 6 只,绍酒 1 杯,冷鸡汤 1 杯,葱姜少许。

[做法]

①鸡翼(不要翅根部分)全放在汤锅内加滚水 3 杯煮 20 分钟,捞出后,趁热洒上盐,并用手指略加擦抹均匀,放置 2 小时。

②将酒与冷却之鸡汤(煮鸡翅膀剩下之汤汁)调合在大碗内,放进鸡翅膀腌泡 1 天即可(鸡翅膀要每只切成 2 块装碟,并淋下 1 汤匙泡汁)。

叫化仔鸡(浙江菜)

[用料]

嫩母鸡 1 只约 1500 克,猪腿肉 75 克,京葱(或小葱)100 克,猪网油 250 克,姜丝 5 克,葱段 5 克,绍酒 75 克,酱油 35 克,糖 10 克,山奈(中药)1 克,花椒盐 10 克,八角 1 瓣,粗盐 75 克。以下是包扎用的原料:绍酒脚(沉淀用的酒渣)100 克,透明纸 75 克,鲜荷叶 2.5 大张,酒坛泥 3500 克,细麻绳 4 米,湿布 1 块,白报纸 1 张。

[做法]

①将母鸡剖开,在左翅膀下开长约 4 厘米的刀口,取出内脏,洗净沥干。剁去鸡爪,取出鸡翅主骨和腿骨,用刀背将翅

尖轻剁几下,再在鸡腿内侧竖割一刀(使调料渗入),鸡颈根部用刀背轻敲几下,将颈骨折断(皮面不能破),便于烤煨时包扎。

②将山奈、八角碾成粉末,放在大碟内,加入绍酒50克、酱油25克、糖、盐、葱段、姜丝拌匀,将鸡放入腌15分钟,其间翻动2~3次,使调料均匀渗入鸡体内。

③猪腿肉、京葱切成丝。烧热锅,下熟猪油,放入葱丝、肉丝煸透,加绍酒25克、酱油10克、适量盐、味精炒熟装碟备用。

④将炒熟的配料用竹筷从鸡腋下刀口处填入鸡腹,卤汁也一起灌入,把鸡头紧贴胸部扳到鸡脚中间,再把鸡腿扳到胸部,两翅翻下使之抱住颈和腿,然后用猪网油包裹鸡身,先用1.5张荷叶包裹,第二层包1张透明纸(不使卤汁渗出),再包1张荷叶,接着用麻绳在外面先捆两道十字形,然后象缠线团那样平整地捆扎成鸭蛋形。

⑤将酒坛泥砸碎,加入绍酒沉渣、粗盐和水捣韧,平摊在湿布上,把包扎好的鸡(腹朝上)放在泥中间,提起湿布四角,将泥裹紧鸡身,用手沾水拍打湿布四周,使涂泥均匀。然后除掉湿布,包以白报纸,以防煨烤时泥土脱落。

⑥将泥团鸡放入烘箱,先用220℃高温逼热,40分钟后,调至160℃左右,持续烘烤3~4小时后,敲开泥团,去掉荷叶等包裹物,将鸡和卤汁装入腰盘,并随带花椒盐供蘸食即可。

火踵神仙鸭(浙江菜)

[用料]

肥鸭 1 只,火踵 1 只,葱结 1 个,姜块 15 克,绍酒 15 克。

[做法]

①将鸭剀开,背部尾梢上横开一小口,取出内脏,挖去鸭臊洗净,背面直划一刀,放入滚水内,用大火煮出血水,敲断腿梢骨,用冷水洗净。

②将火踵用热水洗去表面油腻,用清水刷洗干净。姜块去皮拍松。

③取大砂锅 1 只,用小竹架(竹算子)垫底,把鸭子腹朝下,和火踵一起并排摆上,放入葱结、姜块,加适量清水,盖好盖,用纸密封锅边,放大火上烧滚后,改用小火炖 2 小时左右,启封揭盖,取出葱、姜,捞出火踵,剔去筒骨,仍放入锅内。

④将鸭翻身,盖好锅盖密封,继续置小火上,炖至火踵、鸭子均酥熟。启盖,去掉小竹架,撇去凉油,将火踵捞出切成 1 厘米厚的片,整齐地覆盖在鸭腹上,加入绍酒、盐和味精,加盖密封,再炖 5 分钟左右即可。

醉糟鸡(福建菜)

[用料]

净母鸡 1 只约 1000 克,高粱酒 50 克,白萝卜 400 克,辣椒 1 只,红糟 75 克,绍酒 125 克,白糖 75 克,香醋 50 克,上汤 75 克,五香粉适量。

[做法]

①将鸡洗净去脚爪,在膝部用刀稍拍一下,放进温水锅中,用小火煮 10 分钟,不待水滚,即将鸡翻身再煮 10 分钟,待膝部露出腿骨时,捞起晾冷。

②将鸡身切成4块,留下鸡脚鸡头劈片,翅膀切成2段,一并放入小盆中,加味精、盐、高粱酒调匀,密封腌醉1小时,翻一翻,再腌1小时后将味精、适量盐、红糟、五香粉、绍酒、糖(1/2)、上汤混合搅匀,倒入再浸1小时,抹去红糟,轻轻取出鸡肉放在砧板上,切成2.5厘米长、1.5厘米宽的柳条片排在盘中,拼上"五露"形似全鸡形状。

③白萝卜洗净去皮,切成宽、长各1.8厘米的长条,每条相对两面划十字花刀成蓑衣萝卜,浸在盐水中30分钟去苦水后洗净捏干。辣椒切丝放入碗中,加糖、香醋调匀,再放入蓑衣萝卜腌浸渍20分钟取出沥干汁,放在鸡肉两边即可。

芝麻酱焗鸡(福建菜)

[用料]

肥嫩鸡1只约1000克,水发香菇12朵,芝麻酱50克,花生酱100克,绍酒50克,上汤3杯、姜茸、花椒粉、糖、酱油各适量。

[做法]

①将鸡焗净,剔除大骨,洗净后放入滚水中烫过,捞出沥干。香菇洗净。

②砂锅置中火上,下上汤、芝麻酱、花生酱、酱油、绍酒、味精、糖、花椒粉、姜茸调匀烧滚,然后放入鸡和香菇焗30分钟,改用小火再焗约八成烂即可。

③将鸡捞出,先剁下头、颈、翅膀、脚,再把鸡身剖成两片,分别切成3.5厘米长、1.5厘米宽的块,装入碟中叠成鸡身状,其余按部位拼入摆成整鸡形。取出香菇,铺在鸡身上,然后淋

上锅内焗鸡原汁即可。

龙凤串翅（福建菜）

[用料]

鸡翅膀 15 克,酒 2 茶匙,瘦火腿 50 克,笋 1 支,上汤 3 汤匙,嫩青菜 300 克,生粉少许。

[做法]

①将鸡翅膀的每支翅尖切下(只用整支鸡翅),再将鸡翅前端关节处也剁掉 1 厘米(使翅中的两支骨头露出一点),全部在滚水中烫煮约 30 分钟,即捞出冲一下冷水备用。

②将火腿及笋分别切好 20 支 3/2 寸长的粗条留用。

③从烫热的鸡翅内抽出 2 支骨头后,在其空洞处插入 1 支火腿入 1 支笋条。

④在一只蒸碗内排列全部鸡翅(皮向下放),淋下酒、盐及上汤,放入锅中用大火蒸约 20 分钟。

(5)蒸好后,先把碗内的汤汁倒出在锅内煮滚,用少许生粉水勾薄芡,淋到扣在深碟中的鸡翅上面,碟边围放炒过的嫩青菜即可。

白烧龙凤掌（福建菜）

[用料]

鸭脚掌 15 只,鸡脚掌 12 只,净冬笋 100 克,芥菜叶柄 100 克,水发香菇 12 克,猪瘦肉 50 克,白酱油 1 汤匙,绍酒 3 茶匙,上汤250克,鸡油1茶匙,生粉适量。

[做法]

①将鸭脚掌用温水浸透,拆去爪、骨、筋骼。鸡脚掌用刀划开,拔去爪,骨筋骼。

②冬笋、芥菜叶柄切长2.5厘米、宽1.5厘米、厚0.5厘米的片,香菇切片,猪瘦肉切薄片。

③烧热锅下油,烧到七成热时,加入上汤、味精、白酱油、绍酒,搅匀后放入鸡、鸭脚掌和肉片、香菇、冬笋、芥菜叶柄,煨烂后用生粉勾薄芡,淋上鸡油即可。

板栗烧鸡(湖南菜)

[用料]

带骨鸡肉750克,板栗肉150克,绍酒约1汤匙,酱油1汤匙,上汤6杯,生粉、胡椒粉、香油各适量。

[做法]

①将净鸡剔除粗骨,剁成长、宽约3厘米的方块。板栗肉洗净沥干,葱切成3厘米段,姜切成长、宽各1厘米的薄片。

②烧热油锅,烧至六成熟,放入板栗肉炸成金黄色,倒入漏勺沥油

③再烧热油锅,至八成热,下鸡块煸炒,至水干,下绍酒,再放入姜片、盐、酱油、上汤焖3分钟左右。

④取瓦钵1只,用竹箅子垫底,将炒锅里的鸡块连汤一齐倒入,放小火上煨至八成烂时,加入炸过的板栗肉,继续煨至软烂,再倒入炒锅,放入味精、葱段,洒上胡椒粉,煮滚,用生粉水勾芡,淋入香油即可。

竹节鸡盅(湖南菜)

[用料]

鸡肉(里脊)200克,瘦猪肉200克,干贝25克,酒1汤匙,荸荠8只,酱油2汤匙,竹节(筒)12只,上汤(凉)6杯,胡椒粉1小匙。

[做法]

①鸡肉去皮,除筋后,连同瘦猪肉,用绞肉机绞3次(也可用刀剁得极烂)。干贝先泡再蒸软,用手撕成细丝,荸荠切茸挤干水分备用。

②将绞过的肉料放进大碗内,先加入酒、盐及酱油,再放下干贝及荸荠调拌均匀,然后将清汤1杯慢慢加入再拌搅,见绞肉已分散均匀之后,才将另外5杯全部陆续慢慢加进调匀为止。

③将调匀的肉料分装在竹节内(约8分满),全部排放在蒸笼中,上锅用大火蒸1小时至2小时即可(如没有竹节,可利用相同大小的茶杯或小饭碗代替)。

酸辣凤翅(湖南菜)

[用料]

鸡翅膀12只,酸泡菜50克,鲜红辣椒5克,水发玉兰片50克,水发香菇8朵,绍酒约2汤匙,醋3茶匙,酱油1汤匙,青蒜、葱结、姜、生粉、香油各适量。

[做法]

①将鸡翅放入滚水中烫过,从中间骨节处砍断成两段。取瓦钵1只,用竹箅子垫底,依次放入鸡翅、醋、盐、酱油、绍酒、葱结、姜片、6杯水,放大火上煮滚,再改用小火煨1小时,至鸡翅柔软离火,去掉葱姜,取出竹箅子。将鲜红椒洗净去蒂去子,香菇去蒂,与酸泡菜、玉兰片、青蒜分别切成米粒状。

②烧热锅,下油,烧至七成热,先下玉兰片、鲜红椒、香菇,再加盐、酱油煸炒,约30秒钟后,加入酸泡菜翻炒几下,接着倒入瓦钵内的鸡翅和原汤,炒匀后放入青蒜、味精,用生粉水勾芡,淋入香油即可。

麻辣仔鸡(湖南菜)

[用料]

仔鸡2只(约750克),鲜红辣椒100克,绍酒3茶匙,花椒子1克,醋2茶匙,香油、青蒜、醋、生粉、酱油各适量。

[做法]

①将净鸡剔除全部细骨,鸡肉横直划刀,切成约2厘米见方的鸡丁,盛入碗内,加酱油少许、生粉适量、绍酒拌匀。将红辣椒洗净去蒂去籽,切成约1厘米见方的小片。花椒子拍碎。青蒜切成1厘米长的斜段。

②烧热锅,下油,烧至七成热,放鸡丁入锅,用手勺推散,约20秒钟,迅速用漏勺捞起,待油温回升到七成热时,再将鸡丁下锅,炸至呈金黄色,将油倒入漏勺沥油。

③锅内留适量油,烧至六成热时,下红辣椒、花椒子、盐炒几下,接着放入炸过的鸡丁合炒,再加入醋、酱油、青蒜、味精,

316

用生粉水勾芡,翻炒片刻,淋入香油即可。

熘炸仔鸡(安徽菜)

[用料]

肥净仔鸡 1 只约 750 克,蒜头 8 瓣,青辣椒 25 克,醋 1 汤匙,酱油约 2 汤匙,白糖 1 汤匙,生粉适量。

[做法]

①将仔鸡刲好(留肫、肝)洗净,剔去大骨,剁成 3 厘米见方的块,肫、肝切成小块,放在碗内,加入 1/2 汤匙酱油、适量生粉拌均匀。

②将青辣椒洗净,切成片。蒜瓣拍碎,取碗一只,放入酱油、醋、白糖、生粉调成卤汁。

③烧热锅,下油,烧至七成热时,下入浆好的鸡块,炸至呈金黄色时捞起。待油温升至八成热时,将鸡块下锅再炸至金红色,倒入漏勺沥油。

④锅内留适量油烧热,下蒜瓣、青辣椒煸炒出香味,倒入卤汁煮滚,加入鸡块翻炒片刻,淋上香油即可。

清香砂焐鸡(安徽菜)

[用料]

仔母鸡 1 只约 1250 克,水发香菇 150 克,肥瘦火腿 25 克,猪网油 250 克,荷叶 2 张,瘦肉丝 75 克,熟笋丝 50 克,青豆 5 克,鹌鹑蛋 20 个,青菜丝 10 克,蛋黄糕丝、瘦火腿丝各 15 克,熟鸡丝 50 克, 鳜鱼肉馅 75 克, 面粉 750 克, 葱白 150 克, 姜 75 克, 花椒 10 克, 葱花、甜面酱、辣酱油各 1 小碟, 绍酒 1 汤匙, 酱油约 2 汤匙, 香油适量。

[做法]

①将鸡宰杀, 从翅下开一刀口, 取出内脏洗净沥干。葱姜拍碎加入绍酒、酱油搅拌放入鸡肚内浸渍入味, 香菇(100 克)加汤、盐、香油烧烩入味装入鸡肚内。

②将网油洗净凉干捶平油梗, 将鸡身擦遍用葱姜、花椒、肥瘦火腿剁成的泥, 用网油包裹起来, 再用荷叶包裹均匀, 用细绳捆扎紧。

③取面粉(500 克)加水及适量盐调成厚糊状, 涂抹在荷叶上抹匀抹平, 埋入事先炒热的白砂锅内, 放在火上焐匀 2 小时左右, 见外壳裂开, 散发出鸡香味即好。装碟时洗剥去外壳, 斩下鸡头、尾、翅、爪, 摆成鸡形, 鸡肉拆骨放在中间作鸡身。

④鹌鹑蛋煮熟去壳入油锅炸成虎皮蛋, 分别直切成 2 半, 逐个瓢上鱼馅及绿菜叶丝、蛋糕丝、火腿丝, 制成凤尾鹌鹑蛋, 上笼蒸熟, 排围在鸡的四周即成。

(5)将面粉(250 克)开水烫后, 做成 12 个薄饼(内放葱花、火腿末、香油), 小火坑熟, 随菜上桌即可。

炸二丝卷(安徽菜)

[用料]

鸡脯肉 200 克, 熟火腿 30 克, 猪网油 125 克, 籼米粉 30 克, 鸡蛋 1 只, 鸡蛋清 1 只, 甜米酒 1 汤匙, 面粉 1 汤匙, 甜酱 1

小碟,花椒粉、葱花各适量。

[做法]

①将鸡脯肉(剔去筋膜)和火腿均切成丝,放碗内加盐、葱花、鸡蛋清、甜米酒、味精和籼米粉 10 克拌匀。

②将猪网油洗净晾干切成大小相等的 4 块,铺平洒匀面粉,每块放入鸡丝、火腿丝,理成长条,包卷成如小手指粗的长条 4 根,洒上面粉。鸡蛋打入碗内,加入籼米粉调成蛋糊。

③烧热锅,下油,烧至四成热时,将鸡丝卷涂匀蛋糊下锅,炸至内熟外黄时捞出,斜切成片装碟,洒上花椒盐,与甜酱一起食用即可。

徽州蒸鸡(安徽菜)

[用料]

肥母鸡 1 只约 1000 克,板栗 200 克,酱油约 1 汤匙,绍酒约 1 汤匙,鸡汤约 2 杯,冰糖少许。

[做法]

①将鸡从脊背处剖开,取出肠脏,洗净沥水。板栗煮熟后剥壳除内衣。在鸡肋骨处用刀尖扎几下(不要扎破皮),在鸡大腿内侧,顺鸡形用刀划一下。

②将鸡放入滚水中灼至鸡皮绷紧,浮沫漂起,捞出沥水,涂抹一层酱油,下油锅炸至鸡皮呈金红色时捞出沥油。

③将鸡脯向下放在碗里,摆上板栗肉,洒上盐、冰糖、绍酒,加上汤、葱(打结)和姜(拍松),放锅内用大火蒸至鸡肉熟烂时取出,拣去葱、姜,反扣在碟中即可。

四、素菜甜菜

北菇扒双蔬(广东菜)

[用料]

小冬菇(或草菇)15 朵,小苏打 1/2 茶匙,酱油 1 汤匙,糖、葱、姜各少许,白芦笋 1 罐,上汤 4 杯,生粉 1 汤匙,小芥菜 3 棵,鸡油少许。

[做法]

①芦笋由罐中取出盛在深碟中,加入上汤 1 杯,蒸 15 分钟,即沥干,排在菜碟的一边。

②芥菜除老叶后,取嫩梗,斜切大片,全部用滚水加小苏打烫 5 分钟,捞出后在冷水中多冲洗,再用油炒过,并加入清汤 1 杯,煨煮 5 分钟左右,加盐 1/2 茶匙调味,即可全部捞出沥干,排列在碟中的一端。

③将冬菇泡软后,剪下菇蒂,用 1 杯清汤加油、酱油各 1 汤匙及糖、葱、姜少许上锅蒸 15 分钟,沥出排列在中间。

④在锅内烧滚 1 杯清汤后加盐调味,用生粉水勾芡,淋下少许鸡油,浇到碟中菜上即可。

开胃酸菜(广东菜)

[用料]

咸酸菜梗 400 克,南姜粉 2 汤匙(或姜茸),糖 3 汤匙或适量,香油 2 汤匙,鸡粉 1 茶匙。

[做法]

①咸酸菜洗净,挤干水,切粗粒,放落清水中浸 2 小时(水中加入少许盐,使迅速减去咸味),再用冻开水洗一洗,抹干水。

②咸酸菜加糖、香油、鸡粉拌匀,加入南姜粉再拌匀即可。

大良炒鲜奶(广东菜)

[用料]

蛋清 6 只,蟹肉(或虾仁)3 汤匙,鲜奶 1 杯,洋菇 6 朵,生粉 1 大匙,玉米粒 2 汤匙,火腿茸 1 汤匙,米粉 50 克。

[做法]

①将炸油烧得极热之后,放下米粉炸泡(约 3 秒钟),捞出沥干待冷却后,压碎堆在碟中成小山型。

②将蛋清在碗内打散加入牛奶再拌匀并放生粉、盐及味精,然后加入撕成细条的蟹肉及切片的洋菇和玉米粒(罐头已煮熟)拌匀。

③烧热炒锅,将油倒入摇匀后倒下上述用料,用中火不停的推炒。见蛋奶均已凝固即可盛入碟内米粉上,洒下火腿茸即可。

黑豆鸡蛋糖水(广东菜)

[用料]

黑豆 150 克, 红枣 8 粒, 鸡蛋 2 只, 冰糖 150 克, 陈皮 1/4 个, 清水 6 杯或适量。

[做法]

①黑豆洗干净, 吹干, 放入净锅内用小火炒至豆皮裂开。

②红枣洗干净去核。鸡蛋煲熟去壳。陈皮浸软刮去瓢。

③烧滚水, 放入陈皮先煲滚, 加入黑豆和红枣, 改用中火煲至豆将软透, 加入鸡蛋再煲 20 分钟, 放入冰糖煲溶即可。

成都素烩(四川菜)

[用料]

白萝卜 250 克, 腐竹(泡软)2 条, 胡萝卜 1 条, 油面筋 10 个, 草菇 10 朵, 洋菇 10 朵, 上汤 2 杯, 马铃薯 250 克, 小黄瓜 2 条, 玉米笋 12 条, 青芦笋 20 条, 生粉 1 汤匙, 鸡油少许。

[做法]

①将白萝卜、胡萝卜、马铃薯、小黄瓜等洗净, 切成不同形状的块或球形之后, 用滚水烫煮 8 分钟后捞出, 泡在冷水中。

②起油锅放下腐竹及芦笋以外的用料爆炒后加入上汤, 大火煮 3 分钟。

③将腐竹与芦笋放下并加盐调味, 再煮 20 秒钟, 用生粉水勾芡后推进大碟内, 并将玉米笋分开, 与芦笋相对摆好在四周, 淋下少许鸡油即可。

青椒皮蛋(四川菜)

[用料]

皮蛋4只,青椒150克,酱油2茶匙,香油适量。

[做法]

①将皮蛋剥去灰壳,在冷开水中洗净。将青椒(选用老嫩适宜的皮蛋及小青椒)用一根竹签穿上,在火上烧熟,用干净的沙布抹净,去蒂去籽,用刀剁细备用。

②将每个皮蛋对剖两瓣,每瓣改成4小瓣,摆入碟中,放上剁细的青椒,将味精、香油、酱油调匀,淋在皮蛋上即可。

鱼香酥青豆(四川菜)

[用料]

青豌豆250克,泡辣椒4只,姜、葱、蒜各适量,白糖、酱油各1茶匙,香油、醋各少许。

[做法]

①将豌豆(选用颜色嫩绿的大白豌豆)洗净,滤干水分。泡辣椒洗净去蒂,去籽剁细。姜、蒜去皮剁细。葱切成细花。

②将泡椒末、姜茸、蒜茸、葱花、白糖、酱油、盐、味精、醋、香油调成鱼香味汁备用。

③烧热锅,下油烧至六成热时,下豌豆,炸至豌豆酥脆时,捞入碟内晾凉,然后淋上调好的味汁即可。

太极双泥(四川菜)

[用料]

①料(青豆泥),豌豆罐头2罐,油(猪油较好)1/4杯,白糖2/3杯,樱桃2粒,油1/4杯。②料(核桃泥):蛋黄4只,水2/3杯,核桃仁2汤匙,冬瓜糖4只,红枣6粒,荸荠6粒,粟粉2汤匙,油2/3杯,白糖2/3杯。

[做法]

①将罐头豌豆倒在漏勺中,沥干水分后,放在菜板上用菜刀刀面(刀口向着左面)压碎,碾成细泥状后,再斩剁片刻。将锅烧热,用1/2杯油炒豌豆泥至干爽后,再加入油1/4杯及糖2/3杯,继续炒匀便好(青豆泥)。

②蛋黄打散,加入清水调匀,放下已切剁碎的核桃仁、冬瓜糖、红枣(先泡软)、荸荠,并放粟粉仔细调成稀糊状,倒在烧热的油中用小火不停的炒拌至干爽而透油出来时,加入白糖再继续炒拌均匀(核桃泥)。

③将两种泥盛在一个大圆碟中成为太极形,饰以樱桃即可(也可炒芋头泥、豆沙泥、莲子泥香蕉泥等,炒法相同,将不同颜色的两种泥,相拼在一起成图案便可)。

八宝豆腐箱(山东菜)

[用料]

豆腐750克,鸡肉、猪肉、水发海参、水发干贝、水发香菇、火腿、虾仁、冬菇各30克,火腿片2克,青豆10粒,冬笋片2克,水发香菇片2克,酱油2茶匙,料酒3茶匙,蛋清2只,葱粒、姜粒、葱茸、香油、生粉各适量。

[做法]

①将鸡肉、猪肉、水发香菇、火腿、冬笋切成1厘米大小的丁,放入碗内。海参切1厘米大小的丁,同虾仁一起放入滚水中烫过沥干水分,放入碗内,再将发好的干贝放入碗中,加盐、味精、料酒2茶匙、蛋清、葱姜茸、香油拌匀即为八宝馅料。

②把豆腐放入锅内蒸透,取出切成4厘米长、2.5厘米宽、3厘米高的块,共12块。

③烧热锅,下油,至九成热时,将豆腐入油锅中炸至成金黄色时捞出,用刀贴豆腐块的长边约0.3厘米处开,一面连接,不要片断,做成"箱盖",掀开"盖"挖出"箱"内的嫩豆腐,制成中空的小"箱",再将调好口味的八宝馅料分别装入箱内,摆入碟内放锅中隔水急火蒸熟取出,原汁留用。

④原汁放锅内,再加上汤、酱油、冬笋片、香菇片、青豆、火腿片、料酒、味精煮滚,抹去浮沫,用生粉水勾芡,加上葱油搅匀,浇在豆腐箱上即可。

奶汤蒲菜(山东菜)

[用料]

蒲菜250克,奶汤250克,水发冬菇12朵,水发玉兰片25克,熟火腿25克,料酒2茶匙,姜汁少许,葱适量。

[做法]

①将蒲菜剥去老皮,切成3厘米长的段。冬菇、玉兰片切

成小片,放入滚水中烫过,捞出沥干水。火腿切成象眼片。葱切成段。

②烧热锅,下油,爆香葱,放入奶汤、蒲菜、冬菇、玉兰片、盐、姜汁、料酒煮滚,撇去浮沫,盛入汤碗中,洒上火腿片即可。

拔丝苹果(山东菜)

[用料]
苹果 400 克,白糖 150 克,面粉 80 克,香油适量。

[做法]
①将苹果削去皮,切开去核,切成桔子瓣形的块,在上面洒上少量面粉拌匀,碗内加上面粉、水调制成糊(调制时不可用力搅动,以免起面筋)。

②烧热锅,下油,至七成热时,把苹果沾匀面糊逐块下油炸,炸至熟透呈金黄色时捞出。

③锅内加糖、适量水,用小火熬至最稠时,顺勺边加香油,继续熬至糖液变稀,色微黄出丝时,迅速放入炸好的苹果,端离火,翻炒均匀,待糖液全部沾裹在苹果上时,盛入抹香油的碟内迅速上桌。上桌时要带一碗凉开水,以便蘸筷食用(拔丝菜关键在熬糖,熬好的糖液中加上不同的原料,即可成为名称口味各异的拔丝菜,如拔丝山药、拔丝白肉等等)。

油焖鲜笋(江苏菜)

[用料]

冬笋或春笋 500 克,酱油、糖适量,姜汁少许。

[做法]

①将竹笋斩掉老根,横着切成两片,然后用刀切成 4 厘米长、1 厘米厚的长方条。

②烧热锅,下油,至五成热时,将笋条逐一放在油锅中炸至断生后捞出。

③将笋全部炸熟后,倒掉锅中余油,放入姜汁、盐、酱油、糖和笋条,用大火炒至染上色、入了味后,再加些汤、味精,用小火加盖焖至卤半干,再改用大火收干,下香油拌匀即可。

卤汁冬菇(江苏菜)

[用料]

冬菇 12 朵,酱油 2 汤匙,糖 3/2 汤匙,笋(2 寸长)2 支,上汤(泡冬菇汁亦可)1 杯,香油适量。

[做法]

①冬菇用水泡软后,煎下菇蒂。笋去壳直切成 6 块。

②将上汤、酱油、糖及味精等煮滚放下冬菇及笋块,用小火焖煮 5 分钟,即可捞出沥干汤汁。

③用一只小碗,先将冬菇黑面向下排好,笋块置冬菇上面用力压紧,然后翻扣在碟中即可(冷食亦可)。

宝箱豆腐(江苏菜)

[用料]

豆腐 1 箱,鲜肉末 250 克,虾仁(大)50 克,水发香菇 10 朵,青豆 5 克,料酒、酱油、番茄酱各 1 汤匙,糖、香油、生粉各适量。

[做法]

①将豆腐对切成 4 块后,每块再切成 3 小块,共 12 块。肉末放入碗内,加 1/2 杯酒、葱末、盐拌匀成馅。

②烧热锅,下油,至七成热时,将豆腐分批炸至金黄色结盖时捞出,用汤匙柄在每块豆腐中挖去一部分嫩豆腐(底不能穿,四周不能破),然后把肉馅酿到豆腐中间去,再在上面嵌几只大虾仁,即成生胚。

③将炒锅的余油倒掉,放在火上烧热后放入葱末略炒,再放入香菇、青豆,将锅端离火口,将豆腐胚朝下整齐地排放在锅中,成 3 排,每排 4 块,再改用大火,加剩下的酒、盐、番茄酱、糖和适量的汤,煮滚后加盖用小火煨热,除去锅盖再用大火收汤汁,下味精用生粉勾芡,淋入香油即可。

酥炸桃仁(江苏菜)

[用料]

去皮核桃仁(约 1 杯)150 克,滚水 1 杯,桂花酱(可免)1 茶匙,糖 2/3 杯,麦芽糖 2 汤匙。

[做法]

①烧滚 5 杯水,将核桃仁投入煮 1 分钟捞出沥干。

②另在锅内煮一杯滚水放下糖、麦芽糖及盐,同煮 3 分钟,然后加入核桃仁再煮一滚,即全部倒在大碗中腌泡 4 小时左右(加入桂花酱可增香味)。

③用漏勺沥干核桃仁后,放进温油中用小火炸 3 分半钟
(需不断的铲动)至金黄色时,捞出摊开在一张纸上吹凉即可
(如用带皮核桃仁则需将糖的分量加倍浸泡,够甜为止)。

素烧鹅(浙江菜)

[用料]

豆腐衣 12 张,酱油 3 汤匙,糖 1 汤匙,香油 1 汤匙,素汤
1/2 杯,香菇丝、熟胡萝卜丝、熟笋丝、豆腐干丝各 1/2 杯,活
页馒头 12 个。

[做法]

①将酱油、糖、香油、素汤、味精放在一只碗内调匀备用。

②下油 3 汤匙炒香香菇、胡萝卜、笋及豆腐干丝,并将调
味料放下 2 汤匙拌匀即盛起。

③豆腐衣每张的半圆边相交替放上去,而每放一张必需
涂刷一层调味料(最先 2 张不涂),第六张刷好后,将第②项的
用料半量放在上面由手卷成筒状,用牙签插住,放在碟子上,
置锅中蒸 15 分钟。

④将炸油在锅内烧热后放下第③项,用小火煎成茶黄色,
取出切成半寸宽装碟,与蒸热的活页馒头一起上桌即可(用馒
头夹食)。

奉化芋艿头(浙江菜)

[用料]

芋艿头 10 个约 600 克,上汤 250 克,熟火腿、绍酒、水发海参、虾米、熟鸡脯肉、蛋黄糕、水发香菇、水发黄菇、水发黄鱼肚、青豆各 25 克,糖水樱桃 1 颗,生粉、胡萝卜、葱段各适量。

[做法]

①将芋艿头洗净削去皮,直刀剖切成 12 瓣成莲花形(切至 4/5 深,不要切断),刀缝中夹入薄竹片。

②将热火腿切成指甲片大小,海参、鸡脯肉、蛋黄糕、香菇、黄鱼肚、胡萝卜均切成丁备用。

③将芋艿头隔水蒸约 1 小时至酥熟,放入汤碟,取出竹片,把每瓣均匀向四面扒开,使中心直立。

④烧热锅,放入清汤,加火腿、鸡脯肉、海参、蛋黄糕、黄鱼肚、香菇、胡萝卜等丁料和虾米、青豆,下绍酒、盐,煮滚后加味精和葱段,用生粉水勾芡,淋入熟猪油炒匀,浇在芋艿上,中心按上一颗红樱桃即可。

元宝酥(浙江菜)

[用料]

中筋面粉 3/2 杯,猪油(或植物油)3 汤匙,清水 6 汤匙(上述料为外皮料),低筋面粉 1 杯,猪油(或植物油)6 汤匙(上述料为内皮料),豆沙 250 克。

[做法]

①在面板上摊开外皮用的面粉,加入油及清水,并用手指加以拌合搓弄,使用料成为软度适中的面团。

②另在板上拌合内皮料(面粉与猪油)成为一团(需多加揉搓)。

③将第②项的面团包入第①项中,然后擀成宽1尺、长2尺大小,将这面饼叠成3层,转换一个方向,再擀成同样大小,然后卷成筒。

④将此筒状面,由中间剖开再分割成10小块(共可得20块),将每小块略为擀压成2寸直径大小,中间包一小球豆沙,搓弄成长圆形,用手掌将长圆形1/3处压扁,并向上包裹,捏成元宝形(两端均同样捏作)。

⑸用温油炸5分钟,至够熟便可(也可用烤箱350℃烤20分钟)。

香炸响铃 (浙江菜)

[用料]

豆腐皮5张,猪里脊肉50克,鸡蛋黄1/4只,甜面酱50克,葱白段、绍酒、花椒盐各适量。

[做法]

①将里脊肉洗净,剁成细末(不能有粘连),放入碗中加盐、绍酒、味精和蛋黄,拌成肉馅,分成5份。豆腐皮润糊后去边筋,修切成长方形,每张豆腐皮揭开叠层摊平。

②取肉馅一份,放于豆腐皮的一端,用刀口或竹片将肉馅塌成1寸的宽条,放上切下的碎腐皮(边筋不用),卷成松紧适宜的圆管状,卷合处蘸以清水粘接,共5卷,每卷切成长1寸的段,直立放置。

③烧热锅,下油至五成热时,将腐皮卷段放入油锅,不断翻动,炸至黄亮松脆,用漏勺捞出沥干、装碟。用甜面酱、葱白段、花椒盐蘸食即可。

溜鹌鹑脯（福建菜）

[用料]

鹌鹑 12 只,净冬笋片 25 克,鸡蛋清 2 只,上汤 100 克,香油、绍酒、酱油、生粉、姜茸各适量。

[做法]

①将鹌鹑羽毛拔净,由背部剖开,去内脏后洗净,每只片起胸脯肉 2 片,用刀背稍拍一下,先用酱油、绍酒抓匀腌渍 15 分钟,再加鸡蛋清、生粉拌匀。

②烧热锅,下油烧至六成热时,将拌好的鹌鹑肉片下锅,迅速拨散炸片刻,随即倒进漏勺沥去油。

③冬笋下滚水中灼熟取出。用盐、味精、湿生粉、上汤调成卤汁。烧热锅,下油,烧至八成热时,先将姜茸放入稍煸,随即加入冬笋片、卤汁煮滚勾芡,然后将过油鹌鹑肉片下锅,急溜几下,淋入香油即可。

太极芋泥（福建菜）

[用料]槟榔芋头 1000 克,豆沙 75 克,红樱桃 2 粒,糖 250 克,熟猪油 150 克。

[做法]

①将槟榔芋头去皮,洗净后切块,隔水蒸 1 小时取出,用刀板压成泥,拣去粗筋。

②将芋泥装碗,加白糖(215 克)、熟猪油(125 克)清水 150

克搅拌均匀,抹平后,上笼用大火蒸 1 小时取出。

③烧热锅(小火),下熟猪油(25 克)、糖(35 克)、豆沙、清水 50 克搅匀煮成豆沙稀泥,起锅用铁勺舀起,在芋泥的右边浇成"S"形,芋泥和豆沙泥构成的"S"形对角,分别安上樱桃 1 个,太极图形即成。

蜜汁火腿(福建菜)

[用料]

净火腿 350 克,白莲子 100 克,白糖 250 克,冰糖 100 克,蜂蜜 50 克。

[做法]

①将火腿切成四方形共 12 块放在碗里,冲入滚水,隔水用大火蒸 1 小时取出,滗去原汁,再冲滚水蒸 1 小时,再滗去原汁,然后调入白糖(15 克),冲入滚水,再蒸 30 分钟,取出滗去原汁,最后用冰糖和滚水少许蒸熟取出。白莲子加滚水 250 克蒸后滗去汁,再加白糖(100 克)同蒸至熟。

②将火腿与莲子拼排在汤碟里,将冰糖和蜜倒入锅中烧成粘汁,浇在火腿和莲子上面即可。

麻枣芋泥(福建菜)

[用料]

大芋头 750 克,红枣(或葡萄干)8 粒,糖浆 3/2 杯,白芝麻 1/2 汤匙,猪油 3 汤匙。

[做法]

①芋头削除皮后,切成1厘米厚的大片,全部放入锅中蒸熟(约蒸20分钟)。

②将蒸好的芋头趁热用刀面压碎,成为泥状,盛入大碗内加入糖浆及猪油,仔细搅拌均匀,再将面上抹平(用手指或汤匙沾水去抹)。

③将红枣泡涨(约4小时),切下四面枣肉,用枣肉在芋泥上面排出美丽的图案。用一张玻璃纸将碗面封糊起来(也可用碟子盖上),隔水蒸1小时左右。

④将芝麻炒香待冷后,洒在芋泥上即可。

烤素方(湖南菜)

[用料]

豆腐衣8张,田鸡蛋1只,水1/3杯,面粉3汤匙,盐1/2茶匙,味精少许,葱茸2汤匙做成麦糊料,火腿茸、香菇茸、虾米茸、甜面酱各2汤匙,小花卷15个,葱段(5厘米)15支。

[做法]

①在一只碗内将蛋打散,加入水、面粉、盐及味精调匀。将剁得极碎的葱、火腿、香菇及虾米茸盛在另外碟中拌匀备用。

②将豆腐衣2张平放在菜板上,先涂抹一汤匙面糊料之后,平均洒上1汤匙茸料,然后将第三张豆腐衣倒转一头放在上面,照样再涂上糊料及洒上茸料,如此重复地将7张叠完,最后一张盖上,便将两边不整齐之处切下,使成为方型。

③将炸油烧到七分热之后,放下素方用小火慢炸至酥黄

（需要用牙签时常插洞透气以免涨破）。

④捞出后趁热切成 2.5 厘米宽、5 厘米长的方块，连同炒过的甜面酱及葱段配上小花卷上桌夹食即可。

冬菇藕夹（湖南菜）

[用料]

嫩白藕 500 克，水发冬菇 100 克，鸡蛋 1 只，面粉 50 克，料酒 1 汤匙，生粉、花椒粉、香油各适量。

[做法]

①将藕切去节，削去皮，一切二开成半圆形，平放在砧板上，凸出的一面朝上，先切 0.3 厘米厚（不切断，约切 3/4 深），再切 0.3 厘米厚（切断），如此切完为止，用少许盐腌软。

②将冬菇去蒂洗净，大的改成小块，挤干水分。将花生油烧滚，放入冬菇煸炒，下料酒，放入盐和味精，炒入味后装入碟内晾凉，夹入藕夹。将鸡蛋、面粉、生粉和适量的水调成糊。

③烧热油锅，把藕夹裹上蛋糊，用筷子逐个夹入油锅，炸至表面凝固呈淡黄色捞出，清除面尾。再烧热油锅，将藕夹重炸焦酥，呈金黄色时滗出油，洒入花椒粉，淋入香油炒匀即可。

炒双冬（湖南菜）

[用料]

冬笋 400 克，水发冬菇 100 克，杂骨汤 150 克，酱油 1 汤匙，生粉、香油各适量。

[做法]

①将水发冬菇去蒂,用冷水洗净,大的切成2片。冬笋切成3.3厘米长、2厘米宽的薄片。

②烧热锅,下油,烧至八成热,下冬笋走油,约20分钟,用漏勺捞起,将冬菇拧干水,下锅走油,炸去表面水分,倒入漏勺沥油。

③锅内留适量油,先下冬笋煸炒几下,再下冬菇、盐、酱油、杂骨汤焖2分钟,放入味精,用生粉水勾芡,淋入香油,装碟即可。

玉米青豆羹（湖南菜）

[用料]

鲜嫩玉米400克,菠笋罐头25克,枸杞15克,青豆25克,冰糖250克,生粉1汤匙。

[做法]

①将玉米洗一遍,放入适量的滚水,蒸1小时取出。菠笋切同玉米大小的颗粒,枸杞用水泡发。

②烧热锅,加水8杯和冰糖煮滚溶化,过笋筛,将糖水再倒入锅内,放入玉米、枸杞、菠笋、青豆煮滚,用生粉水勾芡即可。

清蒸花菇（安徽菜）

[用料]

水发花菇 50 克,上汤约 3 杯,香油适量。

[做法]

①将花菇去蒂洗净,菇面朝上放在汤碗内,加入盐、汤和浸泡花菇的水(滤去沉渣),淹没花姑,取一只大碟盖在汤碗上。

②将碗放锅内,用大火蒸 15 分钟左右,取出去盖,淋上香油即可。

炸蜜枣(安徽菜)

[用料]

蜜枣 500 克,鸡蛋 4 只,面粉 100 克,白糖适量。

[做法]

①将蜜枣放锅中隔水蒸约 5 分钟取出,去核。鸡蛋打入碗内,加入面粉和少量清水调成蛋糊。

②烧热锅,下油至五成热时,将蜜枣涂蛋糊下锅,炸至金黄色捞出沥油装碟,洒上白糖即成。

三丝菜心(安徽菜)

[用料]

冬笋肉 50 克,熟火腿 25 克,香菇(水发)25 克,青菜心 750 克,上汤约 1 杯,生粉适量,香油少许。

[做法]

①将青菜心洗净沥水,切成 6.6 厘米左右的条。冬笋洗

净切丝。香菇除蒂洗净切丝。火腿切成丝。

②烧热锅,下油,烧至五成热,将菜心下锅划油,倒入漏勺沥去油。

③原锅放火上,倒入菜心,加盐炒一下靠在一边;将火腿(七成瘦)、香菇、冬笋三种丝放在菜心的另一边,加入汤,盖上盖焖约1分钟去盖,加入味精,用生粉调稀勾薄芡,淋入香油起锅,菜心盛碟底,三丝盖顶即可。

图书在版编目（CIP）数据

营养与健康手册/张晓丽编著

ISBN7－80607－455－4/Q·1　　　¥90.00元

Ⅰ．营…

Ⅱ．张…

Ⅲ．营养－食谱－当代

Ⅳ．Q493.99

营养与健康手册

◎张晓丽编著

策　　划：罗立群

责任编辑：罗立群

封面设计：王　林

出版发行：珠海出版社

经　　销：全国各地新华书店

电　　话：3331403　邮政编码：519015

地　　址：中国珠海市吉大图书大厦4层

印　　刷：广东省中山市新华印刷厂

开　　本：850×1168mm　1/32

印　　张：55　字数：1200千字

版　　次：1998年8月第1版第1次印刷

印　　数：1－8000册

定　　价：90.00元（全五册·每册18.00元）

本书如有印装质量问题，由承印厂负责调换